**W9-CXS-886**

Funke · Welt der Heilpflanzen

Hans Funke

# Die Welt der Heilpflanzen

## Band I Wirkstoffe

mit
51 Zeichnungen
vom
Verfasser

**Richard Pflaum Verlag KG · München**

CIP-Kurztitelaufnahme der Deutschen Bibliothek

**Funke, Hans:**
Die Welt der Heilpflanzen: Heilpflanzen/Hans Funke
— München: Pflaum.
Bd. 1 — 1980
ISBN 3-7905-0311-8

ISBN 3-7905-0311-8

Satz und Druck: Buchdruckerei Holzer, Weiler im Allgäu

# Geleitwort

Hans Funke hat uns einen neuen Blick in die Wunderwelt der Heilpflanzen geschenkt. Der Einstieg in das Panorama der Heilkräuter schildert uns die Ehe zwischen wissenschaftlicher Analyse und lebensnützlicher Darstellung und der historische Überblick strahlt wie ein Morgenrot über den fülligen Inhalt. Im Vordergrund der Phytographie erscheint die Heilpflanze als universelles Energiewesen im Lebensraum, als Spender und Zünder der Lebenskraft, ob es nun um die Anlieferung von Eiweiß, Fetten oder Kohlehydraten geht oder um die Zufuhr von Mineralstoffen und Spurenelementen oder um die Auffüllung von Vitaminen.

Auch die Hinweise auf die Pflanze als Funktionär der Photosynthese von der Arnika bis zum Johanniskraut bringen einen neuen therapeutischen Ansatzpunkt. Die Kontaktgedanken zur Homöopathie und Biochemie, zur Duft- und Strahlenenergie und zu den Pharmamodellen vollenden das Buch zu einem Genuß, den man jedem Pflanzenliebhaber und Fachmann empfehlen kann.

*Josef Angerer*
Präsident der deutschen
Heilpraktikerschaft

# Der Autor

Geboren 1905 in Wolferode bei Eisleben.

Nach dem Besuch der Oberrealschule absolvierte er bei Dr. Otto Krause in Magdeburg eine Drogistenlehre. Anschließend praktizierte er in einigen Drogen-Großhandlungen, dem sich eine Tätigkeit in der biologisch-pharmazeutischen Industrie anschloß. Während seiner langjährigen Arbeit in der pharmazeutischen Industrie unterrichtete Herr Funke von 1946–1956 an der Reformhaus-Fachschule Bad Homburg als Fachschullehrer über Heilpflanzenkunde; hinzu kam noch eine umfangreiche Vortragstätigkeit im gesamten Bundesgebiet. In Heilpraktiker-Kreisen und darüber hinaus ist er auch durch seine Veröffentlichungen in der Zeitschrift „Naturheilpraxis" bekannt.

# Vorwort

Der Mensch, eingebettet in die ihn umgebende Natur, hat in ihr seine Freunde und Helfer gegen Not und Krankheit. Die Heilkräuter gehören zu ihnen. Sie waren seit Urzeiten da und sie sind es noch immer. Sich ihrer richtig zu bedienen, dazu bedarf es nicht nur der genauen Kenntnis ihrer Wirkungen, sondern vor allem der Erkenntnis, daß sie uns ein Teil der Liebe des Schöpfers zu seiner Schöpfung – Mensch bedeuten.

Erst die tiefe Verbundenheit des Menschen mit der Natur gibt uns den Glauben an ihre Allmacht, macht uns frei für unsere Aufgabe, die uns in eben dieser Natur von Gott gestellt ist.

Mein Buch soll ein Wegweiser sein und nur als solcher verstanden werden. Mögen seine Gedanken Früchte tragen und vor allem auch der jungen Generation die Augen öffnen für die Schönheiten, die uns unsere Welt immer wieder darbietet, aber auch für die Gaben, die sie uns schenkt, wenn wir ihrer bedürfen.

Ich schließe mit den Worten des PARACELSUS:
„Daß ihr aber nit verführet werd, schreib ich:
Bitt euch, lesets und durchlesets mit Fleiß, nit
mit Neid, nit mit Haß; dieweil ihr doch Auditores
seid der Arzenei: Lernet von meinen Büchern auch,
auf daß ihr das Urteil nehmet bei mir und bei den
anderen, und nach eurem guten Urteil führet euren
Willen."

Eichenau b. München, Sommer 1979          *Hans Funke*

# Inhaltsverzeichnis

# 1 Das Wirken der Pflanze

Wir Menschen bezeichneten die Pflanzen nach unseren Wahrnehmungen, gaben ihnen Namen, unterschieden so die eine von der anderen. Beinwell, Blutwurz, Wohlverley, Tausengüldenkraut, Kamille, Melisse – wollte man all diesen Namen nachgehen, gäbe dies eine eigene Kulturgeschichte der Pflanzen, vornehmlich der Heilpflanzen.

Wir Menschen erforschten aber auch das Innere der Heilpflanze, den geheimnisvoll in ihr kreisenden Säfte- und Kräftestrom. Auch hier bezeichneten wir. Stoffen, die wirken, gaben wir den Sammelbegriff: Wirkstoffe. Stoffen, die am Aufbau alles Organischen – auch des Anorganischen – beteiligt sind, gaben wir den Namen: Elemente.

Einst verstand man unter dem Begriff Elemente: Feuer, Wasser, Luft und Erde. Heute kennen wir als Aufbaustoffe des Belebten und des Unbelebten, als Baustoffe gewissermaßen, auch von Pflanze, Tier und Mensch: Kohlenstoff, Wasserstoff, Sauerstoff, Stickstoff, Schwefel, Phosphor, Eisen, Magnesium, Kupfer, Mangan, Kobalt, Natrium, Kalium, Kalzium, Silizium, Bor, Zink und viele andere.

Je nach der Struktur, nach der jene Elemente zusammengesetzt sind, zusammengefügt zu Stoffverbindungen, entstehen daraus Kohlenhydrate, Fette, Eiweißverbindungen in der Vielfalt ihrer Formen – entstehen auch eben jene Wirkstoffe, Nebenwirkstoffe und Ballaststoffe, wie wir sie bei den Heilpflanzen unterscheiden.

All dies aber sind von Menschengeist geprägte Begriffe.

Die Pflanze jedoch denkt nicht in solchen Begriffen. Sie ist Teil eines Ganzen, ist zunächst einmal um ihrer selbst willen da, um sich und ihre Art zu behaupten. Dann aber hat sie ihre Aufgabe als Teil des Ganzen zu erfüllen. Ihre Inhaltsstoffe wiederum haben ihre Aufgaben in der Pflanze. Sie müssen den Boden bereiten, müssen Verbindungen mit der Umwelt aufnehmen. Sie bauen auf, ernähren, bilden Kraft- und Wärmespeicher, sind funktionierender Teil des großen Zellenstaates „Pflanze". Sie locken an und sie wehren ab, sind Verteidigungs-, Angriffs- und Schutzmittel oder Mittel zur Erhaltung der Art, indem sie die für die Fortpflanzung notwendigen Wege ebnen. Was wissen wir um dieses geheimnisvolle Wesen „Pflanze"? Nichts! Die Alten ahnten viel, erfühlten Zusammenhänge, deren Sinn uns verlorenging.

Dann aber dienen die Pflanzen ihrer Umwelt. Hier aber dienen sie. Sie dienen dabei auch dem Tier und dem Menschen als Nahrungs- und als Heilmittel.

Kohlenhydrate, Fette und Eiweißstoffe der Pflanzen sind die Grundlage unserer Nahrung. Sie enthalten Kohlenstoff, Wasserstoff, Sauerstoff, Stickstoff, Phosphor. Sie enthalten aber auch all jene anderen schon genannten Elemente, ohne deren Vorhandensein „Nahrung" weder von der Pflanze noch von Tier und Mensch zerlegt, verwandelt, zu arteigener Nahrung umgebaut werden könnte. Sie dienen als Regler, Verbrennungsmotoren, Katalysatoren. Jedes Element hat seine eigene Funktion.

Ohne Eisen gäbe es kein Blattgrün der Pflanze, kein Blut des Tieres und des Menschen, keine Atmung. Ohne Magnesium gäbe es kein Chlorophyll, keine Wärmespeicherung und keine Keimung der jungen Saat, aber auch keine geistige Tätigkeit. Ohne Kalzium und Silizium keinen Aufbau der Zellen, der Gewebe und der Knochen, aber auch keine Nerventätigkeit. Ohne Phospor und Schwefel würde es kein Eiweiß, aber auch keine Verbrennung, keinen Stoffwechsel, keinen Sauerstoffverbrauch und keine Gewebsatmung geben, ohne Kalium keine Radioaktivität, keine Strahlung, ohne Natrium keine Osmose – kurz jedes Element erfüllt im Haushalt der Natur und im organischen Leben *seine* Aufgaben. Alle zusammen aber vollbringen in einem steten Wechselspiel ihre Wirkungen und dieses Zusammenwirken *ist* Leben, wenn auch nur der für uns sichtbare Teil des Lebendigen. Waren die Alten weit von der Wahrheit entfernt, wenn sie den Elementen *Kräfte* zusprachen? Wohl sprachen sie von „gut" und „böse". Wir sprechen von aufbauenden, abbauenden, belebenden oder zerstörenden Wirkungen.

Ein wesentlicher Faktor des Zusammenwirkens ist das Mengenverhältnis. Silber, ein in der früheren alchimistischen Zeit gern verwendeter Stoff, galt als lunar, von Luna = Mond herrührend. Innerlich verwendete man es gegen die „Melancholey", äußerlich als Heilmittel gegen Hautkrankheiten. Ein Zuviel des Stoffes galt als zerstörend. Heute weiß man, daß schon Spuren davon, die kaum analytisch-chemisch meßbar sind, biologisch äußerst aktiv wirken. Man spricht hier von oligodynamischer Wirkung. Was aber hier von Silber gilt, trifft für alle Stoffe zu. Es würde verwirren, wollte ich an dieser Stelle noch weiter ausführen, daß man die Schwingungen der Stoffe unter bestimmten Bedingungen und bei der dabei entstehenden Abnahme ihrer „Stofflichkeit" vervielfachen und damit ihre Wirkungen potenzieren kann. Die Spargyrik, die Homöopathie und anderen Heilverfahren wissen dies und handeln danach.

„Gift" ist ein uraltes Wort und bedeutet „Gabe". Jedes Zuviel wird zum Gift, wie schon Paracelsus in seiner Definition erklärte.

Die Pflanze denkt, handelt und gleicht aus. Sie entnimmt und entsendet Stoffe. Sie ist Licht- und Kräftespeicher, ein im Sinne der Natur geistiges Wesen, vor dem wir uns in Demut neigen sollten.

Wir wissen nichts von diesen Werdeprozessen und wir werden ihnen auch mit analytischen Methoden nicht beikommen, denn wir erfassen mit ihnen nur das grobstoffliche Skelett, nicht aber die feinstofflichen und damit die wirklichen und wirksamen Zusammenhänge.

Die Pflanze enthält so winzige Spuren jener Mineralstoffe, daß man ihre Bedeutung bis vor kurzer Zeit völlig ignorierte. Wir wissen heute, daß nicht nur ihr Mengenverhältnis, sondern auch die Form wichtig ist, in der ein Stoff vom Körper aufgenommen wird.

Eisen zum Beispiel ist normaler Bestandteil des Bodens, der Pflanze und des Tieres sowie des Menschen. Je nach der Funktion, die es zu erfüllen hat, macht es die verschiedensten Wandlungen durch. Im menschlichen Blut ist es an die roten Blutkörperchen gebunden. Als eisenhaltiges

Zellhämin wirkt es katalytisch als Warburgsches Atmungsferment. Als dreiwertiges Eisen wird es der Zelle, zusammen mit dem Sauerstoff, zugeführt, um diese mit möglichst viel Sauerstoff zu versehen, dort zu zweiwertigem Eisen umgewandelt, so daß es wiederum genügend Sauerstoff aufzunehmen in der Lage ist. Kalzium ist ein wichtiger Bestandteil aller Zellen- und Körperflüssigkeiten. Kalzium ist aber auch wichtigster Aufbaustoff der Knochen. Andererseits ist ohne das Vorhandensein von Kalzium keine Blutgerinnung möglich. Vom Kalzium hängt weitgehend der normale Ablauf der Erregungsvorgänge in den Nervenzentren, in den Muskeln, dem Herzen, ja der gesamte Stoffaustausch in den Zellmembranen ab. Die Formen jedoch, in denen das Kalzium in uns kreist und seine Aufgaben erfüllt, sind sehr verschieden. Wir kennen es als nicht dissoziiert in den Formen des Kalziumkarbonates und Kalziumphosphates, dissoziiert als Kalziumbikarbonat und endlich kolloidal als Kalziumeiweiß. Jede Zufuhr von Kalk würde jedoch nutzlos sein, wenn der Organismus Vitamin-D-arm ist, weil erst bei Vorhandensein von Vitamin D eine Zerlegung des Kalziums im Körper möglicht ist.

Andererseits muß man wissen, daß zum Beispiel die Wirksamkeit von Pflanzenstoffen, wie der Digitalis- und Strophantinglukoside, an den normalen Kalziumgehalt des Blutes gebunden ist. Bei Digitalis- und Strophantingaben mit nachfolgender Verabfolgung von Kalzium würde die Kalziumwirkung derart potenziert, daß dies unmittelbar zum Tode führen könnte.

Die Steuerung des Kalziumstoffwechsels erfolgt durch das Hormon der Nebenschilddrüsen. Ebenso bestehen komplizierte Beziehungen zwischen dem Kalzium und der Schilddrüse, der Thymusdrüse und der Hypophyse. Wir sehen also hier schon bei einer oberflächlichen Betrachtung nur eines Stoffes eine verwirrende Vielzahl von Querverbindungen.

Kalkpflanzen wie Schafgarbe, Brennessel, Zinnkraut, Baldrian, Weißdorn, Löwenzahn, Hagebutte – um nur einige zu nennen – wirken nicht nur spezifisch heilend, sondern zugleich aufbauend und beruhigend, denn – der Pflanze können wir uns anvertrauen, ohne ein Zuviel zu befürchten. Noch besser ist es natürlich, hier an die Verbindung Kalk-Eisen zu denken, wie sie zum Beispiel im Spinat und in der Brennessel, aber auch im Apfel vorliegen. Außerdem zum Beispiel im Bockshornkleesamen, einem ganz bedeutenden Aufbaumittel. Eine Pflanze mit Kalk und Gerbsäure ist zum Beispiel die Tormentillwurzel. Daher auch ihre stark abheilende Wirkung, auch bei Prozessen mit katarrhalischen Absonderungen. Phosphorsauren Kalk finden wir zum Beispiel im Kalmus, Huflattich, Hohlzahn, Kümmel und Meerrettich.

All dies können nur beispielhafte Andeutungen sein.

Neben diesen Mineralstoffen enthalten unsere Heilpflanzen noch Wirkstoffverbindungen, die wir entweder nach ihrer Wirkung (Abführstoffe, Bitterstoffe), nach ihren Eigenschaften (Duftstoffe, Saponine usw.) oder nach ihrem Aussehen (Schleim-, Quellstoffe usw.) benennen. Vor allem hier gibt die Menge der vorhandenen Stoffe den Ausschlag für die Bezeichnung. So nennt man alle bitter schmeckenden Heilkräuter Bitterstoffdrogen und zählt hierzu sowohl das Tausendgüldenkraut, den Wermut und den Enzian als auch die Schafgarbe, trotzdem letzere ihrem Charakter nach schon fast nicht mehr zu dieser Gruppe gehört. Die Kamille dagegen, bei welcher der vorhandene Bitterstoff durch das ätherische Öl überdeckt ist, gilt als ätherische Ölpflanze, während man die Ringelblume trotz ihres Bitterstoff- und ätherischen Ölgehaltes zu den Saponinpflanzen zählt, weil dieses an der Gesamtwirkung wesentlich beteiligt ist.

Es klingt verwirrend, wenn man z. B. feststellt, daß die altbekannte Brennnessel u. a. an Wirkstoffen enthält: Chlorophyll, ein noch nicht näher bezeichnetes Glykosid, Vitamin A bzw. seine Vorstufe Carotin, Lezithin, pflanzliche Hormone und Enzyme, Gerbstoffe, Schleim, Ameisensäure, größere Mengen Eisen, Kalzium, Kalium, Natrium und Kieselsäure sowie Stickstoff- und Phosphorverbindungen.

Gerade die Brennessel ist ein Beispiel dafür, welche Vielfalt von Verwendungsmöglichkeiten eine Pflanze bergen kann.

Als Pflanze mit einem außerordentlichen Chlorophyllreichtum verwendet man sie bei Blutarmut, Bleichsucht, nach schweren Krankheiten und Operationen, zum Knochenaufbau, bei Herzschwäche, nervösen Zuständen, krankhaft gesteigertem Blutdruck, Verdauungs- und Stoffwechselstörungen sowie Arterienverkalkung. Hierbei wirken unterstützend die Kieselsäure sowie Kalium- und Kalziumnitrat, die gleichzeitig auch Herzwirkung besitzen. Das Ferment Sekretin wirkt auf die Bauchspeicheldrüse, die Leber und Galle sowie auf die Magensekretion, ist also ausgesprochen verdauungsfördernd und dürfte auch für die oft festgestellte, den Stuhlgang fördernde Wirkung verantwortlich sein. Natrium, Kalium und Kieselsäure wirken wassertreibend, säurebindend sowie Nieren und Blase reinigend.

Eisen, Mangan, Magnesium regeln die Atemtätigkeit, den nervösen Haushalt, wirken auf Blut, Hirn und Rückenmark.

Dies ist nur ein flüchtiger Streifzug durch die Wirkstoffe und Wechselwirkungen der Brennessel, dieses verachtete Unkraut, das man sowohl allein, vor allem in der Form des Brennesselsaftes, oder auch, um die Wirkung zu erhöhen, zusammen mit anderen Heilkräutern einnimmt.

Wirkungssteigernd in bezug auf die Nerven, das Herz und den Blutkreislauf gilt hier z. B. die Schafgarbe, die ebenfalls äußerst vielseitig in ihrer Anwendung ist. Nimmt man zu diesen beiden Kräutern den Löwenzahn und ein wenig Schöllkraut hinzu, erhält man ein vorzügliches Leber- und Gallemittel. Gibt man jedoch zu Brennessel Birkenblätter, Bohnenschalen und Zinnkraut, so ist die Gesamtwirkung eine ausgesprochen nierenreinigende und wassertreibende. Als ausgesprochenes Nervenmittel dagegen gibt man zu Brennessel Melisse, Kamille und Baldrian. Letztere Mischung eignet sich vor allem bei nervösen Magenleiden, bei Frauenleiden nervöser Art und bei Störungen, die auf Überarbeitung beruhen.

Als Blutaufbaumittel dagegen nimmt man Brennessel, zusammen mit Tausendgüldenkraut, Kalmuswurzel und Nelkenwurzel.

Dies alles sind nur Beispiele. Sie zeigen aber deutlich, daß jedem Heilkraut bestimmte Kräfte innewohnen, die man durch Hinzufügen anderer Heilkräuter steigern kann. Zwei Grundregeln kennt man hier. Die eine zielt darauf hin, in den Kräutern vorhandene Wirkstoffe zusammenzufassen; so z. B. mehrere und verschieden aufgebaute ätherische Öle bei Kümmel und Fenchel, um so die blähungstreibende Wirkung zu steigern, oder mehrere Gerbstoffdrogen, wie Anserine und Heidelbeerblätter bei Katarrhen des Magen-Darmkanals.

Die andere Grundregel erfaßt die vorhandene Störung an verschiedenen Angriffspunkten. So wirken Bitterstoffe sekretionsfördernd auf die Verdauungsorgane, Gerbstoffe entzündungswidrig, indem sie den Entzündungsherd „eintrocknen", und ätherische Öle ausgesprochen keimtötend. Tormentille, Schafgarbe und Kamille zusammengenommen steigern sich gegenseitig, sind daher ein ideales Mittel bei schweren katarrhalischen Entzündungen des Magen-Darmkanals, die nicht nur die Entzündung beheben, sondern auch den Heilungsprozeß fördern und gleichzeitig die Organe zu normaler Tätigkeit zurückführen.

Was früher intuitives Schauen und Beobachten erkannte und auswählte, wird heute gestützt auf die Tatsachen, die uns die moderne Forschung erschloß. Wohl vermochte diese etwas in die Geheimnisse der Natur einzudringen, jedoch wird es ihr verwehrt bleiben, die letzten Schleier vom Werden und Vergehen zu lüften.

## 2 Von der Katharmoi des Empedokles bis zur Blutreinigungslehre Sebastian Kneipps

„Allem, was wir empfinden und denken, allem was ist und was wir sind, liegt eine ewige, höchste, unendliche Einheit zugrunde. Ein tiefes, innerstes Bewußtsein, welches, eben, weil durch dasselbe die Möglichkeit alles Erkennens, Beweisens und Erklärens gegeben ist, selbst nie erklärt oder bewiesen werden kann, gibt uns davon – und zwar nach dem Grade unserer Entwicklung, bald klarer, bald dunkler die feste Überzeugung. Offenbar ist uns dieses Hoechste in Vernunft und Natur als Inneres und Äußeres. Wir selbst aber fühlen uns als einen Teil dieser Offenbarung, das ist, als Natur- und Vernunftwesen, als ein Ganzes, welches Natur und Vernunft in sich trägt und insofern als ein Göttliches."

CARL GUSTAV CARUS

Wer einmal das steinerne Antlitz der Sphinx in samtvioletter Nacht beim Scheine des Mondlichtes geschaut hat, wird dieses Symbol vollendeter Harmonie nicht mehr vergessen.
Alle Zerstörungswut der Araber konnte ihrer Schönheit nichts anhaben.
Ein Löwe, mit dem edelsten Frauengesicht ausgestattet, so blickt diese nahezu fünftausend Jahre alte Gestalt gen Osten – zur Sonne in der Stunde ihres Aufganges. Wächter der großen Totenstadt ist sie – Harmachis – Horus im Aufgang, erglänzt sie im ersten Morgenstrahl der aufgehenden Sonne, den Toten Auferstehung verheißend.
Sie ist Abbild der Maße des Weltgesetzes der Schöpfung, denn die Maße der Sphinx sind gleich denen der Pyramiden die Maße des goldenen Schnittes.
Zwischen Schauen und Erschauen liegt ein tiefer Graben, den nur der überbrücken kann, der es vermag, den Ballast seines Wissens im gegebenen Moment hinter sich zu werfen. Zwischen geistigem Werden und körperlichem Sein bestehen Gegensätze, die nur im Erschauen ineinander übergehen. Nie wollen wir vergessen, daß unsere Sinne nicht *die Welt* sehen, sondern nur *den* Ausschnitt von ihr, der uns Menschen zu sehen gegeben ist.
Helmholtz, der große Forscher und Skeptiker, sagte einmal: „Etwas vom Schauen des Dichters muß auch der Forscher in sich tragen." In seinem letzten, unvollendeten Aufsatz, den er, wohl als Unterlage zu einem geplanten Vortrag auf der Naturforscher-Versammlung in Wien, niedergeschrieben hatte, spricht er nicht mehr von der Materie, deren Erforschung sein Leben gewidmet war, sondern vom bewußten Geist der Menschenseele und der Unsterblichkeit der Lebensseele, die alles regiert. Wie so viele große Wissenschaftler erkannte er damit klar die tiefen Zusammenhänge kosmischen Waltens, in denen das Unsichtbare das Sichtbare lenkt.

Hier endet unser Wissen und hier beginnt etwas Neues, das den Alten bewußter war als uns – eben jener Glaube an die göttliche Macht und Ordnung.
Eines *und* das Andere aber bauen am Gebäude der Welt.

## Von der Harmonie des Lebens

Uralt ist die Lehre von der Harmonie allen Lebens, von der Harmonie aller Körper, von der Harmonie ihrer Verhältnisse zueinander. Sie ist von der Natur den Menschen übergeben.
PYTHAGORAS (um 580–500 v. Chr.), ihr großer Deuter, hatte lange Zeit in Ägypten, dem damals bedeutendsten geistigen Sitz des Mittelmeerkulturkreises, zugebracht und sich von den dortigen Priestern über die Proportionalgesetze unterrichten lassen, die notwendig sind, um das Idealbild des Menschen zu schaffen. Seine ausgedehnten Reisen nach dem Orient, wo er sowohl mit der ägyptischen und babylonischen als auch mit der indischen Mathematik und über Mittelsmänner zweifellos auch mit der chinesischen musikalischen Harmonik vertraut wurde, formten seine spätere Lehre.
In Kroton gründete er seine Schule. So, wie schon bei den Orphikern (THALES von MILET, 624–546 v. Chr.), wurde auch die Lehre des PYTHAGORAS nur von Mund zu Mund unter seinen Schülern überliefert. Erst seit 440 v. Chr. existieren darüber auch schriftliche Unterlagen. Daher bereitete ihr Verständnis bis in unsere Zeit hinein immer wieder größte Schwierigkeiten.
Man kann ihr nur beikommen, indem man versucht, die Urgründe zu finden, auf denen er aufgebaut hatte, denn sein Lehrgebäude war ja selbst schon uralt. Es entstammte der chinesischen, der indischen und der babylonischen Denkungsart ebenso wie der der Ägypter. Die geistigen Befruchtungen gingen von einem Kulturkreis in den anderen über und bilden noch heute die Fundamente unserer geistigen Anschauungswelt (THIMUS, KAYSER, GURDJIEFF, KEYSERLING).
PYTHAGORAS suchte nicht nach einer theoretischen Mathematik, sondern er erkannte die Zahlen als Erzeugungsprinzipien der Wirklichkeit. Sie waren für ihn nicht Mystik, sondern Logik. Schon die Chinesen hatten jeder Zahl eine bestimmte Qualität zuerkannt und diese Qualität als mystische und kultische Embleme in ihrer Kultur verankert. Sie verwendeten vier Aspekte der Zahl, nämlich ihren qualitativen als Bedeutung, ihren arithmetischen als Zahleneinheit, als Klasse. Was immer drei Teile oder Glieder hat, fällt unter das gleiche Prinzip der Drei; ihren geometrischen Aspekt als Form und Gestalt (Darstellungsform und ihre Dimensionen) und viertens ihren musikalischen Aspekt als Ton oder Intervall.
PYTHAGORAS vollzog aus drei Aspekten der Zahl den Schritt aus dem mystischen ins logische Denken. Was THALES von MILET vorbereitet hatte, vollendete er. Er entdeckte das System, das alle Beziehungen zwischen ihnen aufzeigt. Damit wurde er der Begründer der theoretischen und der praktischen Mathematik und gleichzeitig der Harmonik und voll-

zog für die Antike das uralte Weltgesetz, das im vergeistigten Sinne Schönheit, Ästhetik, Harmonie und Zweckmäßigkeit in sich vereinigt. Es ist das gleiche Gesetz, das den Pflanzen die Zahlen 1, 2, 3, 5, 8, 13, 21, 34 und ihren Zahlenverhältnissen die Reihe $\frac{1}{2}$, $\frac{1}{3}$, $\frac{2}{5}$, $\frac{3}{8}$, $\frac{5}{13}$, $\frac{8}{21}$, $\frac{13}{34}$, $\frac{21}{55}$-tel zuordnet, wobei die Zähler des Bruches jeweils die Zahl der Umgänge bezeichnet, die man, von Blatt zu Blatt fortschreitend, um den Stengel beschreiben muß, um zum nächsten Blatt zu gelangen, das wiederum über demjenigen steht, von dem man ausgegangen ist.

## Harmoniegesetze und Lebensführung

Diese göttlichen Harmoniegesetze ziehen sich durch alle Regeln der Natur, des Lebens, der Philosophie, der Kunst und der Wissenschaften. PLATO, Freund und Schüler des SOKRATES, aber auch mit der pythagoräischen Lehre vertraut, übergab diese seinen Nachfolgern, unter denen sich in ARISTOTELES noch einmal all jene Gedankengänge früherer Jahrhunderte vereinigten. Sein gleichsam dynamisches Weltbild gegenüber dem statischen Platos gab eine Theorie aller Vorgänge des Werdens in der Natur, die auch heute noch ihre Gültigkeit besitzt. **Wir würden hoffnungslos verarmen, wenn wir dies uns übertragene geistige Erbe nicht weise verwalten würden.** Von den Deutern der Gesetze des Lebens führen geheime Fäden zu den Priestern der Heilkunst. ALKMAION von KROTON, ein Mann von hervorragendem naturwissenschaftlichen Wissen und Können, aller Wahrscheinlichkeit nach Begründer der wissenschaftlichen Anatomie, der Neurologie und als Vorläufer und Lehrer des HIPPOKRATES auch der Humoralpathologie, war Pythagoräer, wahrscheinlich sogar noch mit PYTHAGORAS bekannt. ARISTOTELES, wohl der umfassendste Wissenschaftler seiner Zeit, Lehrer ALEXANDER des Großen, neigte sich in Ehrfurcht vor HIPPOKRATES, dem er den Titel „den Großen" gab. AVICENNA (Ibn Sima), jener gewaltige Geist der mittelalterlichen arabischen Welt, war nicht nur einer der größten Ärzte seiner Epoche, sondern auch derjenige, der in seiner philosophischen Lehre noch einmal versuchte, PLATO und ARISTOTELES zu vereinigen. Unter seinen mehr als hundert Büchern schrieb er seine „Genesung der Seele" und sein „Weisheitsbuch des Ala al Daula". In seiner auf der Grundlage des verstandesmäßig kritischen Denkens ruhenden Scholastik führte er eine Versöhnung von Wissenschaft und Glauben herbei und war hierbei der geistige Vorgänger von KANT, GOETHE, aber auch der modernen Physiker MAX PLANCK, PASCAL JORDAN und WERNER HEISENBERG, deren wissenschaftliche, aber auch philosophische Lehren ohne diese Grundlage der Jahrtausende gar nicht denkbar wären. AVICENNA lehrte „den fünffältigen gesunden Menschen". Er vertiefte noch einmal die traditionelle griechische Heilkunst um den Zusammenhang zwischen Gesundheit und Heiligkeit, empirischer Medizin und theologischer Seelenheilung. So verfemt er bei der islamischen Orthodoxie war, so großes Ansehen genoß er bei den esoterischen Brüderschaften und später in ganz Europa. Von ihm und seiner Lehre wurde PARACEL-SUS entscheidend beeinflußt.

## Von den Orphikern bis zur heutigen Lebensreformbewegung

Es ist erhaben und von einer tiefen Erbauung, all jene Gedanken über Harmonie zu verfolgen, wie wir sie in den Lehren eines THALES, eines PYTHAGORAS, in den Proportionslehren eines POLYKLET, eines PHIDIAS, eines LEONARDO da VINCI und DÜRER, eines MATTHIS NITHARD (Matthias Grünewald) sehen, wie wir sie aus dem Ringen eines JOHANNES KEPLER um seine „HARMONICES MUNDI", seine Weltharmonik, ebenso herausfühlen wie aus den „göttlichen Gesetzen" eines IMMANUEL KANT.

Welches sind nun die für uns gültigen Gesetze der Harmonie, aus denen Gesundheit entspringt und die uns Menschen durch die Jahrtausende hindurch begleiten?

Es führt eine klare Linie von den Orphikern zu den Gedankengängen der modernen Naturheilkunde und Ernährungswissenschaft und wir wollen dabei nicht vergessen, daß hier der Lebensreformbewegung ein wesentlicher Anteil daran zukommt, diese Gedanken in die Tat umgesetzt zu haben.

In der KATHARMOI, den „Reinigungen" des EMPEDOKLES, jenen uns erhaltenen Bruchstücken der empirischen Lehre, begegnen wir ganz ähnlich lautenden Richtlinien, wie sie im ganzen Denken des heutigen Lebensreformers verankert sind und wie sie uns von modernen Naturheilkundigen, Ärzten, Heilpraktikern und Ernährungswissenschaftlern physiologisch begründet werden. Denken wir nur an Namen wie KOLLATH, HALDEN, SCHWEIGART und KÖTSCHAU.

### Oberster Grundsatz ist ein hohes Maß an Selbstdisziplin und Selbstbeobachtung, und zwar nicht nur im körperlichen, sondern ebenso im geistig-seelischen Sinne.

Der venetianische Edelmann und spätere Mönch LUIGI CORNARO sagt in seinem Buche vom „sonnigen Alter": „Ich bin kein Heiliger. Ich bin nur ein Mensch und ein Diener Gottes, dem ein mäßiges Leben so angenehm ist." Mit diesem mäßigen Leben, das er allerdings erst in seinem vierzigsten Lebensjahr begann, war er über hundert Jahre alt geworden. Dabei hatte er sich jene beiden italienischen Sprichwörter zu eigen gemacht: „Wer viel essen will, der esse wenig." und: „Die Speise, die du übrigläßt, bekommt dir besser als die, die du gegessen hast."

Prof. Dr. H. A. SCHWEIGART schreibt in seinen Ausführungen über Krebsvorbeugung – und da sind wir bereits bei einem Hauptproblem unserer Zeit: Viele Plakate waren an der Eingangshalle des Kongreßgebäudes angebracht (Dreiländer-Krebskongreß, Stuttgart 1954). Darauf stand: „IST KREBS HEILBAR?" – Ja, wenn er rechtzeitig erkannt wird. In mir (so Schweigart) wurde im selben Augenblick der Gedanke wach: hier fehlt ein zweites Plakat, das lauten muß: **„IST KREBS VERMEIDBAR? – Ja, wenn man der richtigen Lebensordnung dient und die Vitalstoffversorgung beachtet!"** SCHWEIGART hat nur allzu recht!

Krebs ist kein unentrinnbares Schicksal und die Krebsvorsorge ist heute notwendiger denn je, aber wir müssen viel umfassender eine Präventive ergreifen, um **das Entstehen von Krebs** von vornherein zu unterbinden.

Es ist jedem klar, daß Krebs nur von einem erfahrenen Arzt oder Heilkundigen behandelt werden kann. Aber es ist ein erfreuliches Zeichen, daß man in einzelnen Fällen schon dazu übergegangen ist, in Kliniken das Krebsproblem gemeinsam zwischen Ärzten und Naturheilkundigen zu lösen. Anders **ist** es auch nicht lösbar und ich kann nur hoffen, daß das Beispiel der Gemeinschaft zwischen Schulmedizin und Naturheilkunde Schule macht.

Ich führe nur einen Satz von Geheimrat Prof. Dr. SAUERBRUCH an, der über dieses Problem viel geschrieben hat: „Der Krebs ist keine örtliche Krankheit, sondern nur der Ausdruck eines Allgemeinleidens, einer schweren Säfteentmischung. Wir werden uns daran gewöhnen müssen, die bösartigen Geschwülste nicht nur als örtliche Krankheitsprozesse mit örtlichen Methoden zu behandeln."

Da alle **Zweitursachen** des Krebses mit einer Schädigung der Atmungskette einhergehen, sieht Dr. VAN AAKEN, der Verfechter der Bewegungstherapie, im Wasserstoff das den Menschen feindlich gesonnene Element und unter den vor ihm geschilderten Voraussetzungen die letzte Ursache des Krebses, **wie umgekehrt der Sauerstoff für alle mehrzelligen Organismen das Leben bedeutet.**

Was passiert bei Sauerstoffmangel der Zelle? Sie fängt an, zu ersticken. Sie bildet sich um. Anstatt Sauerstoff aus dem Blut zu entnehmen und Nährstoffsubstanzen abzubauen und zu verbrennen **und dabei regulär zu atmen,** tritt die Atmung in den Hintergrund und die Nährsubstanzen werden **vergoren.** An Stelle der Endprodukte Kohlensäure und Wasser entsteht etwas ganz anderes, nämlich **zu viel Milchsäure.** Aus den ursprünglichen Atmungszellen entstehen so Gärungszellen.

H. A. SCHWEIGART schreibt zur heutigen, üblichen Ernährung, die ja zum Teil jeglichen Vollwert verloren hat: „Der Organismus läßt sich viel gefallen, aber der Bogen darf nicht überspannt werden."

W. KOLLATH schuf den Begriff der Mesotrophie, aber das ist nur ein Teil dessen, was so bezeichnet werden müßte, nämlich all jene schwer definierbaren Zwischenzustände, die sich, wie SCHWEIGART schreibt, als Folge unzureichender Vitalstoff-Versorgung ergeben. **Daß da außerdem noch all das mit hineinspielt, was wir unter Umweltverschmutzung verstehen, vor allem Luft und Wasser, ist selbstverständlich.** Wenn da nicht bald etwas Entscheidendes getan wird, sind wir dabei, uns unser vorzeitiges Grab selbst zu schaufeln.

## Was sind Vitalstoffe?

Ich versuchte in Vorangegangenem auf die Harmonie im Makro- und Mikro-Kosmos hinzuweisen, denn ohne diese ethische Grundlage hat alle weitere Betrachtung keinen Boden. Auch auf dem Gebiete des Lebendigen spielt es seine ausschlaggebende Rolle und um diese geht es hier. Bei einem Unterangebot an lebenswichtigen (Vital-)Stoffen, wie exogenessentiellen Aminosäuren, exogen-essentiellen Fettsäuren, unvergärbaren Kohlenhydraten, notwendigen Vitaminen, Mineralstoffen und Spurenelementen wird, nach Aufbrauch der Körperreserven, sowohl das Baustoffgefüge der Organe und Organflüssigkeiten als auch die Funktionstüchtigkeit der Enzyme, Hormone und anderer Wirkstoffe empfindlich geschwächt und geschädigt. Wir kennen Vitaminmangelkrankheiten und Spurenelemente-Mangelerscheinungen.

Der Mangel an exogen-essentiellen Aminosäuren stört das gesamte Eiweiß-Baustoffbild, nicht nur im Reserveeiweiß, sondern auch und vor allem im aktiven Enzym-Eiweiß und führt zu Vorstufen, wie sie KOLLATH als Mesotrophie bezeichnet. Ein Defizit an exogen-essentiellen Fettsäuren vom Typ der Linol- und Linolensäuren läßt das ganze Baugefüge der Lipiode ins Wanken kommen und **ruft dadurch eine Schädigung der Zelle und der Zellatmung herbei.** Zellatmung aber bedeutet Leben. Seine Schädigung führt auf geradem Wege zur Krebsbildung (BUDWIG, DOMAGK, WARBURG, BUTENANT). **Nicht die Zufuhr von Sauerstoff allein ist wichtig, sondern seine Verwertung durch die Zelle.** Frau Dr. BUDWIG hat schon in den fünfziger Jahren in Büchern, Schriften, durch Vorträge – vor allem auch in der Schweiz – und **durch praktische klinische Beispiele bewiesen, daß sie mit ihrer Auffassung von der Wichtigkeit der essentiellen Fettsäuren und essentiellen Aminosäuren auf dem richtigen Weg ist und ihre lakto-vegetabile Kost in Kliniken und Krankenhäusern mit Erfolg eingeführt.**

**1954 sagte der Leiter der Tokioer japanischen Ärzte-Delegation anläßlich des Karlsruher Ärztekongresses: „Die Frau hat recht! Wir sagen in Japan, der Untergang des Abendlandes ist eine innere Erstickung durch das, was sie essen."**

**Es ist ja nicht nur Frau Dr. BUDWIG, die sich diesem Problem widmete. Dr. med. GERSON wies in seiner Schrift auf sechzig geheilte Krebskranke durch lakto-vegetabile Kost hin.**

**SCHWEIGART** führt an: **Dr. L. DUNCAN BULCAY, Gründer des New Yorker Krebskrankenhauses, Prof. MEYERTHALER, Nürnberg (für Gesunde ebenso wie für Krebskranke ist der Speisezettel von ausschlaggebender Bedeutung), Dr. Dr. KUHL (Krebsbildung und Ernährung stehen in ursächlichem Zusammenhang), Dr. J. BUDWIG und R. KAUFMANN (Linolsäuren und SH-Aminosäuren müssen Grundlagen einer Krebsdiät sein), Dr. JOHANNA BRANDT, Pretoria (Krebs muß mit Trauben, Obst und Pflanzenkuren bekämpft werden), Prof. Dr. KÖTSCHAU (Umstellung auf Vollwertnahrung), Nobelpreisträger Prof. Dr. DOMAGK (den Krebs bekämpfen kann man nur mit Medikamenten und Diät).**

Krebs ist heilbar! Wir müssen aber darüber hinaus alles tun, um sein Entstehen von vornherein nach Möglichkeit zu vermeiden!

**Das ist in erster Linie ein Problem des Umweltschutzes** (Wasser, Luft, durch Pflanzenschutzmittel vergiftete Nahrungsmittel), zum anderen jedoch unser eigenes – eines jeden von uns. Nicht nur, daß wir in unserer eigenen Umwelt alles tun, um es zu bewältigen, sondern daß wir auch immer wieder darauf hinweisen, wo sich uns Gelegenheit dazu bietet – und die bietet sich in der Praxis Tag für Tag!

## EMPEDOKLES und Pfarrer KNEIPP

EMPEDOKLES schrieb seine „KATHARMOI", jene Gesetze von der Reinigung. Er war praktischer Arzt und Philosoph zugleich. Gleich den indischen JAINAs war er strenger Vegetarier und Anhänger der Reinkarnationslehre. HIPPOKRATES begründete jene Lehre, die wir heute als Humoralpathologie bezeichnen, sich dabei auf berufene Vorläufer beziehend. GALENUS nahm diese Lehre auf und machte sie zu der seinen. Man unterschied Sanguiniker (Blut), Phlegmatiker (Schleim), Choleriker (gelbe Galle) und Melancholiker (schwarze Galle), unterschied so Charakterveranlagung, Temperament, Neigung – aber auch die Neigung zu Krankheiten.

Die Säftelehre hat heute wieder viele Anhänger, wenn auch in modernerer Auffassung. Einer, der sie in all seinen Anwendungen bejahte, war der Prälat und Pfarrer SEBASTIAN KNEIPP.

In seinem klassischen Werk „Meine Wasserkur" bekennt er zu der Frage: „Was ist Krankheit und aus welcher gemeinsamen Quelle fließen alle Krankheiten?" – „All diese Krankheiten, welchen Namen sie auch immer führen, haben, so behaupte ich, ihren Grund, ihre Entstehungsursache, ihr Würzelchen, ihren Keim **im Blut** . . .".

Die Grundlage der mittlerweile über die ganze Welt verbreiteten Kneippkur ist die Lehre vom verdorbenen Blut. Und nun erleben wir das Merkwürdige, daß auch heute noch – sehr weit verbreitet – dem Begriff der Blutreinigung der Nimbus der Unwissenschaftlichkeit anhaftet. Immer noch neigt man zu der Auffassung, Blut lasse sich nicht verändern. Dabei bedienen wir uns bei allen wichtigen Untersuchungen der Blutmessung und der Blutsenkung und stellen dabei ganz nüchtern und eindeutig fest, daß sich Blut sehr wohl verändern kann und läßt.

Warum also soll der Begriff der Blutreinigung unwissenschaftlich sein? Freilich gehört zu diesem Begriff noch ein weiterer, nämlich der des Stoffwechselgeschehens, aber das spielt sich ja auch wieder im Blute und in den Lymphbahnen ab.

Nach KNEIPP bestehen Krankheiten in einer Störung der Blutzusammensetzung und Heilung derselben in der Entgiftung des Blutes. Er fußt also mit seiner Krankheitslehre in gerader Linie auf der Humoralpathologie, der Lehre von der Zusammensetzung der Körpersäfte der alten Ägypter, Griechen und Römer, die auch ein PARACELSUS, nachdem er sie von allem mittelalterlichen Wust befreit hatte, neu formulierte und anwandte.

KNEIPP sagt: „Die Arbeit der Heilung kann nur eine zweifache Aufgabe haben. Entweder muß ich das ungeordnet zirkulierende Blut wieder zum richtigen und normalen Lauf zurückführen oder ich muß die schlechten, die richtige Zusammensetzung des Blutes störenden, das Blut verderbenden Säfte und Stoffe aus dem Blut auszuscheiden suchen."

Dabei wäre es eine völlige Verkennung der Tatsachen, dächte man bei den Worten „Kneipp-Kur" nur an kaltes Wasser und Güsse.

Der Kneipp-Arzt Dr. med. E. F. KELLER sagt: „An die vier Elemente müssen wir uns halten: Feuer, Wasser, Luft und Erde."

Hier sind wir wieder bei EMPEDOKLES, dem eigentlichen Vater der Humoralpathologie im klassischen Hellas.

Das Feuer ist oberstes Element. Aus ihm, nämlich aus der Sonne, entspringt das Leben. Das Wasser gleicht aus, heilt ab und schwemmt hinweg, gibt zu allem, was lebt, seine Reize und Impulse. Die Luft als Lebenselement schenkt uns eine der heiligsten Handungen, mit der wir uns nicht nur am Leben erhalten, sondern dem Schöpfer verbinden – den Atem, dem Dr. LUDWIG SCHMITT sein ganzes Lebenswerk gewidmet hat und von dem er uns schrieb: „Der Atem meißelt die Seele in ihrer Art, er löst im Geiste kreative Impulse aus, und er ringt im Körper des Menschen mit dem Stoff und bringt ihn unter die Botmäßigkeit des menschlichen Willens." Der Erde aber entstammt alles: Pflanze, Tier und Mensch – Nahrung und Heilung.

## Blutreinigung

Dr. med. GUMPERT schrieb 1932 in der „Pharmazeutischen Presse": Die sogenannten blutreinigenden Mittel sollen den Zweck haben, das Blut, besonders bei allgemeinen Erkrankungen, welche sich nicht nur auf einzelne Organe beschränken, sondern in der gesamten Körperverfassung ihren Grund haben und den ganzen Körper in Mitleidenschaft ziehen, von schädlichen Säften zu befreien."

Nach Anschauung der Humoral-Pathologie gibt es keine Krankheiten, die sich auf einzelne Organe beschränken. Äußerungen an einem Organ oder einem Ort sind nur Symptome, nur sicht- bzw. fühlbare Zeichen einer Ursache, die ihre Beziehung in der Gesamtverfassung haben. Dieselbe Auffassung vertritt auch die Krankheitslehre KLEINSCHROTHs, des Schülers von SEB. KNEIPP, der den Gedanken PARACELSUS wieder aufgriff: „So eine Krankheit im Leib ist, so müssen alle gesunden Glieder wider sie fechten, nicht nur eines, sondern alle."

Trotzdem hat Dr. GUMPERT natürlich recht, denn er verteidigt den Begriff der Blutreinigung, der noch immer von der wissenschaftlichen Medizin als obsolet bezeichnet wird. Selbst ein Prof. Dr. PEYER, der als Pharmakologe Weltruf besaß, drückte sich da sehr vorsichtig aus und führte in „Das ärztliche Teerezept" unter Antidyscratica (Alternantia – Umstimmungsmittel und Haemocathartica – Blutreinigungsmittel) diese wohl an, bemerkt jedoch dazu, daß wohl die alten Biologen glaubten, eine Blutreinigung zu erreichen, wenn die Schleusen des Körpers geöffnet werden und so die schädlichen Stoffe aus dem Blut abfließen können und schreibt dann dazu abschließend: „Anschauung und Ausdruck sind veraltet."

*Klette-Arctium Lappa*
*Handelsüblich — Klettenwurzel*
*= Radix Bardanae*

*Bittersüß-Solanum Dulcamara*
*Die Stengelspitzen sind als*
*Stipites Dulcamarae im Handel*

RIPPERGER unterscheidet **Allgemeine Antidskratika;** dazu rechnet er z. B. Schafgarbe, Walnußblätter, Holunder, Wacholderbeeren, Queckenwurzel und Sandsegge. Danach **Akzessorische Antidyskratika** (Accessorius = zusätzlich, hinzukommend), Heilkräuter, die vor allem als Frühjahrsgemüse, -suppen, -säfte und -salate üblich sind. Darunter versteht er Brunnenkresse, Senf (schwarz und gelb), Knoblauch, Löffelkraut, Brennnessel, Sauerampfer und Löwenzahn. Als dritte Gattung nennt er dermatotrope Antidykratika, mit besonderem Hinweis auf die Hautwirksamkeit, z. B. Stiefmütterchen, Klette und Bittersüß (eine Saponinpflanze, die früher viel mehr in Anwendung kam als heute. Man empfahl sie als Ersatz für die ausländische Sarsaparilla.).
RIPPERGER setzte sich in vielen Beiträgen und Schriften und auch in seinem Buche „Grundlagen der praktischen Pflanzenheilkunde" für den Begriff der Blutreinigung ein. Über „Frühlingskuren mit Wildgemüsen im

Wacholder
*Juniperus communis*

*Eine Wacholderbeerkur nach Pfarrer Kneipp: Man kaue am 1. Tag vier Beeren, steigert täglich eine mehr bis zu 15 Beeren und verringert danach bis zur Stückzahl 4. Damit ist die Kur beendet.*

Brunnenkresse
*Nasturtium officinale*

Löffelkraut
*Cochlearia officinalis*

Löwenzahn
*Taraxacum officinale*

Spiegel pharmakologischer Betrachtung" referierte er u. a. in Hippokrates 1935/41. Er betonte dabei, daß es notwendig erscheint, diese Bezeichnung zu fundieren „. . . denn, versuchen wir heute in unseren bekannten pharmazeutischen Lehrbüchern – auch solchen, die der Pharmakologie der Drogen ein wenig breiteren Raum gewähren – etwas über Blutreini-

*Nußbaumzweig mit Blüten*
*Jnglans regia*

gung zu finden, so haben wir auf der Suche nach diesem Stichwort wenig Erfolg. Begegnet man ihm trotzdem, dann kaum anders als apostrophiert."

Wenn wir der Auffassung sind, das Blut lasse sich durch keine Mittel und Möglichkeiten beeinflussen, dann stimmt es doch schon einmal nachdenklich, daß zum Beispiel ein Mensch nur von der Ferne mit einer Krankheit in Berührung kommen kann, um ihr sofort zu erliegen, während der andere im Bett eines Infektionskranken schlafen kann, ständig mit Kranken umgeht, ohne auch nur im geringsten krank zu werden. Sein Körper ist immun gegen jede Ansteckung. „Gesundes Blut!" sagt man. Ja – das geht sogar noch weiter. Ich erinnere daran: MAX von PETTENKOFER trank vor den entsetzten Augen seiner Studenten ein Reagenzglas voll Cholerabazillen, genug, um ein ganzes Regiment Soldaten umzubringen, ohne daß ihm auch nur das geringste geschah. Sein Schüler, der es ihm nachtat, überlebte ebenfalls.

Für die Seuchenentstehung ist persönliche Konstitution, die Beschaffenheit des Blutes und der Körpersäfte, seine im Blut und in der Lymphflüssigkeit entwickelten Antikörper ausschlaggebend; außerdem allerdings noch ein gewisses Etwas, das klimatisch, hygienisch und in der Bodenbeschaffenheit bedingt ist.

Trotzdem bleibt das gesunde Blut der primäre Faktor, seine harmonische Zusammensetzung, seine Fähigkeit, Abwehrstoffe zu bilden, um auch mit Infektionen fertigzuwerden. Oft ist jemand selbst Träger einer gefährlichen, ansteckenden Krankheit, ohne dabei selbst zu erkranken.

Blut ist eben wirklich ein besonderer Saft. Ein Sprichwort sagt: „Wenn der Saft krank ist, stirbt der Baum – wenn das Blut krank ist, stirbt der Mensch."

Von FLAMM-KROEBER stammt das Beispiel: „. . . es ist nämlich der überaus interessante Nachweis erbracht worden, daß durch die Aufnahme ganz geringer Mengen äußerst verschiedener Bestandteile von Heilpflanzen, so z. B. ätherischen Ölen, Kieselsäure, Stärke, aber auch von Pflanzenglykosiden, wie wir sie in der Faulbaumrinde, in Kamillenblüten usw. finden, eine grundsätzlich umstimmende Wirkung des gesamten Organismus erfolgen kann. So wurden Erkrankungen wie Fleckfieber und selbst Typhus nach der Zufuhr solcher Heilpflanzen schlagartig gebessert, obgleich z. B. der Typhuserreger noch in unverminderter Stärke vorhanden war." Echinacea purpurea wirkt resistenzsteigernd auf das Lymphgefäßsystem und die Fibroblasten und dient daher als Mittel zur Hebung der körpereigenen Abwehr bei Infekten aller Art, vor allem bei Grippe. Denken wir an den Großversuch von TRAISMANN und HARDY mit Lindenblüten gegen Grippe, der auf der gleichen Ebene liegt.
Wo befinden sich die Erreger? Im Blut, und da müssen sie auch in erster Linie bekämpft werden.

**Blut ist ein ganz besonderer Saft**

Wir kennen in der Medizin den Begriff „Blutspiegel" (Cholesterinspiegel, Blutzuckerspiegel usw.) und den der „Blutsenkung" – Blutkörperchensenkung. Mit Hilfe der Blutkörperchen-Senkungs-Reaktion haben wir wertvollste Möglichkeiten in der Diagnostik.
Wir wissen z. B., daß unser Blut auf Konzentrationen von ätherischen Ölen ebenso empfindlich reagiert wie auf ein Zuviel an Saponinen (Haemolyse).
Warum wollen wir immer noch abstreiten, daß jenes Transportsystem, wie es Blut und Lymphe darstellt, dem unser ganzer Stoffwechsel zugrunde liegt, nicht durch Zufuhr eines Komplexes von lebenswichtigen Stoffen, wie ihn unsere Heilkräuter darstellen, beeinflußbar ist.
„Blut ist ein ganz besonderer Saft." Seit je stellt man es in Beziehung zu den seelischen, geistigen und körperlichen Eigenschaften seines Trägers. So ist es Bindeglied zwischen dem Irdischen und dem Kosmischen, zwischen Mensch und Gott schlechthin. Wenn wir uns schon des öfteren über die Bedeutung des Chlorophylls unterhielten und dabei feststellten, daß es das Chlorophyll ist, das als erste Stufe der Nahrung, aufgebaut und entstanden aus dem Kohlenstoff der Luft und dem Wasser des Bodens, kosmische Kräfte bindet und diese der organischen Welt, der Pflanze, dem Tier und dem Menschen vermittelt, so erkennen wir unschwer an der gleichen chemischen Struktur, die Chlorophyll und Blut (Erythrozyten) haben, wie wahr es ist, Blut als Träger des Lebens in geistig-seelischer und körperlicher Hinsicht zu bezeichnen. Sendbote des Irdischen – Eisen – im Mittelpunkt der roten Blutkörperchen, Sendbote des Kosmischen – Magnesium, das Metall des Lichtes – im Chlorophyll der Pflanze.
Es ist ein Fehler der Wissenschaft, wenn sie diese Tatsache nicht in ihre Forschung einbezieht, denn damit scheidet sie die Einheit körperlichen

Geschehens vom geistigen Erleben, die Welt der sichtbaren Erscheinungen vom unsichtbaren Wirken weitaus bedeutenderer Kräfte, ja der Kraft schlechthin. Wirklichkeit kommt vom Wirken und das steht hinter den Dingen. Die Essentia des PARACELSUS, die Wesenheit der Dinge, umfaßte das „Dasein" und das „Hinter den Dingen Stehende", das Physische, verbunden mit dem Metaphysischen. Uralte Glaubens- und Denkungsart bildete das unerschütterliche Fundament eines Wissens, das wir heute nicht mehr begreifen, weil uns der Sinn für dessen Einheit fehlt.

Dr. LUDWIG SCHMITT, der Atem-Doktor, sagte einmal: „Wir mit unserer stofflich induktiven Denkart verstehen seit Jahrhunderten die durchgeistigte Art der Alten nicht mehr. Wir meinen, über ihre Nixen und Kobolde, ihre guten und bösen Geister, lächeln zu müssen, derweilen diese ihnen Symbol und allegorische Formen dafür waren, was als unsichtbar und geistig in Worten nicht ausgedrückt werden konnte."

Aber kehren wir wieder zurück zum Blut als Lebenskraft. Die „Säfte" sind es, die das gesamte Körpergeschehen weitgehend beeinflussen und beherrschen. Blut und Lymphe sind für den Zusammenhalt, die Harmonie aller Körperfunktionen, für die Naturheilung und für die Selbstregulierung von beherrschender Bedeutung.

Das Blut ist Träger der Nährstoffe und des Sauerstoffes. Vom Blut aus werden Mineralstoffe und Spurenelemente, Vitamine und Hormone an die einzelnen Organe und in die Gewebe getragen.

So, wie jedes Organ in seiner Ernährung, in seinem Stoffwechsel von der ständigen und gleichmäßigen Zufuhr durch Blut und Lymphe abhängig ist, so sind ebenso das gesamte, ausgedehnte Nervensystem und das System der Drüsen mit innerer Sekretion, das hormonale Geschehen also, in ihrer Ernährung und Leistungsfähigkeit entscheidend angewiesen auf die Menge und Art des ihnen zugeführten Materials.

Ich erinnere nur an die Zusammenhänge zwischen Insulin und Calciummetasilikat-Gel, Vitamin $B_1$ – um nur ein Beispiel zu nennen.

Schnelligkeit des Blutumlaufes, Rücktransport der verbrauchten Stoffe aus der Umgebung der Zellen – alles wirkt hier mit, beeinflußt, fördert oder schädigt. Dabei ist es von ausschlaggebender Bedeutung, **welche** Stoffe in unseren Blut- und Körpersäften kreisen.

**3 Millionstel Gramm Vitamin $B_{12}$ genügen,** um den Menschen am Leben zu erhalten. Steht nur ein Viertel dieser Menge weniger zur Verfügung, geht der Mensch an perniziöser Anaemie zugrunde.

**2 Millionstel Gramm Vitamin D genügen,** um den Kalkstoffwechsel zu gewährleisten, wobei man über den Aufbau und die Zusammensetzung dieses Vitamin D selbst noch viel zu sagen hätte. Aber zu diesem kompliziert aufgebauten Vitamin-D-Komplex gehören außerdem die Vitamine $B_1$ und $B_2$ und die Vitamin-$B_2$-Versorgung wiederum kann nur funktionieren, wenn täglich die Menge von **ein Fünftausendstel Gramm Molybdän** zur Verfügung steht.

**Der tägliche Bedarf des Menschen an Kupfer** liegt bei 1,5–3 mg. Ohne Kupfer gäbe es keine Geschmacks- und keine Duftstoffe, aber auch keine

Pigmentierung und keine Haarfarbe. Es befindet sich in Leber, Milz und Knochenmark, also im R. E. S. mit insgesamt 1 g beim erwachsenen Menschen. Im Blut finden sich 0,94 mg% (BENCEWOLFF) und im Serum 0,08 bis 0,12 mg% (HEILMEYER-STRUWE). Die Veränderung des Blutspiegels erlaubt Rückschlüsse auf den Bedarf. Bei sekundären Anaemien findet sich ein erhöhter Kupferspiegel (1,5 mg%). Die biologische Bedeutung des Kupfers ist noch immer nicht ganz erforscht. Die Rolle der Blutbildung des Kupfers ist jedenfalls Gegenstand weiterer Untersuchungen. Kupfer beeinflußt die Infektabwehr (HESSE-STURM, HEILMEYER) und hemmt die Thyroxinwirkung sowie die Arginase. Cu spielt eine wesentliche Rolle bei der Adrenalin-Oxydase. Von höheren Dosen weiß man, daß sie, ebenso wie Zink, das Tumor-Wachstum hemmen. Allerdings ist ihre Wirkung stark toxisch. Kupfer ist neben anderen Spurenelementen reversibel gebundener Bestandteil der alkalischen Phosphatase (CLÖTENS-WOLF) und hat eine antiallergische Wirkung. Mit Vitamin $B_1$ findet es sich in der lebenden Substanz immer vergesellschaftet. Das ist nur ein Bruchteil der Bedeutung eines Spurenelementes.

**Ohne Phosphor gäbe es kein Leben,** denn wir brauchen es nicht nur zum Denken, sondern im Kohlenhydrat-Stoffwechsel ebenso wie im Eiweißstoffwechsel, im Fettstoffwechsel und bei der Knochenbildung. Bei der Blutpufferung spielt das System

$$\frac{Na_2HPO_4}{Na_2PO_4} = K$$

eine wesentliche Rolle.

**Mangan besitzen wir** im Körper 0,5 bis 0,7 g und zwar vor allem in der Leber, Thymus, NNR. Der durchschnittliche Mangangehalt des Gewebes beträgt 0,001%. Im Blut befinden sich bis zu 0,0003 mg. Ohne Mangan könnten wir keinen Zucker verarbeiten und es gäbe keinen Stoffe-Abbau zu Kohlensäure und Wasser. Blutarmut, Wachstumsstillstand, Knochendeformation, Atrophie der Hormonträger infolge Fermenthemmung, Stoffwechselstörungen, Impotenz und Kachexie sind die Folgen eines Manganmangels. Überschuß dagegen führt zu Parkinsonismus.

Ich kann in diesem Rahmen nur einige Beispiele herausgreifen. Sie beweisen jedoch augenscheinlich, daß wir dem Vitalstoffe-Problem unser größtes Augenmerk zu widmen haben. Dabei ist es für uns noch nicht einmal problematisch, denn wir brauchen uns nur **einer gesundheitsbetonten Ernährung** mit viel Milch, Milcherzeugnissen, Honig, Obst, Gemüse und Vollkornerzeugnissen zu bedienen, um uns gesund zu erhalten. Ich will damit niemand zum Vegetarier erziehen, der es nicht aus innerer Überzeugung wird. Fleisch ist nicht ungesund. Nur muß man damit maßhalten.

Sehen wir uns doch einmal nur als Beispiel den Vitamin- und Mineralstoffgehalt des Kornes bei Vollkorn und bei 75%iger Ausmahlung an:
VITAMIN- und MINERALSTOFFGEHALT des Kornes beim Vollkorn und bei 75%iger Ausmahlung:

| | 75 % Weißmehl | Vollkornmehl |
|---|---|---|
| Aneurin (Vitamin B1) | 0,7 | 5,0 |
| Laktoflavin (Vitamin B2) | 0,4 | 1,3 |
| Nikotinsäure | 7,7 | 57,0 |
| Prydoxin (Vitamin B6) | 2,2 | 4,4 |
| Pantothensäure | 23 | 50 |
| Tokopherol (Vitamin E) | 0 | 24 |
| Eiweiß g/kg | 110 | 127 |
| Kalzium | 200 | 450 |
| Magnesium | 100 | 220 |
| Phosphorsäure | 920 | 4230 |
| Eisen | 7 | 44 |
| Mangan | 20 | 70 |
| Kalium | 1150 | 4730 |
| Kupfer | 1,5 | 6 |

Diese eindrucksvollen Zahlen beweisen, wie hoch die Verminderungen sowohl der Vitamine als auch der Mineralstoffe und Spurenelemente beim Ausmahlen des vollen Kornes sind. Sie gehen von 50 bis zu 100 %. Dieses Fehlen macht sich natürlich in Mangelerscheinungen bemerkbar, denn Brot und Milch sind nun einmal unsere Hauptnahrungsmittel.

Anders ist es mit einem Zuviel an Stoffen. Weitgehend entscheidend ist hierbei die Geschwindigkeit, mit der die Ausscheidung der aufgenommenen Substanzen erfolgt. Sehr eindrucksvoll liegen hier die Verhältnisse bei einem Nahrungsmittel wie der **Kartoffel** vor. **Ihr Gehalt an Kalium ist so hoch,** daß – bei freiem Vorkommen dieser Menge – sofortiger Herzstillstand die Folge sein würde.

Die Natur aber hat es durch die Bindung dieses Metalls so eingerichtet, daß zunächst einmal nur eine schrittweise Resorption gewährleistet wird. Trotzdem würde der hierdurch bedingte Blutkaliumspiegel noch immer einen Herzstillstand herbeiführen, wenn nicht fast unmittelbar nach der Aufnahme die renale Ausscheidung erfolgen würde.

Anders liegt es bei einem Stoff, den wir immer wieder versucht sind, uns zu viel zuzuführen – beim Kochsalz. Hier besteht immer die Gefahr einer Übersättigung des Blutes mit allen unangenehmen Nebenerscheinungen.

Die Wichtigkeit **kochsalzarmer** Nahrung, nicht nur für Herz- und Kreislaufkranke, legte Dr. HOLTMEIER, Bonn (1958), klar. Er kam, wie vor ihm schon viele andere Wissenschaftler, zu der Auffassung, daß es eine **kochsalzfreie,** das heißt, eine natriumchloridfreie Kost nicht gibt und auch nicht geben kann und darf, denn sowohl das Natrium als auch das Chlor sind (Na 150 g, Cl 200 g) „Bausteine des Körpers" und als solche notwendig.

Man muß also von einer kochsalzarmen Diät sprechen, von einer Diät, die nur wenig Natrium- und Chlor-Ionen enthält. Jedoch ist diese kochsalzarme Diät unentbehrlich bei der Behandlung von z. B. Herz-, Blutkreislauf-, Nieren-, Gichtleiden sowie bei Rheumatismus und auch bei Leber- und Galle-Erkrankungen.

Wir müssen uns immer vergegenwärtigen, daß 1 g in der Nahrung enthaltenes Kochsalz etwa 100 g Wasser in den Geweben bindet, das heißt, bei einer Kochsalzzufuhr von 10–12 g pro Tag würde der Körper 1,2 l Wasser binden und wieder ausscheiden müssen. Diese rund 1 Liter **zusätzlich** stellen aber eine wesentliche Mehrbelastung des Herzens und der Nieren dar – rund 20%. Hinzu kommt die Tendenz des Körpers zur Wassereinlagerung in die Gewebe bei Herz- und Nierenerkrankungen. Bei bestimmten Herz- und Nierenleiden kann diese **Wassereinlagerung bis zu 15 Liter betragen.**

Die Einnahme kaliumhaltiger Heilkräuter, z. B. Schafgarbe, Löwenzahn, Brennessel, Weißdorn, Birkenblätter, Bohnenschalen oder kaliumhaltiger Nahrungsmittel wie Pellkartoffel, Traubensaft, schwarzer Johannisbeersaft, Apfelsaft oder von Gemüse wie Sellerie, Spargel erweist deutlich ein rasches Absinken des erhöhten Blutdruckes und vor allem eine Ausleitung der Flüssigkeit. Hierin liegt vor allem der große Wert der Blutreinigungskuren.

Es soll nicht verkannt werden, daß in der modernen biologischen Heilkunde viel Wert auf **die Beschaffenheit des Mesenchyms** gelegt wird, jenes Zellgewebe, das den gesamten Körper wie ein Schwamm durchzieht. Dieses Zellgewebe kann erkranken, erschlaffen, wird empfindlich, und einen großen Teil von Krankheiten schreibt man ja auch diesem Umstand zu. Auf die **Beziehungen z. B. des Siliziums zum Bindegewebe** hatte ich bereits in früheren Ausführungen hingewiesen. Aber – wer ernährt das Zellgewebe? Was bewirkt den gesamten Stoffwechsel? Wie führt der Körper seine Aufbaustoffe zu und wie werden Abfall- und Schlackenstoffe hinwegtransportiert?

Es sind immer wieder die Körpersäfte, Blut und Lymphe. In ewigem Wellenschlag fließt der Strom des Blutes vom Herzen durch den Körper und zum Herzen zurück. Er treibt das Räderwerk der Lebensmaschine; in einer schier verwirrenden Unzahl von ineinandergreifenden Vorgängen. Er bewirkt Reaktionen, die bisher noch kein Laboratorium und keine chemische Fabrik nachzumachen in der Lage sind. Er – der Blutstrom – ist Träger all jener Stoffe, die wir als Bau-, Kraft- und Wärmestoffe kennen. Er ist Transportmittel der im Körper kreisenden Vitalstoffe, ihrer Umwandlungen und Zustandsformen – Vitamine, Fermente, Kathalysatoren. Er reißt den Sauerstoff, den unsere Lungen aufnehmen und spenden, mit sich, vollbringt mit diesem all jene chemischen Reaktionen, die notwendig sind zur Erhaltung unseres Körpers, und er trägt ebenso die verbrauchten Stoffe, zusammen mit dem $CO_2$ zurück, so daß sie ungehindert den Körper durch Darm, Nieren und Haut wieder verlassen können.

Diese Lebenswege in unserem Körper, die Blutbahnen, rein zu halten und sie in ihrem Bestreben nach Harmonie zu unterstützen, gehört zur obersten Aufgabe der Gesundheitspflege.

## Die wunderbare Welt der Mikro-Photographie

Durch die verschiedensten mikroskopischen Untersuchungsmethoden (Dunkelfeldmethode, Auflicht-Dunkelfeld-Methode, Polarisations-Methode, Infra-Rotlicht-Aufnahmen usw.) lassen sich die herrlichsten Wirkstoff-Aufnahmen erzeugen. Ihre Formen- und Farbschönheit ist bestechend. Jeder Wirkstoff hat seine besondere Struktur und Farbe bzw. Farbzusammensetzung. Da erschaut man Bilder, Plastiken, wie sie kein noch so begabter Maler oder Bildhauer gestaltvoller hervorzuzaubern kann.

Dr. W. WINKELMANN hat uns in seinem Buche „Die Wirkstoffe unserer Heilpflanzen" nicht nur einen Einblick in die Untersuchungsmethoden gegeben, sondern uns Aufnahmen von erstaunlicher Schönheit geschenkt und uns damit vor Augen geführt, wie zauberhaft die Welt des Mikro-Kosmos erscheint. Sie ist gleichsam Sinnbild all jener Gedanken, die uns aus der Harmonielehre eines PYTHAGORAS entgegenströmen. Uns von der Natur aufgezeichnete Ideen eines Schöpfers, dessen Allmacht über allem west und waltet.

Die Aufnahmen des Zinnkrautes mit seinen lichtfunkelnden Kieselsäure-Einlagerungen, die Bilder der Ameisen-, Oxal-, Zitronen- und Weinsäure, der verschiedenen Vitamine in ihrer Vielgestaltigkeit, die Nadelbüschel des Morphins, des Salizylamids, die Rosetten der Apfelsäure beweisen uns die Harmonie sowie die Farb- und Formenschönheit der Natur im mikroskopischen Bild.

Wir können aber ebenso mit dem Dunkelfeld-Mikroskop einen frisch aufgenommenen Blutstropfen untersuchen und da nun tut sich eine Wunderwelt auf, die geradezu atemberaubend wirkt. Sie zeigt uns, daß Blut nicht nur aus roten und weißen Blutkörperchen, aus Blutblättchen und Blutserum besteht. Es ist eine eigene Welt voller Licht und Funkeln, voller Körnchen, Ringe, Sterne, Kerne, Stäbchen und Röllchen von einem Formen-Reichtum, wie wir ihn nicht vermutet hätten. Leuchtend und dunkel, hellstrahlend, weißbläulich und gelblich schimmernd – so liegen die Bilder vor uns und harren ihrer Deutung.

Ich wies schon öfter auf den Roman des Engländers Lord LYTTON-BULWER hin. In seinem mystischen Werk „ZANONI" spricht der Meister: „Wenn der Mensch selbst eine Welt ist für andere Leben und Myriaden und Millionen in den Bächen seines Blutes hausen und den Leib des Menschen bewohnen, wie der Mensch die Erde . . ." (1803–1873).

In genialer Vorausschau hat BULWER geschildert, was er selbst noch nie gesehen hat.

Das ist unsere Welt des Blutes. Freunde und Feinde tummeln sich in ihm wie Fische im Wasser. Noch sind sie nicht alle enträtselt, aber eines beweisen sie augenscheinlich, nämlich, daß hier der Grundstock liegt für Gesundheit und Krankheit.

KNEIPP, ASCHNER, LEUPOLD – sie alle haben recht, wenn sie von einer neuen Säftelehre sprechen: „. . . all diese Krankheiten haben ihren Keim im Blut."

## Das Blutplasma – die Blutflüssigkeit

Das Blutplasma, die Blutflüssigkeit, ist gerinnbar. Es enthält alle jene so wertvollen Eiweiß-, Salz- und Wirkstoffe, besteht aus einem Globulinkörper, dem Fibrinogen (Gehalt des Blutes an Fibrinogen 0,25 %), und dem ungerinnbaren Blutserum, jener Flüssigkeit, die vor allem wichtigste Mineralstoffe und Spurenelemente enthält. Vor allem enthält sie Immunkörper. Es ist eine ganze chemische Welt für sich. So finden wir im Blutserum z. B. Eisen, an Schwefel und Vitamin C gebunden, und zwar in ionisierter Form.

Das Blutplasma ist jenes Transportmittel, das, neben der Lymphflüssigkeit, all jene für die Zellen notwendigen Aufbaustoffe an ihre Bestimmungsorte bringt und die Stoffwechselschlacken abtransportiert. Dies ist jedoch nur möglich, wenn entweder diese Flüssigkeiten insgesamt in die Zellen eindringen können oder wenn wenigstens ein Stoffe-Austausch durch Diffusion und Osmose stattfinden kann. Die Zell-Grenzschichten des Organismus sind im allgemeinen für die in wäßriger Flüssigkeit gelösten Stoffe durchlässig. Wenn sie also ihr Volumen beibehalten sollen und wenn die Lebenstätigkeit des Protoplasmas nicht gestört werden soll, dann muß der Zellinhalt und die die Zelle umgebende Flüssigkeit denselben osmotischen Druck haben, das heißt, sie müssen isotonisch sein.

Der osmotische Druck einer eiweißhaltigen Salzlösung, also auch des Blutes, ist aber in erster Linie abhängig von den gelösten Salzen und nur in untergeordneter Bedeutung von den hochmolekularen Kolloiden (Eiweißstoffen).

## Mineralstofflehre

**Dies ist der Angelpunkt der gesamten Mineralstofflehre. Kolloidales Zelleben und Mineralstoffwechsel sind nicht voneinander zu trennen.**
Die Mineralstoffe sind Grundstoffe im Aufbau der organischen Substanz des Körpers. Sie ermöglichen den Austausch zwischen den Körperzellen, sind verantwortlich für das elektro-chemische Spannungsspiel im Körper und erhalten so unsere Muskeln und Nerven in dem nötigen Spannungszustand.

Hierbei ist zu berücksichtigen, daß **jene Mineralstoffe vom Körper in eben der ionisierten Form absorbiert werden, wie sie in den Pflanzen vorliegen.**
Pflanzennahrung ist also die Grundsubstanz lebendiger Nahrung überhaupt und unsere Heilpflanzen sind als Ergänzungsnahrung aufzufassen, denn sie liefern uns all das, was unserer Nahrung fehlt, besonders unserer denaturierten Nahrung, wie sie unsere Zivilisation derzeit bietet.

Unter den Mineralstoffen unterscheiden wir die sogenannten Gewebsmineralien (Kalium, Phosphor, Magnesium) und die Säftemineralien (Natrium, Chlor, Calcium). Hiervon ist die Kaliumgruppe elektronegativ geladen und bindet sich deshalb an die elektropositiven Gewebe, während die elektropositiv geladene Natriumgruppe sich mit den elektronegativen Säften vereinigt.

## Kalium

Kalium ist als lösliches Salz Bestandteil vor allem der Körpersäfte, des Körpergewebes, der geformten Bestandteile des Blutes und der Muskelzellen. Seine Ionen gelten als „radioaktiv" und man bezeichnet Kalium daher als „Element des Lebendigen". Kalium wirkt osmotisch, kolloidchemisch und chemisch. Diese Wirkungen rufen eine Änderung des physikalischen Zustandes der im Organismus vorhandenen Kolloide von der gallertartigen zur flüssigen Form hervor und bewirken eine Erleichterung der Durchlässigkeit der Körperflüssigkeit durch die Schleimhäute sowie die rasche Ausscheidung gelöster Stoffe aus dem Blut in die Gewebslager, von wo aus sie weitergeleitet werden. Kalium und Natrium-Ionen arbeiten eng zusammen, auch und gerade weil sie gegenteilige Wirkungen haben.

## Natrium

Natrium als Zellsalz und Salz der Gewebesäfte reguliert den osmotischen Druck von Zelle zu Zelle und hält den Wassergehalt des Körpers aufrecht. Zuviel Natrium – zuviel Körperflüssigkeit! Während Kalium sehr rasch vom Organismus wieder ausgeschieden wird, setzen sich Natrium und seine Verbindungen im Körper fest.

Bei zu wenig Natrium allerdings (der normale Gehalt des Organismus ist ca. 150 g) kommt es zu Erscheinungen der HYPOCHLORAEMIE, d. h. zu anhaltendem Erbrechen und Benommenheit bis zu Bewußtseinsstörungen.

Da in unseren Pflanzen der Kalium-Natrium-Gehalt immer ungefähr dem des lebendigen Organismus entspricht, wobei wohl ein höherer Kaliumgehalt (Birke, Schafgarbe, Kamille, Arnika, Zinnkraut, Walnußblätter, Weidenblätter und -rinde, Huflattich, Brennessel, Löwenzahn u. a. m.), nur selten aber ein höherer Natrium-Gehalt vorliegt, ist zur Ausgleichung unseres Mineralstoffgehaltes gerade die Pflanze, und in diesem Falle in der Teeform, am besten geeignet. Wir erkennen dies schon an der Tatsache, daß in diesem Falle ein Birkenblättertee (**Winternitz, Schulz, Flamm, Kroeber Seel**) als **wasserausleitendes Mittel** wesentlich besser wirksam ist als ein Saft.

Alle Mineralstoffe aber haben die Eigenschaft, im Körper vorhandene Säuren zu binden und in die lösliche Salzform zu überführen. Erst in der Salzform können sie ausgeleitet werden (Kaliumwirkung), so z. B. die Harn- und Phosphorsäure, aber auch überschüssige, ungelöste Stoffe wie saures, harnsaures Natrium, saures harnsaures Ammonium oder Ammonium-Magnesium-Phosphat sowie Calcium-Oxalate, also jene berüchtigten Bildner von Harngrieß und Nierensteinen.

## Silizium

Ein weiterer mineralischer Wirkstoff, der bei all jenen Ausleitungsvorgängen, die zu einer gründlichen Blut- und Gewebeausschwemmung notwendig sind, ist das Sizilium, beispielsweise des Zinnkrautes, der Bohnen-schalen, der Brennessel, des Spitzwegerich, des Vogelknöterich, des Hohlzahnes – um nur einige dieser Pflanzen zu nennen.

Sizilium – Kieselsäure besprach ich schon ausführlich. Sie ist stofflich in der Natur von der flüssigen Form bis zum festen Kristall und in den verschiedensten Bindungen vorhanden. Sie durchläuft also alle Phasen von der Klarflüssigkeit (in Jungpflanzen) über die Gel- und Kolloidalform bis zur Härte des Bergkristalls, je nach der Verbindung, welche die Kieselsäure eingeht. Kieselsaure Saponine sind es hauptsächlich, die dem Zinnkraut den Charakter eines wasserausleitenden Mittels verleihen. Als solches unterstützen sie wesentlich die Aufgaben des Kaliums und des Natriums.

**Silizium** ist jener Stoff, der die größeren Beziehungen zu unserem Binde-gewebe hat. Da sich **aus dem Bindegewebe** heraus alles Organische entwickelt, ist seine Erhaltung und ständige Kräftigung notwendig. Sili-zium regt die Abwehrkräfte des Bindegewebes an, ja unter Umständen ist es sogar in der Lage, diese noch zu steigern. Es fördert den **Stoffwech-selvorgang innerhalb des Bindegewebes** und sorgt hier vor allem für eine Vermehrung der Ausscheidung, beeinflußt es als Speicherorgan und sorgt bei entzündlichen Vorgängen für deren Heilung. Darum auch die Wichtigkeit **natürlicher** Kieselsäureträger bei Gicht, Rheumatismus, Ge-lenkrheumatismus, Arthritis, Arthritis deformans und anderen Stoffwech-selleiden; so vor allem bei Tuberkulose und bei Diabetes, wahrscheinlich auch bei Krebs.

Darum die Notwendigkeit zur Vorbeugung bei dem Vorgang, den man mit ,,Blutreinigung" bezeichnet, denn bei ihm geht es ja nicht nur um eine Ausschlackung des Blutes und der Gewebe, sondern gleichzeitig um einen Aufbau derselben. Hier sind es vor allem Zinnkrautsaft und Brenn-nesselsaft, die eine große Rolle spielen, denn sie dienen ja nicht nur der Blutreinigung, sondern gleichermaßen der Bluterneuerung und -verbesse-rung.

Vom Bindegewebe her beeinflußt Silizium konstitutionelle Schwächen, Drüsenerkrankungen, Neigung zu Skrofulose, auch Erkrankungen der Bauchspeicheldrüse. Zinnkraut in Verbindung mit Bohnenschalen, Gais-raute und Löwenzahn sorgt für eine vermehrte Insulinausscheidung bei einem Versagen der Inselzellen und ist daher eine wesentliche Unterstüt-zungstherapie bei Diabetes.

Silizium in Verbindung mit natürlicher Salizylsäure (Stiefmütterchen, Schlüsselblumen, Arnika, Kamillen) regt wiederum die Bildung der Leuko-zyten bei entzündlichen und Eiterungsprozessen an und aktiviert die Zerstörung und Vernichtung von Bakterien. Auch dies ist ein wesentlicher Faktor im Gesamtbegriff ,,Blutreinigung".

## Calcium

Ein ebenfalls wichtiger Mineralstoff ist das Calcium, den uns die Pflanze, ebenso wie auch das Eisen, in natürlicher Form bietet. Calcium finden wir

z. B. als an Achilleasäure gebunden in Schafgarbe, als Calciumphosphat und Calciumoxalat in Walnußblättern, als Calciumnitrat in der Brennessel usw. Reichlich Calcium enthalten außerdem u. a. Birkenblätter, Fenchel, Kamille, Zinnkraut und Huflattich.

Wir brauchen dieses Calcium nicht nur in Form von Calciumphosphoricum zum Aufbau unserer Knochen und Zähne, sondern wie Magnesium ist es ein wichtiger Bestandteil aller Zellen und Körperflüssigkeiten. Der Calciumspiegel des Blutes beträgt 11 mg%. Calciumphosphat kennen wir bekanntlich in der ungelösten Form. Die zwei weiteren Formen des Calciums im Organismus sind die dissoziierte Form (Calcium-bicarbonat), d. h. die lösliche Form als Salz und die kolloidale Form als Calcium-Eiweiß. Im Blute ist der Calciumspiegel der Ionenform (der dissoziierten) außerordentlich konstant mit 2 mg% (gegenüber dem Gesamt-Blut-Calciumspiegel von 11 mg%). Er beträgt also etwa ein Sechstel des gesamten Blutcalciums.

Die vorher erläuterten Mineralstoffe Kalium und Natrium bilden im Körper zusammen mit dem Magnesium das Gegengewicht zum Calcium, d. h. Calcium einerseits und Kalium, Natrium und Magnesium andererseits halten sich die Waagschale. Sie sind, wie man im fachmännischen Sprachgebrauch sagt, ,,Antagonisten''.

Vom Calcium hängt einmal der normale Ablauf der Erregungszustände ab, also die Ruhe der Nerven, des Herzens, die Gewährleistung der Arbeit der Muskeln. Bei einem Überschuß an jenen Stoffen (Kalium, Natrium) oder bei einem Mangel an Calcium tritt Nervosität, Übersteigerung der Herztätigkeit, Steigerung der allgemeinen Erregbarkeit ein.

Calciumsalze hemmen die für die normale Pulsfrequenz (72 pro Minute) verantwortlichen Zellen im Vorhofsteil des Herzens und erregen dafür die sekundären Zentren,

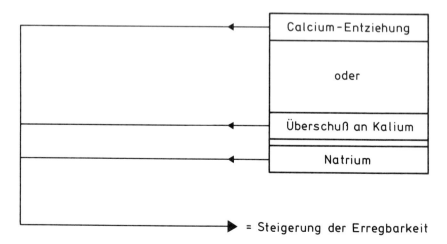

deren Frequenz wesentlich niedriger liegt. Daher auch die beruhigende Auswirkung einer ausgeglichenen, natürlichen Ernährung, aber auch die nervenstärkende Wirkung von Hafer und Gerste (Haferflocken und Gerstengrütze, natürlich Vollkorn!), denn während z. B. Weizen 0,0213, Roggen 0,0532 Calciumprozente im Gramm besitzt, haben Gerste deren 0,0589, Hafer sogar 0,1021.

Weitere Zahlen: Hafergrießmehl und -grütze 0,1224, Haferflocken 0,0996 und Gerstenmalzkeime 0,1843. Reis, **der ungeschälte,** enthält 0,1542 und halbgeschälter Reis mit Silberhäutchen immer noch 0,1238. Am wichtigsten ist unsere Vollmilch als nervenstärkendes Nahrungsmittel. Sie enthält an Calcium 0,4736 g%, ist also noch über das doppelte gehaltvoller an Kalksalzen wie Gerstenmalz. Kinder, die morgens ihre Vollkorn-Haferflocken mit Milch bekommen oder ihr BIRCHER-BENNER-Müsli verzehren, werden bestimmt nicht nervös und kommen in der Schule weit besser voran als ihre Klassen-Kameraden, die dies entbehren müssen.
Kalkspender sind unter unseren Lebensmitteln vor allem Kohlrabi, Sellerie, Möhren, Blumenkohl, Grünkohl, Endivien, Kopfsalat, Spinat und Löwenzahn. Dazu kommen alle Hülsenfrüchte.

Diese Kalkspender auf natürlichem Wege, nämlich Kräuter einerseits und eine gesunde, natürliche Ernährung andererseits, erhalten die Fähigkeit des Herzens zu dauernder, rhythmischer Reizleistung. Man sollte nur diese Form der Zufuhr wählen und alle Calciumspritzen und Kalkpräparate zu vermeiden versuchen, denn, abgesehen von der Unnatürlichkeit der Mittel, in vielen Fällen wird – dies habe ich selbst schon erlebt – z. B. durch eine Calciumspritze Erregung oft nicht gedämpft, sondern wiederum übersteigert. Ja – bei gleichzeitiger Einnahme von z. B. Digitalis- und Strophanthinpräparaten kann Calcium so stark tonussteigernd wirken, daß es zum Herzstillstand und zum Kollaps führt.
Bei Calciummangel sinkt der Blutdruck ab, läßt der Gefäßtonus nach. Calcium steht in inniger Beziehung zur Blutgerinnung und zum hormonalen Geschehen (Vitamin D).

Nur so viel über die Bedeutung der wichtigsten Mineralstoffe zur Blutreinigung.
Ich bin des öfteren gefragt worden, in welchen Heilpflanzen sich Phosphor befindet.
Vorausschicken möchte ich, daß, während man Kalium, Natrium, Calcium, Eisen und Magnesium zu den Basenbildnern rechnet, Phosphor, Schwefel, Chlor, Brom und unter Umständen auch das Silizium zu den Säurebildnern zählt.

Basen sind Verbindungen von Metallen mit Sauerstoff, Säuren dagegen Verbindungen von Nichtmetallen mit Sauerstoff. Die Vereinigung von Basen und Säuren ergeben Salze. Der Körper ist immer bestrebt, aus Säuren und Basen Salze zu bilden.

## Phosphor

Die zentrale Stellung des Phosphors im Lebensgeschehen ergibt sich aus der Bedeutung der biologischen Phosphorylierungen, ohne die keine Umsetzung im Stoffwechsel erfolgen kann. Beim Warmblütler wird diese Phosphorylierung durch zwei Systeme vermittelt:

1. Durch den ATP-Motor. Adenosin-Tri-Phosphorsäure gibt ein Molekül Phosphorsäure an das zu phosphorylierende Substrat ab und geht dabei selbst in Adenosin-Phosporsäure über. Diese Reaktion verläuft unter der katalytischen Wirkung eines Fermentes der Adenosin-Pyrophosphatase. Je Gramm Muskel werden dabei 0,09 cal. Wärmeenergie frei.

2. Der Kreatinmotor: Kreatinphosphorsäure (Phosphagen) und Kreatin-Pyrophosphatase phosphorylieren das Substrat, wobei Kreatin übrigbleibt und je Gramm Muskel 0,23 cal. Wärme frei werden.

Die Systeme 1 und 2 arbeiten alternierend, also in regelmäßigem Wechsel. Die aus diesen beiden Systemen freiwerdende Phosphorsäure wird an irgendeiner Stelle des intermediären Abbaues abgegeben, z. B. an sechs von den 22 Stufen des Glykogen-Abbaues.

Auch die stoffwechselwirksamen Vitamine (Nikotinsäureamid, Aneurin, Lactoflavin usw.) bedürfen einer Phosphorylierung, bevor sie wirksam werden.

Lipoide, Lezithine und Phosphatide enthalten Phosphor in komplexer Bindung. Sie sind Bestandteil jeder Zelle, besonders aber der Nervenzelle. Daher – wie ich bereits sagte: Kein Gedanke ohne Phosphor!

Phosphor ist im Körper in den verschiedensten Bindungen vorhanden. Als phosphorsauren Kalk und als phosphorsaure Magnesia finden wir ihn in den Knochen, als phosphorsaures Kalium im Muskelfleisch und als phosphorsaures Ammoniak in den Nerven und im Gehirn. Phosphate finden sich in allen Säften und Zellflüssigkeiten des Körpers. In Form der Lezithine und Phosphatide befindet sich Phosphor in jedem Zellkern sowie im gesamten Nervengewebe. Im Körper oxydiert Phosphor sehr langsam. Die durch Oxydation des Phosphors gebildeten Phosphorsäuren entstehen allmählich und werden mit dem Harn und dem Stuhl abgebaut.

Ich sprach von der Adenosin-Phosphorsäure. Bei der Erzeugung der Muskelkontraktion ist neben der Adenylsäure (Adenosin-Phosphorsäure) vor allem die als Lactacidogen bezeichnete Hexosemonophosphorsäure die eigentliche Trägersubstanz. Von dem Gehalt und von der Neubildung des beim Arbeitsprozeß verbrauchten Lactacidogens hängt die Leistungsfähigkeit und die Erholung des ermüdeten Muskels ab. Reichliche Zufuhr von Phosphor zur kohlenhydrathaltigen Nahrung (alle Sorten von Nüssen!) wirkt sich hier günstig aus, steigert die Leistungsfähigkeit und verlängert die Arbeitsdauer.

Nun ist ja **Phosphor mehr oder weniger in allen Heilpflanzen** vorhanden. Auch hier ist **die Bindung Kalium** (Brennessel, Borretsch, Mistel, Schafgarbe, Queckenwurzel, Bohnen und Bohnenschalen, Birkenblätter, Kalmus, Kamille, Huflattich, Arnika, Tausengüldenkraut, Sanikel), **Kalzium** (Brennessel, Mistel, Huflattich, Zinnkraut, Bohnen und Bohnenschalen, Anserine, Löwenzahn, Hohlzahn), **Magnesium** (Anserine, Hauhechel, Ginster, Mistel, Schlüsselblume) – um nur einige Beispiele zu nennen.

Ebenso wichtig wie diese Heilkräuter bzw. Heilkräutermischungen sind jedoch unsere Nahrungsmittel. An erster Stelle ist hier die Sojabohne zu nennen, wie überhaupt Sojabohnenerzeugnisse in der reformerischen Ernährung eine wesentliche Rolle spielen (pflanzliche Eiweißspender). Nüsse nannte ich bereits. Von den Gemüsen, in denen wir phosporsaures Eisen (Spinat) ebenso finden wie Magnesium-phosphoricum, Kalium- und Natrium-phosphoricum, sind es vor allem die Leguminosen wie Bohnen, Erbsen, Linsen, ferner Hirse sowie jegliches Vollkorngetreide. Dann Blumenkohl, Spinat, Kohlrabi, Gurken, Rettich, Wirsingkohl, Spargel, Kohlrüben, Zwiebel, Sellerie, Kartoffeln, Mohrrüben, Porree und Schnittlauch. Von ganz besonderer Wichtigkeit sind auch hier wieder die Milch und der Honig. Dazu gehören natürlich alle Milcherzeugnisse wie Joghurt, Quark, Käse und ich muß an dieser Stelle auch auf Eier und Fisch hinweisen.

Vom Obst sind es vor allen Dingen Heidelbeeren, schwarze und rote Johannisbeeren, Mirabellen, Stachelbeeren, Äpfel (die ja überhaupt Nervennahrung darstellen), Orangen, Mandarinen, Birnen und vor allem Weintrauben. Eine Traubenkur macht nicht nur schlank (Kalium), sondern frischt das Blut auf (Eisen) und stärkt die Nerven (Phosphor).

Ich habe mich in meinen Ausführungen über Mineralsalze nur auf das beschränkt, was zum Thema ,,Blutreinigung" wichtig erscheint. Das Thema selbst ist unerschöpflich.

Dr. med. W. SCHÜSSLER, der Begründer der BIOCHEMIE und damit der Vorkämpfer der Mineralsalzlehre, sagte einmal: ,,Die Konstitution der Zelle ist durch die Zusammensetzung ihres unmittelbaren Nährbodens bedingt, wie das Gedeihen der Pflanze durch die Beschaffenheit des im Bereiche ihrer Wurzelfasern befindlichen Bodens." und: ,,Das biochemische Heilverfahren liefert dem Heilbestreben der Natur die demselben an betreffenden Stellen fehlenden natürlichen Mittel: die anorganischen Salze. Die Biochemie bezweckt damit die Korrektur der von der Norm abgewichenen physiologischen Chemie."

Verschwindend kleine, unwägbare und doch so wirksame Stoffteilchen sind es, die sowohl in der Biochemie als auch in der Heilpflanzenbehandlung wirksam sind.

Noch immer wird den Mineralsalzbestandteilen der Heilpflanzen zu wenig Beachtung geschenkt, trotzdem sich schon viele Wissenschaftler mit diesem Thema befaßten (LAHMANN, ABDERHALDEN, KAHNT, SCHULZ – um nur einige zu nennen). Mit dem Thema ,,Blutreinigung" jedenfalls sind sie untrennbar verbunden.

So enthalten Achillea millefolium – Schafgarbe in ihrer Reinasche (12,73%) 47,81% Kalium, 2,12% Natrium, 14,79% Calcium, 3,32% Magnesium, 0,23% Eisen, 7,87% Phosphor, 2,69% Schwefel, 10,96% Silizium, 13,37% Chlor in den verschiedensten Bindungen. Bei Taraxacum off.

– Löwenzahn sind es (Reinasche 7,31%): 88,86% Kalium, 10,44% Natrium, 19,96% Calcium, 8,38% Magnesium, 0,86% Eisen, 7,84% Phosphor, 2,24% Schwefel, 7,01% Silizium und 2,65% Chlor. Bei Brennessel beträgt der Gehalt an Kalium 48,95%, dagegen z. B. bei der Birke nur 13,9%. Bei dieser jedoch handelt es sich um ein kaliumsaures Saponin mit der Wirkungssteigerung des Saponins und darum ist auch hier die Kaliumwirkung beachtlich.

Bei einer Kräuterkur – auch bei einer Blutreinigungskur – müssen wir bedenken, daß wir es mit verschiedenen Wirkungsrichtungen zu tun haben. Das Auftreten bestimmter, im Zusammenhang mit der Heilkräutertherapie verlaufender Reaktionsformen bildet die wesentliche Grundlage zur Beurteilung einer Heilpflanzenwirkung überhaupt.

## Das Thema „Erstverschlimmerungen"

Wir haben es einmal mit einer direkten oder indirekten Reizwirkung zu tun und zum anderen mit einer Behandlung im Sinne einer Zufuhr. Zum dritten kommt hinzu die Funktionstherapie mit dem Ziel eines „Umbaues des Organismus" (Stärkung der Gallebildung, Unterstützung des Gallenflusses durch das Taraxacin und die enzymatisch wirkenden Substanzen des Löwenzahns, Unterstützung der Nierenfunktionen durch die kaliumsauren Saponine der Birkenblätter und des Schachtelhalmes, Verbesserung der koronaren Durchblutung durch die Flavone und Flavane (in Verbindung mit anderen Wirkungskomponenten) des Weißdorns usw. mit dem Ziele einer bleibenden Verbesserung der Funktionstüchtigkeit des entsprechenden Organes.

Es liegt im Sinne der Heilkräutertherapie, daß das Heilkraut selbst nie einseitig wirkt, sondern immer ein oft recht breitgefächertes Wirkungsfeld entwickelt.

Nehmen wir hier als Beispiel den Weißdorn, der heute unumstritten zu den Mitteln der Wahl bei Myodegeneratio cordis zählt. Wir unterscheiden bei ihm drei Wirkungskomponenten:

Einmal die einer Besserung der koronaren Durchblutung und zum anderen eine unmittelbare Wirkung auf die Herzmuskelzellen **im Sinne einer** Steigerung ihrer Aktivität und einer besseren Ernährung, während z. B. Digitalis an der kontraktilen Substanz des Herzmuskels angreift. Indirekt – über das Herz – kann Weißdorn außerdem die Blutdruckverhältnisse regulieren, vielleicht sogar normalisieren. Im Gegensatz wieder zu Mistelpräparaten, die bei Hypertonikern immer angebracht sind und direkt auf den Blutdruck einwirken. Am besten ist ein Wechsel zwischen Weißdorn und Mistel in Verbindung mit Schafgarbentee und den bewußten 3 Tropfen Arnika.

Weißdorn dagegen ist immer angebracht bei dem sogenannten Altersherz, beim Hypertonieherzen mit und ohne Insuffizienz und bei Myokardschwäche, besonders nach Infektionskrankheiten. Zum Schluß nenne ich noch cardiale Rhythmusstörungen, vor allem Extrasystolie und tachycarde Anfälle.

Bei den degenerativen Herzerkrankungen der heutigen Zeit bietet sich da ein weites Feld. Und nun komme ich auf das, was man in der Homöopathie unter „Erstverschlimmerungen" versteht, die man nicht nur beim Weißdorn erleben kann.

Nicht nur dort, wo Heilpflanzenbehandlung im Sinne einer Reiztherapie Anwendung findet, sondern auch bei der Behandlung im Sinne einer Zufuhr oder einer Funktionstherapie führt der hierdurch eingeleitete „Umbau des Organismus" zu Reaktionsformen, die als Allgemeinreaktionen und als Herdreaktion zu verstehen sind. Man spricht hier von Erstverschlimmerung und versteht darunter Veränderungen der „Krankheitslage" nach der Seite zum Negativen, wie Veränderungen der Schlaffähigkeit, der Beeinflussung des Leistungsgefühls (Müdigkeit) oder auch der nervösen Erregungslage, Veränderung der Temperatur (erhöht oder vermindert), Auftreten von Ausschlag usw.

Als Herdreaktionen treten Steigerung entzündlicher Vorgänge überhaupt auf, ebenso Sekretionssteigerungen aus Wunden, vorübergehend gesteigerter Gewebszerfall oder Beeinflussung der sekretorischen oder exkretorischen Funktionen der entsprechenden Organsysteme. Wir kennen das Auftreten von Durchfall ebenso wie das der Obstipation, gesteigerte Bildung von Schleim und Auswurf, das Auftreten von Fluor albus oder flavus, Erhöhung zur Neigung der Schweißabsonderung und Sekretionssteigerung der Nieren.

Der erfahrene Arzt und Heilpraktiker weiß, daß es sich hier zum größten Teil um vorübergehende Zustände handelt, die sich von selbst zur Norm einpendeln. Es gibt viele Heilkundige, die solche Herdreaktionen sogar erwarten und sich dann **im Verlauf der Behandlung** darauf einstellen, denn es sind ja Erfolgsreaktionen. Trotzdem müssen sie sorgfältig beobachtet werden. Es ist auch oft zweckmäßig, die Behandlung ein paar Tage zu unterbrechen, um sie dann in gleicher Weise fortzusetzen.


### Die Dauer einer Blutreinigungskur

Ob man nun Blutreinigungssäfte wie Löwenzahn, Brennessel, Schafgarbe oder Zinnkraut nimmt oder sich diese Pflanzen, einschließlich der Brunnenkresse oder der Gartenkresse, selbst sucht und als Salat, Suppenbeilage (Frühlingssuppen) oder Rohkost verzehrt oder – als dritte Möglichkeit – einen Blutreinigungstee trinkt: Die Kur muß in jedem Falle mindestens sechs Wochen dauern. Dann kann man aber auch sicher mit einem Erfolg rechnen. Zu empfehlen ist diese Blutreinigungskur jedem, gleich, ob jung ob alt. Notwendig jedoch ist sie als zusätzliche Behandlung vor allem für asthenische, leicht erschöpfliche Menschen sowie für solche, die an chronischen Stoffwechselkrankheiten leiden. Vor allem für Rheumatiker aller Formen kann ich eine solche Kur nur empfehlen. Ich habe oft die überraschende Feststellung gemacht, daß nach zweimal sechs Wochen (mit sechs Wochen Unterbrechung also) das jahrelang anhaltende Leiden vollkommen verschwunden war. Kuren soll man natürlich nicht nur im Frühjahr, sondern auch im Herbst durchführen.

Kapuzinerkresse-Tropaeolum majus L. enthält pflanzliche „Antibiotica", ebenso, wie die Brunnenkresse. Beide sind beliebte Blutreinigungsmittel und beide sind nur im frischen Zustand wirksam.

Garten-Kerbel — Anthriscus cerefolium, Garten-Kerbel ist Grundbestandteil vieler Frühlingssalate und -suppen, so der Frankfurter „Grünen Soße".

## Blutreinigungs-Drogen

Unter dem Titel: „Tees zur Frühjahrskur" vermerken FLAMM-KROEBER in „Rezeptbuch der Pflanzenheilkunde": Andorn, Arnika, Bärentraube, **Bibernelle, Bitterklee, Bittersüß,** Blasentang, **Brennesselblätter** und **-wurzeln,** Brombeere, **Brunnenkresse,** Chinarinde, **Ehrenpreis,** Eicheln, Eichenrinde, Erdbeerblätter, **Erdrauch, Faulbaumrinde,** Fenchel, **Frauenmantel, Guajakholz,** Haselwurz, Heidelbeere, Hirtentäschel, Hohlzahn, **Holunderrinde (und -blüten),** Huflattich, **Johanniskraut,** Kalmus, Kamille, Kardobenediktenkraut, **Klettenwurzel, Knoblauch,** Krappwurzel, **bittere Kreuzblume,** Labkraut, **Löffelkraut, Löwenzahn,** Mausöhrchen, Mistel, **Mutterblätter,** Purgierleim, **Queckenwurzel,** Quendel, Rhabarber, **Rettich,** Ringelblume, Salbei, **Sandelholz, Sarsaparille, Sassafrasholz, Sauerampfer, Schafgarbe,** Schöllkraut, **Seggenwurzel, Seifenwurzel, Sellerie, Sennesblätter, Spitzwegerich, Stiefmütterchen, Süßholz,** Taubnesselblüten, Tausendgüldenkraut, Thymian, **Walnußblätter,** Weidenblätter und -rinde, Wiesengeißbart, Wermut und **Zwiebel.**
Die wichtigsten davon sind hervorgehoben. Damit lassen sich schon recht gute Tee-Mischungen herstellen.

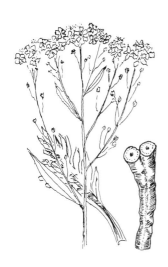

*Merrettich oder Kren –*
*Armoracia rusticana*

*Gemeiner Erdrauch-Fumaria officinalis*
*seit urältesten Zeiten als Zauberkraut*
*bekannt. Gegen Leber- und Gallebe-*
*schwerden und zu Blutreinigungstees*
*verwendet. Dosierung beachten, da in*
*größeren Mengen giftig.*

**Erdrauch – Fumaria officinalis** ist eine uralte Heilpflanze, die vor allem für Gallenkranke sehr interessant ist. Sie enthält mehrere Alkaloide, von denen das Fumarin das bekannteste ist. Daneben Fumarinsäure (Paramaleinsäure). Sie wirkt einerseits, wie das Papaverin des Schlafmohns, spasmolytisch und zum anderen den Gallenfluß regulierend (GIROUX). Dabei steigert sie den Gallenfluß, wenn er zu träge fließt, und senkt ihn, wenn es sich um eine hyperaktive Galle handelt. Bei akuten Gallenkoliken kann sie sehr wertvoll sein. Ebenso aber auch bei chronischen Dyskinesien der Gallenwege. Für eine Blutreinigungskur für Leber-Gallenkranke ist die Droge daher angebracht.

Nachfolgend eine Reihe von Rezepten für Blutreinigungstee-Mischungen:

| Rp. Süßholz | 10,0 | Klettenwurzel | 20,0 |
|---|---|---|---|
| Fenchel | 15,0 | Löwenzahnwurzel | 20,0 |
| Sennesblätter | 15,0 | Queckenwurzel | 20,0 |

S. zum Frühstück 1–2 Tassen Tee, warm, als Dekokt zubereitet.

Rp. Blutreinigungstee nach W. WINKELMANN

| | | | |
|---|---|---|---|
| Löwenzahnkraut m. Wurzel | 20,0 | Süßholz geschnitten | 20,0 |
| Taubnesselblüten m. Kraut | 15,0 | Schafgarbenkr. m. Blüten | 10,0 |
| Wacholderbeeren | | Fenchel gequetscht | 15,0 |
| gequetscht | 10,0 | Faulbaumrinde geschn. | 10,0 |

S. Abkochung, 10 g Tee pro Tasse, morgens und abends 1 Tasse nüchtern.

Rp. Blutreinigungstee nach FLAMM/KROEBER

| | | | |
|---|---|---|---|
| Löwenzahnwurzel | 20,0 | Klettenwurzel | 20,0 |
| Seggenwurzel | 20,0 | Queckenwurzel | 20,0 |
| Süßholz | 20,0 | | |

S. Abkochung, 10 g Tee pro Tasse, morgens und abends 1 Tasse nüchtern.

Rp. Spec. aperetivae »STADA« — »Carilaxan-Tee«

| | | | |
|---|---|---|---|
| Ringelblumen geschn. | 1,0 | Holunderblüten gerebelt | 5,0 |
| Malvenblüten geschn. | 1,0 | Hauhechelwurzel geschn. | 10,0 |
| Harn-(Bruch-)kraut | | Sennesblätter geschn. | 12,5 g |
| geschn. | 2,0 | Faulbaumrinde geschn. | 12,5 g |
| Feigenwurzel | | Gujakholz geschn. | 12,5 g |
| (Rhiz. Caricis) cc | 2,0 | Bohnenschalen geschn. | 15 g |
| Anis gequetscht | 5,0 | Süßholz geschn. | 15 g |
| Stiefmütterchenkraut | | | |
| geschn. | 4,0 | | |

S. Abkochung, 10 g Tee pro Tasse, morgens und abends nüchtern.

Im übrigen bieten jede Apotheke, Drogerie und die Reformhäuser eine große Auswahl an Markenartikeln wie der oben genannte Carilaxan-Tee (Apotheke), Kneipp-Teemischung (Apotheke) und Salus-Teemischungen (Reformhaus).

# 3 Alkaloide

In der Wiener Hofbibliothek bewahrt man eine kleine Kostbarkeit auf, die Rudolf II. von Habsburg (1552–1612) vor fast vierhundert Jahren für 100 Taler erworben hatte und die er damals in seiner Residenz, dem Prager Hradschin, wie einen Schatz hütete – eine Alraunwurzel.

Alraunmännchen und -weiber geisterten durch jene mystische Zeit des Mittelalters. Wer ein Alraunwesen besaß, galt als ein gemachter Mann, dem Gesundheit, Reichtum, irdisches Glück und Macht beschieden waren.

Alraunen wurden in Wein gebadet, gekleidet und an heimlichen Orten aufbewahrt. Man sagte von ihnen, daß sie unter einem Galgen aus dem Harn und Samen eines Gehenkten entstehen und der vorgeschriebene Ritus des Ausgrabens hatte die Zeichen der echten Schwarzen Magie.

Wohl wandten sich die Arzt-Botaniker und auch die Behörden des 16. Jahrhunderts scharf gegen diesen Mißbrauch und gegen all jene abergläubischen Vorstellungen. Bedenken wir aber, daß wir damals an der Schwelle eines neuen Zeitalters standen, des Zeitalters der Aufklärung eines Erasmus von Rotterdam, eines Luther, eines Paracelsus, der alles andere als ein weltfremder Mystiker war.

Hier schieden sich die Geister. Hexenglaube, Magie der Dämonen, Schwarze Magie, aus Urzeiten der Menschheit stammend, stand einer echten Naturbeobachtung und einem echten Glauben um die Zusammenhänge zwischen irdischem Sein und seiner Verbundenheit mit dem kosmischen Wesen entgegen.

Heute mutet uns die Signaturenlehre eines Paracelsus befremdend an. Damals war sie die Herauslösung aus einem Wust von Aberglauben, dem selbst Mystiker auf dem Kaiserthrone, wie Rudolf II. von Habsburg, anhingen.

Mandragora, eben jene Alraunwurzel, ist als Heilmittel seit Jahrtausenden bekannt. Wir finden sie im Papyrus Ebers aus dem zweiten Jahrtausend vor Chr. ebenso erwähnt wie bei den Karthagern. Die Hippokratiker gebrauchten sie ebenso, wie sie Dioskurides und Plinius erwähnten als wundärztliches Betäubungsmittel, und so wurde sie von den Ärzten auch noch das ganze Mittelalter hindurch verwendet, ferner bei Kolik, Fisteln, Asthma, Keuchhusten und Hämorrhoiden. In unserer Zeit stellt man nur noch gelegentlich eine homöopathische Essenz her, die bei starken Schmerzen bei Gicht und Rheuma empfohlen wird.

Nichts ist mehr übriggeblieben von jenem Alrauneaberglauben, der noch in der klassischen Literatur seinen Niederschlag fand. Shakespeare erwähnt Alraune in Othello, Romeo und Julia und Heinrich VI., ebenso wie Goethe die Alraunwurzel in seinem Faust II (Papiergeldszene) nennt. Am bekanntesten dürfte wohl Hans-Heinz Evers Roman ,,Alraune" sein.

Was aber machte Alraunwurzel zu jener dämonisch-mystischen Zauberwurzel? Da war es natürlich einmal die abenteuerliche Gestalt, zum anderen aber ihre Inhaltsstoffe: 0,3 bis 0,4% Alkaloide, und zwar als Hauptalkaloid Hyoscyamin (Atropin) ($C_{17}H_{28}NO_3$) sowie Mandragorin ($C_{15}H_{10}NO_2$) und weitere Alkaloide.

Hyoscyamin aber ist nicht nur Bestandteil der Alraunwurzel, sondern auch der Tollkirsche (Atropin) und jenes Bilsenkrautes, das als Hexenkraut Bestandteil der mittelalterlichen Hexensalben für Liebes- und Zaubertränke war. Nur so ist jene Wirkung zu erklären und so sind wir mitten im Kapitel eines der interessantesten Wirkstoffe der Pflanzen – des Alkaloides.

1803 gelang es dem Pariser Apotheker DEROSNE, aus dem Opium eine kristallisierbare Substanz zu gewinnen. Er erkannte jedoch noch nicht die basischen Eigenschaften und auch nicht die schlaferzeugende Wirkung jenes Stoffes. Dies gelang erst dem deutschen Apotheker Friedrich Wilhelm SERTÜRNER im Jahre 1806. 1817 erschien in Gilberts „Annalen der Physik" jene so berühmt gewordene Arbeit SERTÜRNERs „Über das Morphium, eine salzartige Grundlage und die Mekonsäure als Hauptbestandteile des Opiums". Dies war die Geburtsstunde des Begriffes „Alkaloide". Der Name „Alkaloid" erscheint allerdings zum ersten Male im Schrifttum in Trommsdorffs „Neuen Journal der Pharmazie" im Jahre 1821, und zwar für das von Apotheker Wilhelm MEISSNER in Halle aufgefundene Veratrin des Sabadillsamens.

Obwohl die Gruppe der Alkaloide für die Anhänger der Naturheilkunde keine entscheidende Rolle spielt, da zu ihr in der Hauptsache Heilkräuter mit stark giftigem Charakter zählen, ist ihre Bedeutung für die Pfanzenheilkunde sehr wesentlich. Gehört ihr doch eine Reihe von Heilkräutern an, die als ungiftige Pflanzen sehr viel verwendet werden. So zum Beispiel die Mistel mit ihrem Alkaloid Viscin, die Berberitze mit den Alkaloiden Berberin und Oxyacanthin und das Schöllkraut mit dem Wirkstoff Chelidonin. Auch die Wirkstoffe der verschiedenen Ginsterarten: Genistein, Cytisin und Spartein-Lupinidin zählen zu den Alkaloiden. Im Baldrian entdeckte man mindestens zwei Alkaloide, nämlich Chatinin und Valerin.

Im Besenginster finden sich außer Spartein noch die Nebenalkaloide Sarothamuin und Genistein. Ebenso das im Beinwellkraut vorhandene giftige, das Zentralnervensystem lähmende Symphyto-Cynoglossin. Auch der stickstoffhaltige Bitterstoff Achillein der Schafgarbe hat ausgesprochenen Alkaloidcharakter, desgleichen ein besonders in der Spätherbstwurzel des Löwenzahns aufgefundener Wirkstoff sowie das Bursin des Hirtentäschels, das Sambucin der Holunderblätter, das Senecin und Senecionin des gemeinen Kreuzkrautes. Wir ersehen allein schon aus dieser kurzen Aufzählung, daß die Wirkstoffgruppe der Alkaloide unter den Heilkräutern wesentlich stärker vertreten ist, als allgemein angenommen wird, und es wird später bei unserer Betrachtung noch eine ganze Anzahl weiterer sehr bekannter Kräuter hinzukommen.

Was sind nun Alkaloide? Welches sind ihre hervorstechendsten Eigenschaften und – noch eine interessante Frage – welche Aufgabe mißt man ihnen in der Pflanze selbst zu?

Zur Beantwortung dieser Fragen lassen Sie mich noch einmal kurz in der Geschichte der Heilkräuter zurückblättern.

Die Kenntnis von der schlafbringenden Wirkung des Schlafmohns und des aus ihm gewonnenen Saftes reicht bis ins graue Altertum zurück. Von den Völkern der Antike und ihren Erben, den Arabern, übernahm das Mittelalter das Opium, den aus dem Milchsaft des Mohnes gewonnenen Pflanzensaft, zumeist in Form der damals so gebräuchlichen Theriakpräparate. Im 15. bis 16. Jahrhundert erst tauchte Opium als reiner Pflanzenstoff in der europäischen Medizin auf. Paracelsus hatte damit jedenfalls große Erfolge zu verzeichnen.

*Schlafmohn*
*Papaver somniferum*

Der englische Arzt Thomas SYDENHAM war es, der erstmalig Opiumtinktur (Tinkt. Opii crocata) 1669 in das Verzeichnis der therapeutischen Mittel aufnahm. Als der deutsche Apotheker SERTÜRNER im Jahre 1806 aus dem Pflanzenstoff Opium das Morphium herstellte, war damit das erste Alkaloid bewußt gefunden worden. Ihm folgten, allein aus dem Opium, etwa 20 weitere Alkaloide. Ihm folgten die Alkaloide der Chinarinde, der Tollkirsche, des Bilsenkrautes, des Stechapfels, des Sabadillsamens, des Kaffees, des schwarzen Tees, des Kakaos, der verschiedenen Strychnosarten, der Kalabarbohne, des Mutterkorns und viele andere mehr, die heute einen wesentlichen Bestandteil der von der Medizin verordneten Arzneimittel bilden, deren Drogen aber zum Teil auch in der Homöopathie eine bedeutende Rolle spielen.

**„Alle Dinge sind Gift und nichts ist ohne Gift, allein die Dosis macht, daß ein Ding kein Gift ist. Wenn ihr jedes Gift recht wollt auslegen, was ist, das nicht Gift ist?"** – Dieser Satz stammt von PARACELSUS und – – – wie recht hat er.

Wir kennen heute etwa 250 verschiedene Alkaloide. Was wir jedoch nicht vermögen, ist, ihnen eine klare chemische Definition zu geben.

Fest steht, daß die Grundkörper der Alkaloide in den Eiweißstoffen, Nukleinkörpern und den cholinhaltigen Phosphorlipoiden zu suchen sind. Im allgemeinen werden als Alkaloide alle organischen Verbindungen von basischem Charakter bezeichnet, also alkaliähnliche Substanzen, die mit Säuren Salze bilden und ihre Basizität dem Stickstoff substituierter Ammoniak- und Ammoniumverbindungen verdanken.

Stickstoff ist also eines der wichtigsten Elemente im chemischen Aufbau der Alkaloide. Da er im Aufbau des organischen Lebens eine besondere Rolle spielt, sei eine kleine Abschweifung in das Reich der Chemie gestattet.

$NH_3$ ist die chemische Formel für Ammoniak. Drei Wasserstoffatome sind mit einem Stickstoffatom zusammengetreten.

Einhundertunddreißig Jahre kämpften Forscher aller Länder um dieses träge Atom N = Stickstoff.

1898 sprach Sir William CROOKES in Bristol. CROOKES war für England ebenso bedeutend wie LIEBIG für Deutschland. Seine Worte hatten damals Weltbedeutung: „Wenn es nicht gelingt, Stickstoff künstlich herzustellen, ist eine Welthungersnot unvermeidlich, denn Stickstoff ist als Düngemittel unentbehrlich."

Wir sind heute über die bodenbiologischen Vorgänge besser unterrichtet als damals. Zu seiner Zeit aber wirkten diese Worte wie eine Fanfare, alarmierten die Wissenschaftler aller Staaten, trieben sie zu höchsten Anstrengungen. Galt es nur der Ernährung? Die Generalstäbe aus aller Welt hatten ein weitaus anderes Interesse an diesem gleichen Atom N. Sie brauchten den gleichen Stickstoff – nach dem der ausgelaugte Boden hungerte – für Kriegszwecke.

Einhundertunddreißig Jahre währte die Suche: von 1784 an, als es dem Franzosen Cl. L. BERTHOLLET gelang, nachzuweisen, daß im Ammoniakmolekül drei Wasserstoffatome mit einem Stickstoffatom zusammengetreten sind, bis zu Carl BOSCH, bis zu Alwin MITTASCH. 1903 verfügte die ganze Welt in ihren Lagern nach damaligen Aufzeichnungen, die sich im wesentlichen auf Chilesalpeter beschränkten, nur noch über 352 000 t Stickstoff.

1914 bricht der Erste Weltkrieg aus.

„Deutschland ist von vornherein zum Scheitern verurteilt, denn Deutschland verfügt über keinerlei Stickstoffvorräte."

Doch Deutschland hatte ihn. Seine Fabriken griffen in die Luft. Man hatte der Natur eines ihrer großen Geheimnisse abgelauscht. 1915 begann in Leuna die Großfabrikation von Stickstoff nach dem Haber-Bosch-Verfahren.

Mit der Entdeckung des Vorganges der Katalyse kam man auf dem Gebiete der biologischen Forschung ein gewaltiges Stück vorwärts. Jetzt erst konnte man sich vieles deuten, was vorher unbegreiflich schien.

Katalysatoren sind Stoffe, deren bloße Anwesenheit genügt, um mit Hilfe eines Minimums an Kraft, Energie und Wärme ein Maximum von Wirkung zu erreichen. Katalysatoren sind in großer Anzahl im pflanzlichen, tierischen und menschlichen Körper vorhanden. Nur ihnen ist es z. B. zu verdanken, daß der gesamte Stoffwechselprozeß rasch, reibungslos und ohne Wärmeaufwand – beim Menschen z. B. bei einer Temperatur von etwa 36° Celsius – vor sich geht.

Die Geheimnisse der Natur und ihre Deutungen sind ohne chemisches Wissen nicht zu begreifen. Schon PARACELSUS wußte dies. Er war nicht nur ein großer Arzt und ein wegweisender Beobachter und Kenner der Heilkräuter, sondern auch ein seiner Zeit weit vorausschauender Chemiker. ,,Merket sie euch gut, die Worte: VERBIS, HERBIS et PIETRA'', so rief er seinen Studenten zu. Heute macht die exakte Wissenschaft den entscheidenden Fehler, daß sie vergißt, daß alles chemische Wissen nur ein Faktor in der großen Rechnung der Natur ist, deren Wesen wir wohl deuten, aber niemals begreifen werden.

Die Struktur der Alkaloide zeigt, daß sie durchweg stickstoffhaltige Verbindungen darstellen, die an organische Säuren gebunden sind. Im normalen Stoffwechselleben der Pflanze scheinen sie keine bedeutende Rolle zu spielen. Etwas sehr Wichtiges tritt uns aber offensichtlich überall entgegen, wo Alkaloide in Pflanzen auftreten: *Sie entstehen überall dort, wo schädliche Stoffwechselabbauprodukte der Eiweißkörper in den Pflanzen vorliegen.*

Entweder bildet sie die Pflanze, um ihren Körper damit zu entgiften, oder sie scheidet mit ihnen, also in der chemischen Verbindung, die sie mit ihnen bildet, diese für sie schädlichen Stoffe als Endprodukte aus.

Ludwig KROEBER schrieb in seinem Buche ,,Das neuzeitliche Kräuterbuch'' hierüber: ,,Das Für und Wider der verschiedenen Theorien der Entstehung der Alkaloide hat ein umfangreiches Schrifttum gezeitigt, ohne daß aber bisher eine eindeutige Klärung möglich gewesen wäre.'' Und an anderer Stelle: ,,Der Widerspruch der verschiedenen Ansichten über die biologische Bedeutung der Alkaloide im Lebensprozeß der Pflanze kann nur gelöst werden, wenn man jedes Alkaloid in seiner ihm zugehörigen Pflanze betrachtet, denn es kann das eine Alkaloid sehr wohl als Reservestoff am Assimilationsprozeß beteiligt sein, das andere die Bedeutung eines Reizstoffes besitzen (Hormonwirkung) und wieder vermag ein anderes als Abfallstoff aufzutreten.''

Betrachten wir das Problem einmal von einer ganz anderen Seite: Die Pflanze ist ein Wesen wie wir alle, wie Mensch und Tier. Sie lebt und atmet wie wir. Ein ständiges Auf und Ab, Strom und Gegenstrom, wechseln in ihr und befähigen die Pflanze zu ihren Aufgaben, denn in der Tat besteht in der Umkehr der Elementarvorgänge, nämlich der Assimilation der Kohlensäure durch die Pflanze und des Einatmens von Sauerstoff durch Tier und Mensch, ein tiefer Zusammenhang des Nehmens und Gebens, der Einordnung in den großen Kreislauf der Natur, der uns vieles Symbolhafte deuten läßt.

Erst, wenn wir uns selbst und unser Menschsein vergessen, spüren wir: Es ist die Schöpfung selbst, die uns in allen Dingen anspricht. Das All wird lebendig mit seinen Kräften, die uns hier in ihrer Stofflichkeit entgegentreten – als Silizium, als Eisen, als Magnesium, als Kupfer, Kobalt und Mangan – oder auch als ätherischer Stoff und als sein Antipode – als Alkaloid. Hier ist mit einem Male nichts mehr tot, alles ist lebendig – aber alles ist ständiger Wandlung unterworfen. Und dies alles lehrt uns die Pflanze, wenn wir es verstehen, ihr zuzuhören. Sie war zuerst da – als göttliche Wesenheit – und aus ihr ward das Tier und dann erst der Mensch. So ist die Pflanze unser ständiger Begleiter, und man könnte meinen, daß jeder Pflanze auf unserem Lebensweg eine besondere Aufgabe zugeschrieben ist.

Hierbei ist es nun interessant, festzustellen, daß menschensuchende Pflanzen, also Pflanzen, die nur in der Nähe menschlicher Behausungen gedeihen und sich vom Urin der Menschen ernähren, in vielen Fällen zu den giftigsten Alkaloidpflanzen gehören. Hierzu zählen der blaue Eisenhut, das Schierlingskraut, das Bilsenkraut, die Herbstzeitlose, der Stechapfel.

Je mehr also die Gefahr einer Eiweißvergiftung für die Pflanze besteht, desto toxischer ist die Alkaloidverbindung, mit der sich die Pflanze gegen diese Vergiftung schützt. Alkaloide wirken hier wie Fermente, nämlich katalytisch, durch kleinste Mengen spaltend bzw. den Verbrennungsprozeß beschleunigend.

Als Gegenbeweis gleichsam gelang es, alkaloidfreie Pflanzen zu züchten, z. B. Tabakpflanzen ohne Nikotin, oder aber die Menge der in ihnen enthaltenen Alkaloide zu steigern, z. B. in der Chinarinde, wenn man die Bodenbedingungen änderte.

Folgert man hieraus für den Menschen, so muß man unwillkürlich Gedankenbrücken schlagen vom Stoffwechsel der Pflanze zum Stoffwechsel des Menschen.

Der Eiweißstoffwechsel des Menschen in seinem anormalen Ablauf führt zu schweren Stoffwechselerkrankungen.

Wenn sich die Pflanze der Alkaloidwirkstoffe bedient – und diese Folgerungen schließt man ja tatsächlich –, um gleichlaufende Störungen ihres Lebenskörpers zu beheben, dann läge es nahe, Pflanzenalkaloide zu eben diesen Zwecken beim Menschen zu verwenden.

Hier denken wir sofort an Samuel HAHNEMANN und seine Beispiele der Tollkirsche und der Chinarinde. „Similia similibus curentur."

Tatsächlich erweisen sich alle Alkaloide als bedeutende Stoffwechselmittel. Atmung, Stoffwechsel, Wärmeregulierung, Herztätigkeit, Weite der Blutgefäße, Blutdruck, Sekretion der Drüsen, Darmbewegungen usw. hängen innig miteinander zusammen. Ihre Regelung geschieht ausschließlich durch das vegetative Nervensystem, durch den Sympathikus und den Parasympathikus. Alkaloide wirken immer entweder auf den einen oder den anderen von beiden. Über diese Nervenstränge hinweg erstreckt sich

ihre Beeinflussung des Herzens, des Blutkreislaufes, des Darmes, der Leber und Galle sowie der Nieren und der Blase.
Sie wirken hierbei in allerkleinsten Mengen bereits außerordentlich stark, und zwar sowohl die giftigen als auch die ungiftigen Alkaloide. Ich erinnere nur an die orale Wirkung des als Alkaloid noch umstrittenen Arnicins der Arnika, des Achilleins der Schafgarbe, des Sparteins des Ginsterstrauches, des Chelidonins des Schöllkrautes, des Viscins der Mistel, des Taraxins des Löwenzahns usw.
Dieser Tatsache ist bei der Beurteilung der Pflanzenwirkungen bisher nur wenig Beachtung geschenkt worden, obwohl sie bei den giftigen Heilpflanzen eindeutig feststeht. Sie ist jedoch in vielen Fällen der Schlüssel zur Erkenntnis der Wirksamkeit der Inhaltsstoffe der Heilpflanzen überhaupt, denn auch ein großer Teil der Kombinationswirkungen fußt auf dieser Tatsache. Das Gesetz der Wirkungssteigerung ist zum Teil erst mit dem Verstehen dieser Zusammenhänge zu begreifen.
PARACELSUS sagte: ,,Allein die Dosis macht, daß ein Ding kein Gift ist.''
Das Arndt-Schulzesche Gesetz besagt: ,,Schwache Reize fachen die Lebenstätigkeit an, mittelstarke fördern sie, starke hemmen sie, stärkste heben sie auf.'' Hinzu kommt noch, daß jeder Reiz auf den menschlichen Organismus individueller Natur ist. Diesen Tatsachen ist bei allen Verordnungen immer und in allen Fällen Rechnung zu tragen.
Leben, tierisches und menschliches, entstand aus Eiweiß. Seine Merkmale sind Stoffwechsel, Bewegung, Fortpflanzung. Seine Nahrung entstammt dem Wasser und der Pflanze. Die Kräfte zu seinen Funktionsäußerungen entstammen jenen Kräften, die aus dem Kosmos zu uns herüberdringen, der Impuls aber zu seiner Bildung und Gestaltung, die Idee der Struktur gleichsam gab jener Geist, den wir in Ehrfurcht vor dem, was wir nur erahnen, Schöpferkraft oder Gott nennen.
Sie gab dem Silizium die Kraft der Gestaltung, dem Kalzium die Kraft des Aufbaues der Form, dem Magnesium die Leuchtkraft des Geistigen, dem Eisen den Auftrag, uns an unsere irdische Aufgabe zu binden – jedes Element hat seine Wesenheit und damit seinen Auftrag oder besser seine Aufträge, denn jede Bindung bedingt eine Änderung.
Wissenschaft, die diesen Faktoren nicht Rechnung trägt, wird niemals lebendig, wird immer Stückwerk bleiben.

Zum Aufbau des Lebendigen in Pflanze, Tier und Mensch zählen von den bekannten 93 Elementen, die man neuerdings durch die Atomforschung noch um einige vermehrt hat, etwa 30. Nach neueren Forschungen sogar weitaus mehr.
Die wichtigsten hiervon sind C = Kohlenstoff, H = Wasserstoff, O = Sauerstoff und N = Stickstoff.
Hierbei könnte man Kohlenstoff, Wasserstoff und Sauerstoff als aufbauende, Stickstoff jedoch als das den Aufbau vorwärtstreibende Element bezeichnen. Es ist also das Lebenselement, ohne das weder Pflanze, Tier noch Mensch existieren könnten.

Wir atmen bekanntlich Sauerstoff ein. Für die Aufnahme des reinen für uns so lebensnotwendigen Sauerstoffes jedoch ist unser Organismus nicht eingerichtet. Stickstoff ist notwendig, um den Sauerstoff auf das für uns zuträgliche Maß zu verdünnen.

Die Bildung des Traubenzuckers in der Pflanze geschieht bekanntlich aus dem Chlorophyll. Die Chlorophyllkörner enthalten, außer Kohlenstoff, Wasserstoff und Sauerstoff, Magnesium und Stickstoff. Beim Blut ist das Element Magnesium durch Eisen ersetzt, sonst ist die Zusammensetzung gleich der des Chlorophylls. Auch hier ist am Aufbau Stickstoff beteiligt. Wir sehen, ohne Stickstoff gäbe es keine Pflanzen, kein Eiweiß, kein Protoplasma, kein Chlorophyll. Überall, wo sich Stoffwechselvorgänge abspielen, spielt der Stickstoff seine beeinflussende Rolle.

Stickstoff aber ist das kennzeichnende Element der Alkaloide, zu denen wir im erweiternden Sinne auch die Choline zählen müssen.

Bekanntlich ist das Azetylcholin der physiologische Gegenspieler des Adrenalins im menschlichen Körper. Wir finden Azetylcholin bzw. seine Vorstufe, das Cholin, im Pflanzenkörper, vereinzelt, meist in Verbindung mit anderen Alkaloiden, z. B. in der Mistel, im Löwenzahn, im Hirtentäschel, im Bockshornkleesamen, in der Kalmuswurzel usw., im tierischen und menschlichen Körper immer.

Als Cholinkomplex findet er sich vorgebildet im Lezithin der Zellen. Während nun die Vorstufe des Azetylcholins an sich unwirksam ist, steigert sich die Wirksamkeit des aus ihm gebildeten Azetylcholins außerordentlich, nämlich um das 1000fache des Cholins.

Mit $^1/_{10\,000}$ $\gamma$ (1 $\gamma$ = 1 millionstel Gramm) Azetylcholin kann man bei einer 4 kg schweren Katze noch eine Blutdrucksenkung erreichen. Die Wirkung aber ist eine solche auf den Blutkreislauf und Stoffwechsel. Ein Beispiel von vielen erschließt hier Einblicke in die Wechselbeziehungen zwischen Pflanze und Mensch, die wohl Gegenstand der Forschung, aber bisher immer noch zu wenig erforscht sind. Wir wissen, daß Cholin eine Ammoniumbase, wie z. B. das Lezithin, ist, nämlich Trimethyloxyäthylammoniumhydroxyd mit der Formel:

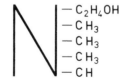

Das Alkaloidbeispiel ist darum so aufschlußreich, weil es mitten hineinzielt ins Zentrum des Lebens, in den Stoffwechsel nämlich als seinen Elementarausdruck. Es sei daher auch verziehen, daß als Beispiele immer wieder Abschweifungen in das Gebiet der Chemie notwendig sind.

Alkaloide haben bekanntlich die Eigenschaft, mit Säuren Salze zu bilden. Führen wir hier das bekannteste Beispiel aus der anorganischen Chemie an: Kochsalz. Es besteht aus der giftigen Natronlauge und der ebenso giftigen Salzsäure. Bringt man diese beiden Stoffverbindungen, nämlich Lauge und Säure, zusammen, entsteht das ungiftige Salz: NaOH + HCl = NaCl + H$_2$O.

Natronlauge und Salzsäure sind eine neutrale Verbindung eingegangen und bilden auf der einen Seite das uns so bekannte Kochsalz, auf der anderen Wasser. Kochsalz ist, so sagt man, ungiftig. Doch wir alle wissen, welch bedenkliche Folgen für Herz, Kreislauf und Nieren ein Zuviel an Kochsalz bedeutet.

So haben wir am klarsten den Begriff der Wirkung der Alkaloide definiert. Auch hier sehen wir in Morphium hydrochloricum, Codeinum phosphoricum, Atropinum sulfuricum, Coffeinum citricum die verschiedenartigen Salze eben der Alkaloide.

Erinnern wir uns aber immer wieder daran, welche heilsame Wirkung wir mit der wohldurchdachten Anwendung der Gesamtpflanze erreichen. Wir finden in der Homöopathie unzählige Beispiele.

Der Fehler, der immer wieder von der exakten Wissenschaft gemacht wird, ist der, den Wirkstoff zu suchen, ohne dabei zu berücksichtigen, daß es unsinnig ist, die Struktur zu zerreißen, wenn man sie in ihrer Gesamtheit nicht erfaßt hat.

Der Beispiele könnten viele gegeben werden, daß es oft gerade die sogenannten Ballaststoffe sind, die – allein völlig unwirksam – den Hauptwirkstoff entscheidend beeinflussen.

Die wurmtötende Eigenschaft des Rainfarns kommt, nach wissenschaftlichen Untersuchungen, ausschließlich dem ätherischen Öl zu. Die ebenfalls vorhandenen Bitterstoffe und alkaloidartigen Substanzen jedoch steigern die Wirkung um ein Vielfaches.

Der bekannteste, wenn auch nicht wirksamste Stoff der Chinarinde ist das Chinin. Die Wirksamkeit des Chinins wäre jedoch in Frage gestellt ohne das in seine chemische Struktur eingebaute Alkaloid Cuprein. Bekanntlich enthält die Chinarinde eine Vielzahl von Wirkstoffen, vor allem Alkaloiden. Am wirksamsten jedoch und dabei am unschädlichsten ist die Gesamtrinde.

Immer finden wir, daß es die Ballaststoffe sind, die regelnd und ausgleichend eingreifen. So wäre das im Bohnenkaffee vorhandene Koffein bedeutend unschädlicher, wenn man den Kaffee nach türkischer Art, nämlich mit dem Satz, trinken würde.

Die Ballaststoffe mildern auch hier die Giftwirkung, ohne dabei die Wirkung als solche herabsetzen. In Südamerika werden Kokablätter von den Indios gekaut, um damit höchste Leistungssteigerungen zu erzielen. Schädliche Nebenwirkungen wurden dabei nicht festgestellt. Kokain jedoch ist, abgesehen von seiner segensreichen Anwendung in der Medizin, eines der schwersten Rauschgifte.

Das Gebiet der Alkaloidforschung befindet sich noch immer, besonders die ungiftigen Heilpflanzen betreffend, im Fluß. Ständig werden neue Alkaloide oder alkaloidähnliche Stoffe entdeckt, alte Nachweise dagegen angezweifelt. So wiesen z. B. GILDEMEISTER, HOFFMANN und KROEBER in der Arnika den Bitterstoff Arnicin als wirksamsten Bestandteil (bis zu 4%) nach. Gleichzeitig stellten sie fest, daß es sich hierbei um einen alkaloidartigen Wirkstoff handelt. Nach den Forschungen von DIETERLE und FAY soll sich jedoch in den Blüten kein Arnicin, dafür ein Cholin (bis zu 0,1%) befinden, das für die blutdrucksenkende Eigenschaft verantwortlich gemacht wird. Wahrscheinlich kommt es hier, wie wir dies bei so vielen Pflanzenuntersuchungen feststellen müssen, auf den Standort der Pflanze an und es dürfte in der Arnika normalerweise beides vorhanden sein. Wir kennen ja auch z. B. Kamillen mit fast keinem Azulengehalt und nur geringem Gehalt an ätherischem Öl.

K. WINTERFELD und A. KRONENTHALER erbrachten den Nachweis, daß in der Mistel ein Gemisch von Cholin und Azetylcholin vorliegt. Gleichzeitig fanden die gleichen Forscher und mit ihnen Fr. E. KOCH und A. JARISCH ein herzwirksames Alkaloid Viscotoxin.

Der von PLANTA und ZANON erstmals isolierte stickstoffhaltige Bitterstoff Achillein mit ausgesprochenem Alkaloidcharakter dürfte unschwer für die Herz- und Kreislaufwirksamkeit der Schafgarbe ausschlaggebend sein und die weiteren Inhaltsstoffe wirkungssteigernd beeinflussen.

Ebenso verhält es sich bei den Alkaloiden Cytisin und Spartein-Lupinidin der Ginsterarten, die als Herz-, Nieren- und Wassersuchtmittel bekannt sind. Hierbei soll nicht unerwähnt bleiben, daß auch in den Lupinen Spartein nachgewiesen wurde, ohne daß diese jedoch bisher in den Heilpflanzenschatz aufgenommen wurden.

Die Gruppe der Hülsenfrüchtler stellt überhaupt eine große Reihe von Alkaloiden, was an sich sehr verständlich ist, denn die Papilionaceen – Schmetterlingsblütler – sind die einzigen Pflanzen, die es vermögen, Stickstoffbakterien an ihren Wurzeln anzusiedeln, um ihnen diesen direkt zu entziehen.

Gartenbohne / Phaseolus vulgaris

Hierzu gehört die Gartenbohne, die in den Schalen außer Zuckerarten Asparagin, Arginin, Tyrosin, Leuzin, Lysin, Cholin, Trigonellin, Allantonin, Nukleinbasen und Mineralstoffe enthält.

Bohnenschalentee wird nicht nur bei allen wassersüchtigen Zuständen als außerordentlich wirksam empfohlen, sondern auch bei Erkrankungen der Nieren, vor allem bei Nierenentzündung nach Infektionskrankheiten wie Scharlach, Diphtherie, Typhus und bei akutem Gelenkrheumatismus. Es gibt kaum ein Mittel, welches auch nur annähernd so wirksam imstande ist, die Harnsäurebildung im Körper zu hemmen und vorhandene Ablagerungen aufzulösen, wie Bohnenschalen. Hier tritt zu allem noch die ausgesprochene Kieselsäurewirkung hinzu. Mit den vorgenannten Eigenschaften ist jedoch Bohnenschalentee als Heilmittel noch nicht erschöpft. Nachdem schon lange die blutzuckersenkende Wirkung der Bohnenschalenabkochungen volkstümlich bekannt war, machte KAUFMANN 1927 experimentelle Versuche, die 1928 von GESSNER bestätigt und im gleichen Jahr von SIEBERT wiederholt wurden. Man glaubt das noch unbekannte blutzuckersenkende Prinzip in den Körpern Phaseol, Phaseolin und Arginin zu finden. Die beiden ersteren besitzen Insulincharakter, das Arginin hat synthalinartige Wirkung.

Ebenfalls zu den Hülsenfrüchtlern gehört der Bockshornklee, dessen Alkaloid Trigonellin das erste war, das durch HANTZSCH 1886 synthetisch hergestellt wurde. In Deutschland immer noch zu wenig bekannt, wird Bockshornkleesamen besonders in Frankreich schon seit langem vor allem als Stärkungs- und Kräftigungsmittel, hier vor allem bei tuberkulösen Prozessen, gegeben (Lungen-, Knochen-, Gehirntuberkulose).

Alkaloide enthalten u. a. noch: Bärlappkraut sowie das von ihm stammende Lykopodium, Kardobenediktenkraut, Erdrauch, Hirtentäschel, Pfingstrose, Walnußblätter, Wasserpfeffer, Veilchen, und Taubnessel, ohne damit eine vollständige Übersicht zu geben.

# 4 Glykoside

PAN-ZUI, SHEN-SHEN oder GIN-SENG nennt der Asiate die Wurzel von Panax Ginseng, einer uralten Pflanze aus der Familie der Araliaceen, der Efeugewächse (siehe Bild). Sie entstammt, wie die Schachtelhalme und die Farne, dem Zeitalter des Tertiär, ist – ebenso wie diese – eine Pflanze, die sich in Jahrmillionen vom Baumriesen zu einem kleinen, unauffälligen Pflänzchen zurückgebildet hat. Sonnenscheu, von großem Feuchtigkeitsbedürfnis, wächst sie im Dunkel mooriger Täler des asiatischen Urwaldes. Ihre bis zu zwei Fuß langen Wurzeln ähneln der bei uns im Mittelalter so bedeutenden Alraunwurzel. Wie diese werden sie in Asien in männliche, weibliche oder auch in tigerähnliche Wurzeln aufgeteilt. Ihre wunderliche Gestalt verleitet geradezu dazu.

Die echte, wildwachsende SHEN-SHEN ist außerordentlich selten. Es ist nicht nur sehr schwer, sondern auch gefährlich, Shen-Shen-Sucher zu werden. Viele von denen, die jährlich ausziehen, um die kostbare Wurzel zu suchen, kehren nicht zurück. Sie haben ihre Bewährungsprobe nicht bestanden, denn – nicht jeder kann Shen-Shen-Sucher werden. Es bedarf dazu einer hohen geistigen Reife und langer Vorbereitungen, deren Riten genau festgelegt sind. Das Tao, das Sich-Versenken und In-sich-Aufgehen, um den Ruf zu hören, den rechten Weg zu finden, ist hierbei das Wesentliche. Erst nach diesen Vorbereitungen legt sich der Shen-Shen-Sucher seinen blauen Mantel um, versieht sich nur mit dem Notwendigsten, einem langen Stab und dem beinernen Gerät zum Ausgraben der Wurzel. So beginnt er die lange Wanderschaft, dem Ruf der Pflanze folgend – denn dies ist das uns unerklärlich Scheinende: Es sind weder Pflanze noch Mensch; es ist das Geistige von beiden, das sich ruft und – findet, dort, wo alles Materielle ausgelöscht scheint.

Daß eine so eingebrachte Pflanze mehr enthält als nur mittels der chemischen Analyse festgestellte Wirkstoffe, ist jedem Nachdenkenden klar. Es wird aber an diesem von mir bewußt an den Beginn dieser Betrachtung gesetzten Beispiel auch manches klar, was wir vielleicht fast unbewußt schon selbst erlebten, denn nur in seltenen Augenblicken verstehen wir die Sprache der Pflanzen, tun wir einen Blick hinter den Vorhang der Dinge, die wesentlich sind.

„Alles Äußere in der Natur zeigt ein Inneres an. Denn die Natur ist ebenso inwendig wie auswendig." PARACELSUS, der diese Worte sprach, verstand es noch, der Natur ihr Inneres und ihr Äußeres abzulauschen. Er erschaute jene Zusammenhänge, die nicht so sehr im Aussehen, sondern in ihren Äußerungen zu suchen waren. Seine QUINTA ESSENTIA war eine Einheit, die die materielle Struktur mit dem geistigen Wesen der Dinge und dem kosmischen Wirken umfaßte.

Aber kehren wir noch einmal zurück zur Gin-Seng-Wurzel. Die echte Wurzel aus dem wildzerklüfteten Tälern der Nordost-Mandschurei und dem Tausende von Kilometern von der koreanischen Grenze nach Norden sich erstreckenden Sichotaalin-Gebirge dürfte wohl fast ausgestorben sein.

*Vor 200 Jahren enstand diese Abbildung der Ginseng-Pflanze. Ein britischer Botaniker zeichnete sie für ein Buch über Heilpflanzen. Damals wuchs Ginseng noch wild in den Bergen Koreas, und die kostbaren Wurzeln waren dem chinesischen Kaiserhaus vorbehalten. Heute wird Ginseng auf Plantagen angebaut, und jedermann kann die daraus hergestellten Präparate kaufen. Die Wurzeln mit dem höchsten Wirkstoffgehalt kommen aus dem Distrikt Kumsan. Ihre Extrakte sind in Kapsel- oder Tonic-Form in jedem Fachgeschäft erhältlich.*
*Foto: BNP/SCHEURICH*

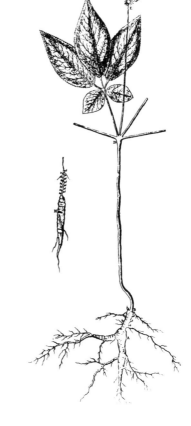

Gin-Seng-Wurzel
Panax Ginseng

Was wir heute angeboten bekommen, ist Anbauware aus Korea. Dort ist der Anbau Staatsmonopol und man hat sich damit viel Mühe gemacht, aber ich möchte doch sehr stark bezweifeln, daß der geistige Habitus dieser für den Asiaten seit Jahrtausenden so bedeutsamen Pflanze auch bei sorgfältigstem Anbau erhalten geblieben ist.
Trotzdem darf ihr nach sorgfältigen Untersuchungen eine Wirkung auf das ZNS nicht abgesprochen werden.
Uns interessieren hier dabei vor allem ihre Wirkstoffe, denn Panax Ginseng ist eine ausgesprochene Glykosidpflanze. Das Saponin Panakilon ($C_{24}H_{25}O_8$) ist wasserlöslich, von süßlich-bitterem Geschmack und geht durch Behandlung mit konzentrierten Mineralsäuren in das wasserunlös-

liche Panakon ($C_{18}H_{30}O_7$) über. Außerdem finden sich in Gin-Seng weitere sekundäre Glykoside, wie das Panaquilon ($C_{16}H_{28}O_7$) sowie Panacen, Panaxsäure und ein weiteres Glykosid. Dazu kommen noch Stoffe vom Vitamin-$B_1$- und $B_2$-Charakter sowie Stereoide von der Art der Östrogene. Glykoside sind als pflanzliche Wirkstoffe in ihrer Wirkung und vor allem im Zusammenwirken mit anderen Wirkstoffen außerordentlich vielschichtig. Es lohnt, sich sehr eingehend mit dieser Wirkstoffgruppe zu beschäftigen, selbst wenn sich gemäß der verschiedenartigen Konstitutionen der jeweiligen Aglykone die Eigenschaften der Glykoside zu keinem einheitlichen Bilde vereinigen. Sie haben dies mit den bereits besprochenen Alkaloiden gemeinsam. Wir begegnen bei ihnen neben pharmakologisch indifferenten Körpern solchen, die sich als im höchsten Grade pharmakologisch wirksam erweisen.

Zu diesen gehört vor allem eine ganze Reihe uns bekannter Pflanzen mit ausgesprochen giftigem Charakter: Digitalis, Convallaria, Helleborus niger usw. – und da sind wir bereits wieder bei der Definition des Begriffes „Gifte", die ich schon in meinem Beitrag über ALKALOIDE nach der paracelsischen Version erläuterte. Bleiben wir auch hier gleich bei Paracelsus.

Er überlieferte uns eine große Zahl von Rezepten aus seiner Arzneimittelküche. Neben Dekokten, Tinkturen, Destillaten und anderen Auszügen war ein Rezept wegen seiner einfachen Zubereitung besonders interessant. Ich meine sein „Medium ad longam vitam" aus der Schwarzen Nieswurz, der Christrose.

Er pries es nicht nur gegen Schlaganfälle, sondern eben als wirksames Mittel zur Lebensverlängerung. Bereitet wurde es *aus den Blättern* von Helleborus niger. Das Rezept lautete nach Paracelsus wie folgt (Übersetzung von Aschner Bd. III, S. 494): „Wenn die Blätter der Schwarzen Nieswurz durch den Ostwind im Schatten getrocknet sind, wenn sie dann zu einem feinen Pulver gestoßen werden und so viel reiner Zucker hinzugegeben wird, als die Blätter schwer sind, ist das bereitet, was die großen Philosophen unter den Ärzten angefangen haben, diese Blätter zu gebrauchen. Sie haben sich damit großer Gesundheit erfreut und suchten, ein langes Leben zu erlangen. Dies alles mit dieser Arznei der Schwarzen Nieswurz. Sie begannen, dieses Kraut nach dem 60. Jahr zu gebrauchen und sind damit ohne Krankheit herausgekommen bis an ihr Lebensende. Kein Geschwür noch Geschwulst wurde in ihnen gefunden, weder an der Lunge, Leber, Milz noch sonstwo. Täglich am Morgen ein halbes Quentlein (2,5 g) genommen bis zum 70. Jahr, danach vom 70. bis 80. Jahr jeden zweiten Tag ein halbes Quentlein, vom 80. Jahr an jeden sechsten Tag ein großes Quentlein (5 g). In diesem Kraut ist mehr Tugend und Kraft, als alle Skribenten, so auf der hohen Schule gelesen werden, für ein langes Leben je beschrieben haben."

Soweit das Rezept des Paracelsus aus den Blättern der Christrose. Nicht zu verwechseln mit der *Weißen* Nieswurz, dem Germer (Veratrum album L.), einem Bestandteil des Schneeberger Schnupftabaks.

*Schwarze Nieswurz, Christrose*
*Helleborus niger*

Folia Hellebori nigri ist heute nicht mehr offizinell. Es wird vorwiegend die Wurzel gehandelt. In der Homöopathie dient die aus der Wurzel hergestellte Tinktur nach STAUFFER vor allem bei Hirn- und Nierenentzündungen, bei Kollaps, Wassersucht, Urämie, Eklampsie, Typhus, Hadrocephalus acutus, Psychosen und bei schwerster Scharlachnephritis, ferner bei Herzschwäche und bei großer Erschöpfung. Nach G. MADAUS ist Helleborus niger ein sehr gutes Hirn-, Uterus- und Nierenmittel.
Während nun Veratrum album zu den Alkaloiddrogen zählt, ist Helleborus nigrum eine typische Glykosiddroge. Dabei ist das Glykosid Helleborein ein „Digitalisglykosid", das bei der hydrolytischen Spaltung in das harzartige Helleboretin, Glykose und Essigsäure zerlegt wird, mit den Eigenschaften eines schwach hämolysierenden Saponins. Das zweite Glykosid Helleborin ist ein die Schleimhäute stark reizendes Saponin. Wohl sind damit die Inhaltsstoffe der Schwarzen Nieswurz nicht erschöpft, aber wir ersehen unschwer, daß es sich hier um eine typische Glykosidpflanze handelt. Und noch etwas wird uns an diesem Beispiel klar: Glykosidpflanzen zählen in der Komposition ihrer Inhaltsstoffe in vielen Fällen auch zu den ausgesprochenen Saponinpflanzen. Dazu ein weiteres Beispiel aus der Reihe der uns sowohl aus der Schulmedizin als auch aus der Homöopathie sehr gut bekannten Drogen.

Zu den charakteristischen Pflanzen der deutschen Mittelgebirge zählen der Rote und der Gelbe Fingerhut. Besonders Digitalis purpurea L. leuchtet uns an Waldrändern und Waldlichtungen entgegen und gibt dem abgestuften Grün der Tannen- und Fichtenwälder seine licht-bunten Farbtupfer.

*roter Fingerhut*
*Digitalis purpurea*

Seine Blüten und Blätter sind ebenso giftig wie die der schwarzen Christrose, und ebenso wie diese zählt Digitalis zu den typischen Glykosiddrogen.

Die Literatur über diese Pflanze könnte eine ganze Bibliothek füllen. Ihre Wirkstoffe sind zu zahlreich und es würde diese Abhandlung sprengen, wollte ich sie alle aufführen. Die Gesamtwirkung der Folia Digitalis setzt sich aus vielen, keineswegs gleichartigen und gleichwertigen Einzelwirkungen zusammen. Erst diese Gesamtwirkung gibt der Droge ihr charakteristisches Gepräge. Sie beruht auf dem Zusammenwirken eben der Vielzahl von Glykosiden mit Saponinen, wobei erstere wiederum in vielen Fällen (z. B. Digitoxin) erst durch Einwirkung von Enzymen (Digipurpidase) unter Abspaltung eines Moleküls Glukose als Spaltprodukt entstehen. Digitoxin zerfällt bei seiner Spaltung in Digitoxigenin ($C_{23}H_{34}O_4$) und 3 Moleküle Digitoxose. Gitoxin zerfällt in Gitoxigenin ($C_{23}H_{34}O_5$) und 3 Moleküle Digitoxose. Gitalin spaltet sich in Gitaligenin ($C_{23}H_{36}O_6$) und 2 Moleküle Digitoxose.

Digitonin und Gitonin sind ausgesprochene Saponine. Digitonin liefert bei der hydrolytischen Spaltung des Sapogenin Digitogenin ($C_{26}H_{42}O_5$) und die Zucker d-Glukose, d-Galaktose und l-Xylose.

Gitonin wird gespalten in Gitogenin ($C_{26}H_{42}O_4$), Galaktose und Xylose. Weiter auf diese Wirkstoffkomplexe einzugehen, erübrigt sich. Die angeführten Beispiele zeigen aber auf, welche charakteristischen Umwandlungen sich bei der Aufspaltung der Glykoside vollziehen und sie zeigen noch etwas: Glykoside sind organische Verbindungen, die in den meisten Fällen nur aus C, H und O bestehen. Im Gegensatz zu den ätherischen Ölen sind sie fest, entweder kristallisiert oder amorph, dabei optisch aktiv. Sie zerfallen durch Hydrolyse, also unter Wasseraufnahme, mitunter auch unter Einfluß verdünnter Säuren und durch Alkalien, in Zucker und einen oder mehrere andersartige Stoffe. Man rechnet daher die Glykoside zu den äther- oder esterartigen Verbindungen, die aus Zucker und irgendeiner anderen Komponente durch Wasserabspaltung entstanden sind.

Glukose – Traubenzucker. Bereits der Name deutet darauf hin, daß Glykoside Verbindungen mit einer Zuckerart darstellen. In der Tat sind jene Stoffe immer an Zuckermoleküle gekoppelt. Sie werden erst durch Hinzutreten der Elemente des Wassers, also durch Wasserstoff und Sauerstoff, frei. Wohlgemerkt – nicht das Wasser an sich ist es, welches die Spaltung hervorruft, sondern seine hydrolytische Form. Bekanntlich verstehen wir unter Hydrolyse die Zerlegung des Wassers in seine Bestandteile. Außerdem ist die Hydrolyse die Umkehrung der Neutralisation, die ich in meiner Abhandlung über „ALKALOIDE" erläuterte. Bei der Zerlegung des Wassers werden Wasserstoff- und Sauerstoff-Ionen frei. Es werden also freie Basen und freie Säuren gebildet.

Was bewirkt nun den Vorgang der Hydrolyse? Wir wissen es alle, nur haben wir uns diese naturwissenschaftlichen Vorgänge, die uns vom Experiment her so bekannt sind, noch nicht versucht, in Lebensvorgängen vorzustellen.

Wasser ist bekanntlich eine der stärksten Verbindungen. Im Wasser selbst sind so wenig Ionen vorhanden, daß von etwa zwei Milliarden Wassermolekülen immer nur eines in Ionen aufgespalten ist.

Wasser in seiner Verbindung von Wasserstoff und Sauerstoff ist bekanntlich elektrisch neutral. Ionen dagegen zeichnen sich dadurch aus, daß sie, im Gegensatz zu Atomen und Molekülen, elektrisch geladen sind. Wir sprechen daher von Kationen, also von elektrisch positiv geladenen, und von Anionen, das sind elektrisch negativ geladene Ionen.

Dieser Vorgang der Ionenbildung ist so elementar, daß es sich lohnt, bei ihm eine Weile zu verharren, um seine Bedeutung für den Ablauf aller Lebensvorgänge richtig einzuschätzen. Moleküle sind satte Verbindungen. Sie stellen einen in sich geschlossenen Kreis dar, sind mit einem Menschen zu vergleichen, der faul und zufrieden, gesättigt und ohne Bedürfnisse ist. Sie rühren also keine Hand, um etwas zu unternehmen. Sie strecken keine Fühler aus, um etwas an sich zu ziehen.

Ionen dagegen sind ungesättigt. Sie sind entweder positiv geladen, dann haben sie das Bestreben, den zu ihnen gehörigen negativen Partner zu finden, oder umgekehrt. Sie sind also die Hefe, der Sauerteig, jene kleinsten Teilchen, welche die Masse in Bewegung setzen. Sie sind die unruhigen Geister, die suchend ihre Fühler ausstrecken, um den fehlenden Partner an sich zu reißen. Deshalb sind sie die biologisch aktiven Stoffe im gesamten Lebensvorgang. Sie sind diejenigen, die sozusagen „Tote aufwecken". Auch die sogenannten toten Stoffe sind ja nicht tot, sondern befinden sich gleichsam nur im Ruhe-, im Schlafzustand, bis eine Kraft kommt, die sie zum Leben erweckt. Das ist das Dornröschen-Märchen der Materie. Blitzartig wird uns klar, wie und warum Pflanzen Steine zu Nährstoffen aufbauen.

Zurück zu unserem Beispiel „Wasser". Destilliertes, d. h. chemisch reines Wasser würde, wenn man elektrischen Strom hindurchleitet, zu einem Mißerfolg führen. Es leitet nicht. Nur ein klein wenig Salz hinzugetan, verändert sich das Bild, denn *nun* leitet das Wasser. Der Strom kann fließen. Die Salze haben das Wasser elektrolytisch gemacht. Wie? Das soll uns ein einfaches Beispiel erklären.

$Na_2CO_3$ ist Soda, also Natriumcarbonat. Soda besteht aus zwei Teilen Natrium und einem Säurerest $CO_3$. Natrium ist positiv geladen, der Säurerest $CO_3$ dagegen negativ. In sich geschlossen, ist das Ganze neutral. Die Ionen sind also wohl vorhanden, aber die elektrische Anziehung der Stoffe hält den Sodakristall zusammen. Kommt jedoch ein solcher Sodakristall ins Wasser, in dem bekanntlich die Anziehung achtzigmal geringer ist als in der Luft, reichen die Kräfte nicht mehr aus, um den Kristall zusammenzuhalten, denn nun treten andere Kräfte ins Werk. Der schwache Säurerest $CO_3$ erblickt um sich viel Wasserstoff. Er wittert Morgenluft und hat das Bestreben, sich vom Natrium (des Sodakristalls) zu trennen. Er will freie Kohlensäure bilden. Einige wenige H- und OH-Ionen befinden sich bekanntlich im Wasser. Diese allerdings genügen nicht. Da jedoch unser $CO_3$ durch die Auflösung in ziemlicher Konzentration vorhanden ist, zwingt es das träge Wasser zur Spaltung. Es reißt die ihm fehlenden H-Ionen aus dem Wasser heraus. Das Wasser wird also ionisiert. Die freie Säure entweicht (Kohlensäure), das Wasser jedoch reagiert basisch. Lösungen von Salzen aus starken Basen und schwachen Säuren, wie dies hier der Fall ist, reagieren also basisch. Den Vorgang selbst bezeichneten wir als Hydrolyse. Wohlgemerkt: den Vorgang der Entstehung von Basen bzw. Säuren aus Salz und Wasser. Dagegen bezeichnen wir den Vorgang des Zerfalls der Moleküle im Wasser als elektrolytische Dissoziation.

Auf das Lebendige bezogen, wird uns jetzt klar, warum ein grundlegender Unterschied besteht zwischen gekochtem und ungekochtem Wasser. Natürliches Wasser ist nie rein, wenn es nicht chemisch gereinigt wird. Es enthält immer Mineralstoffe, ist lebendiger Stoff, geladen mit Ionen, geladen also mit Kraft- und Lebensstoffen. Erst der Kochvorgang, bei dem diese Stoffteilchen ausgefällt werden (Kalk, Eisen usw. setzen sich ab, schlagen nieder), macht das Wasser tot, denn gekochtes Wasser ist gleichsam chemisch gereinigt. Hier haben wir eines der Elementarbeispiele, das uns die Veränderung, welche die Stoffe durch das Kochen erleiden, vor Augen führt. Sie kehren gleichsam wieder in ihren „Ruhe- oder Trägheitszustand" zurück.

Das, was wir in unserem Experiment als elektrischen Strom bezeichnen, sind in den Vorgängen des Lebendigen jene Kräfte, deren Vorhandensein wir überall erkennen und die wir als Katalysatoren des Lebens bezeichnen. Es ist jenes elektro-dynamische Spannungsspiel, dessen Zusammenwirken wohl chemisch erläutert, dessen Ursache aber nicht erklärt werden kann. Wir wissen nur eins: Bewegung, Wärme, elektrische oder chemische Energie sind wie Licht und Schall nur Umwandlungen, so wie ja auch Stoffe nur Umwandlungen sind, die alle miteinander in Wechselbeziehungen stehen, in Wechselbeziehungen, die wir wohl im Endergebnis erkennen, deren Wesen wir jedoch nicht zu deuten vermögen.

Jener Vorgang der Dissoziation, der sich überall in der Natur abspielt, ist eines jener großen und vielleicht doch so einfachen Geheimnisse des Lebens. Zur lebendigen Natur gehören nicht nur Mensch, Tier und Pflanze, sondern auch all das, was man unter Materie versteht, denn aus Luft, Wasser, Stein und Sonnenlicht bildet sich Leben, werden Seele und Geist materiegebunden, wird unser „Da"-Sein.

Kehren wir zurück zu den Glykosiden. Wir gingen davon aus, daß diese Verbindungen eines Wirkstoffes mit einer Zuckerart sind. Zuckerarten gibt es sehr viele, nämlich einfache, zweifache und Mehrfach-Arten: Mono-, Di- und Polysaccharide. Die einfachste Zuckerart entsteht bei der Assimilation des Kohlenstoffes durch das Blatt der Pflanze.

Die Pflanze nimmt durch die Poren ihrer Blattunterseite Kohlendioxyd aus der Luft auf und vereinigt dieses im Blatt mit dem Wasser, das aus der Erde in den Blattkanälen aufsteigt.

Kohlendioxyd oder Kohlensäure hat die chemische Formel $CO_2$, Wasser die Formel $H_2O$. So sieht der Vorgang folgendermaßen aus:

$CO_2 + H_2O = CH_2O + 2 \times O$ (2 Teile Sauerstoff).

Es bildet sich als erstes $CH_2O$, nämlich Formaldehyd. Übrig bleiben 2 Teile Sauerstoff.

Denken wir immer daran, daß es die Ionenform ist, die das Lebendige bildet. Denken wir vor allem daran, daß alle Lebensenergie von der Sonne kommt. Nur die grüne Pflanze besitzt die Gabe, Sonnenenergie aufzufangen und an Tier und Mensch zu vermitteln, denn nur bei Sonnenlicht geht diese eben geschilderte Umwandlung vonstatten. Sonnenstrahlen treffen das grüne Blatt und augenblicklich vollzieht sich das Wunderbare: Im

Inneren der Pflanze werden die Wasser- und Kohlendioxydmoleküle aus-einandergerissen. Im kleinsten Blatt und in der kleinsten Pflanze. Wollte der Mensch diesen Vorgang vollziehen, dann brächte er dies nur unter größten Schwierigkeiten und mit einem Riesenapparat fertig – vorausge-setzt, daß es ihm überhaupt gelingt.

Hinzu kommt aber noch etwas anderes, für uns viel Wesentlicheres, denn wer die Pflanze nur mit einer chemischen Fabrik vergleicht, der hat das Wunder des Lebens nie begriffen. In ihr vollzieht sich die Vereinigung des Kosmischen mit dem Irdischen und die Pflanze allein ist Mittlerin zwi-schen den Kräften in uns und denen, die außerhalb alles Irdischen unser Sein beeinflussen.

Bleiben wir aber bei unserem chemischen Denken, um den Vorgang denkend zu verfolgen. Zwei Teile Sauerstoff blieben übrig. Nach dem, was wir über das Bindungsstreben der Ionen erfuhren, drängen diese beiden freigewordenen Sauerstoff-Ionen nach Vereinigung, und zwar nach Verei-nigung mit Wasserstoff, um Wasser zu bilden, denn Wasser ist der große Urstoff des Lebens. Allein sind diese beiden Sauerstoff-Ionen zu schwach. Sechs Moleküle Formaldehyd jedoch haben die nötige Kraft, in der vor-handenen wäßrigen Lösung jene Wasserstoff-Ionen zu finden, die sie zur Vereinigung brauchen:

$6\ CH_2O$ ergeben: $C_6H_{10}O_5$ (= Stärke) + $H_2O$ (= Wasser).

Im Blatt bildet sich also Stärke. Aus Wasser und Gas, zwei anscheinend leblosen Stoffen, entsteht die Ursubstanz der Nahrung: Stärke, Zellulose, lebendiges Blattgewebe, und in ihr materialisiert sich die Kraft des Son-nenlichtes, speichert sich kosmische Energie. Im Blattgrün, im Chloro-phyll, vollzieht sich das große Wunder. Die Assimilation, die im Sonnen-licht – und nur in diesem – stattfindet, ist nicht nur ein erstaunlicher Umbildungsvorgang, sondern vor allem ein Akt der Energiespeicherung. Alle nunmehr ablaufenden Vorgänge sind ohne diese gespeicherte Son-nenenergie gar nicht denkbar. Und wir Menschen nehmen diese Sonnen-energie mit der grünen Pflanzennahrung in uns auf, laden damit unseren Körper auf, verleihen ihm die Kraft zu seinen Leistungen. Wir und unser Bruder, das Tier, das ja jene Sonnenenergie ebenso braucht wie wir Menschen. Tier und Mensch verarbeiten also. Darum also ist Nahrung vom Tier im Grunde keine aufbauende, sondern eine bereits abgebaute Energiequelle, so notwendig sie uns als Eiweißquelle erscheint. Der Vege-tarismus hat also recht und die Gefährlichkeit eines Zuviels an tierischen Fetten ist heute ernährungswissenschaftlich eindeutig geklärt.

Chlorophyll enthält nun nicht nur Kohlenstoff, Wasserstoff und Sauerstoff, sondern außerdem noch Stickstoff und Magnesium. Dies sind die Grund-stoffe. Die Sonnenenergien des Chlorophylls aber sind es, die formend, greifend und bindend alle weiteren Elemente an sich ziehen und jenen gewaltigen Reichtum an Kohlenstoffverbindungen schaffen, den die Na-tur, die lebendige Natur, aufzuweisen hat. Eisen ist der erste Stoff, den sich das Chlorophyll zunutze macht. So wie Chlorophyll der große Bioka-talysator ist, so ist Eisen wiederum ein Katalysator des Chlorophylls. Ohne

Eisen würden alle Pflanzen eine bleiche Färbung aufweisen, ohne Eisen wäre keine Bildung z. B. des so wichtigen Vitamins C möglich. Betrachten wir einmal mit rein wissenschaftlichen Augen die Großartigkeit der Strukturformel des Chlorophylls, so erfaßt uns Bewunderung und Ehrfurcht, und wir ahnen die ungeheuren Möglichkeiten von Bindungen und Verbindungen.

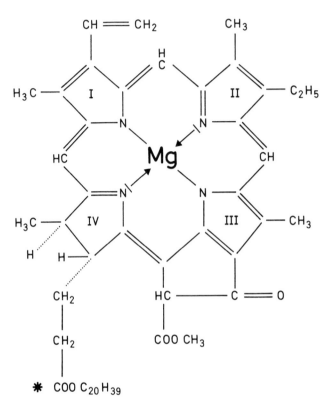

## Chlorophyll a

$$\left[ C_{20}H_{39} = H_3C - CH - (CH_2)_3 - CH - (CH_2)_3 - CH - (CH_2)_3 - C = CH - CH_2 - \atop \quad\;\; CH_3 \qquad\quad CH_3 \qquad\quad CH_3 \qquad\quad CH_3 \right]$$

Demjenigen aber, dem sie nichts verraten können – und es gibt zugegebenermaßen genug Menschen, die mit chemischen Formeln wirklich nichts zu tun haben –, sei das Beispiel der Buchstaben des Alphabets vor Augen geführt. Werfen wir, wie in einem Kinderspiel, jene Buchstaben zusammen, so wird kaum ein Wort, geschweige denn ein Satz oder ein Gedicht sich bilden. Erst die sinnvolle Ordnung durch den Geist ergibt das, was uns beim Lesen eines Buches, eines Gedichtes, eines Satzes ergreift. Was Geist und Seele dem toten Buchstaben einflößten, entströmt ihnen, um sich uns geistig und seelisch mitzuteilen und dieser Strom wird immerwährend sein. Ebenso fügt ein Geist, wir nennen ihn Gott, jene Bausteine des Lebens zusammen. Wir, als ein winziges Teilchen jenes Gottes, ahnen in begnadeten Augenblicken die Größe seines Wirkens, denn all dies geschieht seit Beginn der Schöpfung ohne unser Zutun und es ist Gnade eines Schöpfers, die er einem Genie erweist, den Schleier dieser Geheimnisse zu lüften. Mehr können wir als Menschen nicht, selbst wenn wir wähnen, die Welt zu beherrschen.

Glykoside nun sind ebenso lebendige Zeugen der formenden Kraft, die eine Macht außer uns uns im Chlorophyll offenbart. Sie sind Bausteine im Gefüge des Ganzen.

Warum es Glykoside gibt, was sie sind, weiß die Wissenschaft ebensowenig zu deuten wie so vieles andere. Man kennt nur ihre Wirkkräfte. Selbst ernsthafte Forscher (Kersten) kamen bisher nur zu einem unbefriedigenden Ergebnis: „Der Schwerpunkt der physiologischen Forschung ist sicher beim Aglykon zu suchen (unter Aglykon versteht man jenen Teil, der sich bei der fermentativen Spaltung vom Traubenzucker abspaltet), sei es, indem dieses durch Bindung an Zucker entgiftet oder vor Oxydierung geschützt und in schwer permeabler Form am Ort der Entstehung festgelegt wird." Trotzdem – es gibt eine Deutung der Aufgabe der Glykoside für die Pflanze. Begreifen wir nämlich wiederum die Pflanze als Lebewesen mit all jenen Aufgaben und Eigenschaften, die wir uns als Menschen zusprechen, dann sind Glykoside ebensolche Stoffe wie jene, die in unserer Leber die Aufgabe der Zuckerbildung und Zuckerspeicherung haben.

So, wie den menschlichen Körper verschiedene aufeinanderfolgende Ströme wellenförmig durchziehen (Ebbe und Flut im Stoffwechselgeschehen), in deren Verlauf, nach Sir W. Roberts, ein periodischer Austausch von Säuren und Basen stattfindet, so durchfließen sie Tier und Pflanze. Je nach Tages- und Nachtzeit sind diese Ströme verschieden zusammengesetzt und haben auch ihre verschiedenartigen Funktionen.

Über Tag bindet in der Pflanzenzelle das Aglykon den Zucker und bildet in dieser Bindung Glykoside. Abends jedoch, im heftigeren Strom der Pflanzensäuren, erfolgt die Spaltung und der Zucker wandert ab an seine Verbrauchsstätten. Ein ständiges Auf und Ab, Strom und Gegenstrom, wechseln und befähigen die Pflanze zu ihren Aufgaben. Säuren wandern abwärts zu den Wurzeln, um ihnen die Kraft der Sonnenenergie zukommen zu lassen, mit deren Hilfe sie den Stein sprengen, um seine Mineralstoffe aufzunehmen. Zucker und Stärke wandern mit, verteilen sich, um entweder als Kraft- oder als Aufbaustoffe zu dienen, wenn sie nicht in den Wurzeln, Knollen oder anderen Speicherorganen als Nahrungs- und Kraftreserve gespeichert werden. Hinauf aber steigen jene Säfte, die angefüllt sind mit den gelösten Stoffen der Erde, des Steines – mit Kalium, Natrium, Calcium, Silicium, Eisen, Mangan, Kupfer, Bor, Jod, Phosphor, Schwefel –, eben all jenen Stoffen, die wir als Mineralstoffe oder als Spurenelemente bezeichnen.

Das Blatt ist die Lunge der Pflanze. Man könnte die Pflanzenglykoside also als Bestandteile seiner Leber bezeichnen. Sie, die Pflanzenglykoside, sind mit geballten Kräften aus Sonnenenergie ausgestattet. Ihre Aufgabe ist es, entsprechend der der Leber in unserem Körpern, nicht nur die für die jeweilige Pflanzenart notwendige Zuckersorte zu bilden, zu speichern und abzugeben, sondern auch, wiederum je nach Art der Pflanze, ihrer Beschaffenheit und vor allem der Beschaffenheit des Standortes, für eine Entgiftung zu sorgen. Diese entgiftende Eigenschaft erkennen wir in einer ganzen Reihe von Glykosiden mehr oder weniger auch in ihren pharmakologischen Wirkungen wieder. Daß bestimmte Beziehungen zwischen Vitamin C und Glykosiden bestehen, ersehen wir aus der Tatsache, daß z. B. Solanin, der Wirkstoff des Kartoffelpreßsaftes, als Vitamin-C-Träger bekannt ist. Solanin ist eine Alkaloid-Glykosid-Verbindung, wie überhaupt die Scheidung von Alkaloiden und Glykosiden nicht immer leicht ist. Wenn auch Glykoside in den meisten Fällen nur aus C, H und O bestehen, so gibt es doch eine ganze Anzahl solcher, die außerdem noch Stickstoff und Schwefel enthalten. So z. B. die Lauch- und Senfölglykoside.

Gewöhnlich jedoch sind es nur C, H und O, wie beim Arbutin der Bärentraubenblätter.

Arbutin ($C_{12}H_{16}O_7$) ergibt mit Wasser ($H_2O$) folgende Formel:
$$C_{12}H_{16}O_7 + H_2O = C_6H_{12}O_6 + C_6H_4 (OH)_2$$
$C_6H_4 (OH_2)$ jedoch ist die Formel für Hydrochinon. Arbutin und Methylarbutin sind β-Glykoside des Hydrochinons bzw. des Methyl-Hydrochinons. Durch die in Emulsion vorhandene β-Glykosidase, durch ein in den Bärentraubenblättern ebenfalls vorhandenes Enzym Arbutase, durch die spaltende Kraft des Nierenparenchyms und besonders durch den bei Entzündungen alkalisch wirkenden Harn werden die Glykoside in die stark antiseptisch wirkenden Aglykone Hydrochinon, Methylhydrochinon und in Dextrose gespalten. Darauf beruht die Heilwirkung der Bärentraubenblätter bei katarrhalischen Erkrankungen der Harnwege. Es spielen zwar noch andere Wirkstoffe mit und der eigentliche Wirkungsvorgang ist sehr kompliziert, aber, um das Bild nicht zu verzerren, sei nur diese Tatsache erwähnt. Eines jedoch geht klar daraus hervor: Bei saurem Harn sind Bärentraubenblätter wirkungslos. Ebenso ist es zwecklos, Bärentraubenblätter zusammen z. B. mit Hexamethylentetramin-Präparaten zu geben, da hier die eine Wirkung die andere aufhebt.

Dieses eine Beispiel mag genügen, um das Zustandekommen der Wirkung zu erläutern.

Um die Vielseitigkeit der Glykosiddrogen aufzuzeigen, seien nur einmal die verschiedenen Untergruppen aufgezeigt. Als besonders wichtig sind dabei hervorzuheben:

Anthrachinone
Arbutine
Bitterstoff-Glykoside
Blausäure-Glykoside
Digitalis-Glykoside
Gerbstoff-Glykoside
Salizyne
Senföl-Glykoside
Saponine

Auf diese Wirkstoff-Gruppen wird in den nachfolgenden Abhandlungen eingegangen.

Jedenfalls ersehen wir schon aus dieser Aufzählung der Untergruppen, daß Glykoside als Wirkstoffe eine dominierende Stellung unter den Wirkstoffen der Heilpflanzen einnehmen. Wir brauchen dieses Wissen um die Wechselbeziehungen der Wirkstoffe, um die Heilwirkungen als solche zu begreifen.

Wir sollen uns aber niemals dadurch verleiten lassen, uns auf dieses Wissen allein zu verlassen, und immer berücksichtigen, daß das Sichtbare nur ein Bruchteil des Unsichtbaren, das Meßbare nur ein Abschnitt des Ganzen in seiner Unermeßlichkeit ist. Unser eigenes geistiges Wesen muß einbezogen sein im Ganzen, um auch das kleinste Teil des Ganzen verstehen zu können. Nur so allein können wir auch Krankheit und Heilung verstehen und eben auch die Aufgaben, welche hier Heilpflanzen zu erfüllen haben.

# 5 Anthrachinon-Drogen

## 5.1 Aloe, Sennae, Rhabarber, Faulbaum, Kreuzdorn

Bei allen uns bekannten Anthrachinon-Drogen handelt es sich um ausgesprochene, auf den Dickdarm wirkende Abführmittel. Als Wirksubstanz läßt sich nach den Untersuchungen von TSCHIRCH im wesentlichen das Anthraglykosid und dessen Spaltprodukte annehmen. Aus ihnen entwickelt sich über das Anthrachinon hinweg Emodin bzw. Chrysophansäure, die man als Hauptwirkkörper betrachten kann. Entwicklungsablauf und Wirkstoffzusammensetzung sowie die sich daraus ergebende Wirkung sind allerdings bei jeder Droge so verschieden, daß es notwendig erscheint, sich eingehend damit zu beschäftigen.

Anthrachinonderivate kommen teils in freiem Zustand, teils als Glykoside, an verschiedene Zuckerarten gebunden, in den Drogen vor. Sowohl TSCHIRCH als auch TUNMANN halten die Anthrachinonglykoside für Reservestoffe der Pflanze, deren Bildung und Assimilationsgröße und Stärkemenge in der Pflanze parallel geht. Sie werden in den oberirdischen Pflanzenteilen gebildet und wandern meist während der Nacht in die Reservebehälter. Durch Fermente werden bei Bedarf die Anthrachinonglykoside gespalten. Der Zucker wird zu den Verbrauchsstellen transportiert, während die Anthrachinone ihren Zweck, nämlich den Zucker bis zur Zuführung zu den Bedarfsstellen gebunden zu haben, erfüllt haben und damit überflüssig geworden sind. Wenigstens weiß man bisher noch nicht, ob sie die Pflanze als Ausscheidungsstoffe verlassen und als solche auf die Bodenbakterien einwirken und an der Auflösung der aufzunehmenden Mineralstoffe beteiligt sind oder ob sie in den Leitungsbahnen der Pflanze wieder mit aufsteigen. Über ihre Lokalisation innerhalb der Zelle herrschen verschiedene Ansichten. Während TSCHIRCH der Auffassung ist, daß sie an Stärke und Plastiden gebunden sind, nimmt TUNMANN an, daß sie im Zellsaft gelöst werden. Es dürfte wohl anzunehmen sein, daß dies, je nach der Aufgabe, die sie im Augenblick in der Pflanze zu erfüllen haben, verschieden ist. Ihrer chemischen Zusammensetzung nach bestehen die Anthrachinonglykoside aus der Zuckerkomponente (d-Glukose, Rhamnose oder d-Arabinose) und einem Derivat des Anthrachinons, meist des 1,8-Dioxyanthrachinons, bei dem Kernwasserstoffe durch $-CH_3$, $-CH_2OH$, $-OH-$, $OCH_3-$ und COOH-Gruppen ersetzt sind. Jedenfalls handelt es sich um methylierte oder oxymethylierte Dioxy- bzw. Trioxyanthrachinone, welche die abführende Wirkung erzielen.

Wie bereits eingangs ausgeführt, stellt die Gruppe der Anthrachinondrogen unsere wichtigsten dickdarmwirksamen Abführdrogen. Zu ihnen zählen Aloe, Sennesblätter und -schoten (Mutterblätter), Rhabarber, Faulbaumrinde, Kreuzdornbeeren und Sagradarinde. Ihre Wirkungsmechanismen sind bedingt durch die Verschiedenartigkeit der Zusammensetzung ihrer Inhalts-, also Wirk- und Begleitstoffe.

Erwiesen ist, daß das Glykosid der natürliche Träger der Wirkung ist. Diese Wirkung wird erzielt durch das durch Spaltung im Dickdarm frei gewordene Aglykon. Die Spaltung erfolgt teilweise durch die Flora der Darmbakterien wie Bakt. Coli usw. Diese Wirkung beruht einmal auf der mangelhaften Eindickung des Dickdarminhaltes (Wassergehalt der Kotmassen hierbei bis zu über 80%), wobei dem Körper aus der Galle, der Pankreas und dem Dünndarm gleichzeitig Kochsalz entzogen wird. Außerdem tritt eine deutliche Anregung der Peristaltik und der Pendelbewegungen der Längs- und Ringmuskulatur des Dickdarmes ein. Auf den Dünndarm dagegen erfolgt keinerlei Reizung.

Betrachten wir nunmehr die Drogen im einzelnen:

## ALOE = Aloe ferox-succotrina-africana

Diese Droge unterscheidet sich sowohl hinsichtlich ihrer Inhaltsstoffe als auch ihrer Wirkung grundsätzlich von allen anderen Anthraglykosiddrogen. Während z. B. bei Sennes und Faulbaumrinde mehr oder weniger Gerbstoffe, teils in Glykosidbindungen, vorhanden sind, gelten als wirksamste Substanzen der Aloe einmal das Aloin (bis zu 20%), ein Anthraglykosid, das gleichzeitig ein typischer Bitterstoff ist, dann etwa 40 bis 82% Harze, außerdem Zimtsäure, ätherisches Öl und Eiweißstoffe. Neben dem glykosidisch gebundenen Anthrachinon liegen noch freie Anthrachinone vor, und zwar an erster Stelle das Aloeemodin. Aloin (Barbaloin) ist ein Aloeemodin-anthranol-d-arabinosid. Beim Kochen mit Alkalien oder Boraxlösung wird es in Aloe-Emodinanthranol und Arabinose gespalten. Im menschlichen Körper vollzieht sich der gleiche Vorgang durch enzymatische Spaltung. Bei dem in der Aloe vorhandenen Harz handelt es sich vor allem um verschiedene Formen des p-Cumarsäureesters eines Resinatannols.

*Aloe*
*Aloe ferox*

Bei der Aloe beruht die Einwirkung auf die Peristaltik des Dickdarmes auf dem durch Spaltung im Dickdarm freiwerdenden Emodin des Anthrachinonglykosides Aloin. Hierbei stellt also das Glykosid die Transportform dar, während die Spaltung desselben von den Darmbakterien, vor allem dem Bact. Coli, herbeigeführt wird. Diese formen die oxydierten Aglukone zur Anthraform um. Erst durch diese Reduktion wird die biologisch wirksame Stufe erreicht, während die oxydierte Form keinerlei Wirkung besitzt. Im Dickdarm führen dann die Anthrone zur Steigerung der Darmschleimsekretion und gleichzeitig zur Anregung der Darmperistaltik.

Dieser Vorgang spielt sich zwar nicht nur bei der Einnahme von Aloe, sondern ebenso bei der Einnahme aller Anthrachinondrogen (Sennae, Rhabarber, Faulbaumrinde usw.) ab. Jedoch tritt bei Aloe die energisch auftretende Bitterstoffwirkung hinzu, der gerade bei dieser Droge ein bedeutender Einfluß auf das Pfortadersystem sowie den gesamten Unterleib zukommt. Hinzu kommt als bedeutendes Wirkungsmoment eine Beteiligung der Harze, die bei der Aloe in wesentlich anderer Form vorliegen als z. B. bei Sennesblättern und die zu einer Steigerung der Darmflüssigkeit führen. Hier ist jedoch daran zu denken, daß gerade sie in größeren Mengen eine Hyperämie hervorrufen können, die ausgesprochen entzündungserregend wirken kann. Dies ist gerade bei Aloe in jedem Falle zu berücksichtigen. Nicht ohne Grund wird daher vor Aloe bei Gravidität gewarnt.

Die genaue Dosierung ist **bei allen Anthrachinondrogen** zu beachten. Man sollte daher vor allem jedem Patienten und besonders jeder Patientin vor Augen führen, daß eine wahllose Anwendung jedes Abführmittels zu sehr unangenehmen Entzündungen des Dickdarmes – und nicht nur des Dickdarmes, sondern der ganzen Unterleibsorgane – führen kann.

Bei chronischer Obstipation – und hierfür ist ja Aloe besonders geeignet – tritt bei einer Dosierung von 0,2–0,5 g nach einem Zeitraum von 8 bis 12 Stunden halbfeste Entleerung ohne Schmerzen ein. Von einer Gewöhnung ist nichts bekannt, doch ist trotzdem, vor allem bei Frauen, vor längerem Gebrauch zu warnen, da dies mitunter eine Schädigung des weiblichen Genitalapparates zur Folge haben kann.

Da bei Aloe die Dosis sehr gering ist, ist sie zur Bekämpfung akuter Fälle ungeeignet. Eine Erhöhung der Dosierung hätte hier eine starke Hyperämie der Beckenorgane mit allen Folgeerscheinungen zur Folge. Dies ist auch der Grund dafür, daß Aloe bei Gravidität, während der Schwangerschaft, bei Neigung zu Genitalblutungen und auch bei Hämorrhoiden zu meiden ist. Ich weise auf letzteres besonders hin, denn es gibt Kräuterbücher, in denen Aloe bei Hämorrhoiden sogar empfohlen wird. Nicht angebracht ist Aloe bei Störungen der Gallensekretion (Ikterus). Wie POULSSON nachwies, kann Aloe ihre Wirkung nur unter Einwirkung von Galle und im alkalischen Chymus entfalten. Nach MEYER und GOTTLIEB sollen bei Ikterus, also bei Gallemangel im Darm, übrigens sowohl die öligen als auch die harzartigen und auch die Anthrachinon-Abführmittel versagen.

Daß trotzdem der Empfehlung von Aloe, die wir in Pulver-, Pillen- oder Drageeform verwenden, ein weitgestecktes Feld bleibt, ersehen wir aus Vorangegangenem. Jedenfalls ist sie in den meisten Fällen der chronischen Formen der Obstipation das Mittel der Wahl.

## SENNESBLÄTTER und -SCHOTEN – Cassia Angustifolia

Der Sennesbaum wächst in zwei Arten und zwar in Arabien, Ägypten und Nordafrika als Cassia acutifolia (Folia Sennae Alexandrinae) und in Indien als Cassia angustifolia (Folia Sennae Tinnevelly). Beide Arten sind gleichwertig.

Sennesblätter und Sennesschoten dagegen sind in ihrer Zusammensetzung und daher auch in ihrer Wirkung grundsätzlich verschieden. Wenden wir uns daher zunächst den Sennesblättern zu.

Das wirksame Glykosid der Folia Sennae ist ein Aloeemodin, ferner ist als Aglykon noch Rhein vorhanden. Wir finden also bei dieser Pflanze interessanterweise Wirkstoffe, welche die Wirkung von Aloe und Rhabarber ausüben. Es wäre ein Trugschluß, aus dieser Tatsache zu folgern, daß Sennesblätter in ihrer Wirkung Aloe und Rhabarber vereinigen. Aus der Praxis wissen wir, daß dies nicht der Fall ist. Die Begleitstoffe sind ganz andere und damit wird auch die gezielte Wirkung in ganz andere Bahnen gelenkt. Eines wissen wir aus langen Versuchsreihen: Das Aloeemodin, von der gleichen Strukturformel wie bei Aloe, gelangt nicht direkt zum Dickdarm, sondern wird vom Dünndarm absorbiert und aus dem Blute wieder in den Dickdarm ausgeschieden. Während es im Dünndarm keinerlei Wirkung ausübt, kommt es im Dickdarm zu einer fermentativen Abspaltung freien Emodins und zur Überführung in die wirksame Chinonform. Außer der Glykosidform des Aloeemodins sind in Sennesblättern offenbar noch größere Mengen freien Emodins bzw. Chrysophansäure vorhanden. Ferner enthalten sie Spuren eines ätherischen Öles, Salizyne, Kampherol, Flavonkörper und ein in heißem Wasser leicht lösliches Harz, aus Phytosterolin, Myricylalkohol, Palmitin- und Stearinsäure bestehend. Die bei der Einnahme von Sennesblättern oft entstehenden krampfartigen Dickdarmbeschwerden sind eindeutig auf die Dehnungsreize dieser Harzkomposition zurückzuführen. Das ist auch der Grund, weshalb immer wieder empfohlen wird, **einen reinen Sennesblättertee nicht mit kochendem Wasser zu überbrühen, wie man das sonst bei allen anderen Blättertees zu tun pflegt.** Hier bereitet man am besten einen Kaltwasserauszug, da in dieser Form die Harze nicht gelöst werden. Man setze Sennesblättertee morgens an (8–10 Stunden ziehen lassen), um ihn am Abend trinkfertig zu haben. Bei Sennesblättern sehen wir die schädigende Wirkung der Harze am deutlichsten. Sie führen zu einer starken Verzögerung der Magenentleerung, zu einer ausgedehnten Hyperämie der Magenwand, zu Entzündungen im Dünndarm sowie später im Dickdarm. Die Folgen sind dann explosiver Abgang des Stuhles mit Darmfetzen und Darmkolik.

Die Dosierung von Sennesblättern ist 1 g pro Tasse. Bei dieser Menge tritt nach etwa 6–8 Stunden eine ausgiebige Entleerung ein. Diese Dosierung sollte nicht überschritten werden, da auch die freien Emodine bzw. Chrysophansäuren, besonders in größeren Dosierungen, starke kolikartige Spasmen oder Tenesmen hervorrufen können.

**Sennesblätter eignen sich, allein eingenommen, nicht zur Behandlung chronischer Verstopfungen.**

Dagegen sind sie bei allen akuten Fällen von Obstipation ohne entzündliche Grundlage sehr gut geeignet. Bei Darmkatarrh mit Schleimabgang sind sie zu meiden, da hier die Einnahme zu nicht unbedenklichen Verschlimmerungen führen kann. Anders ist die Verwendung von Sennes bei Kräuterkombinationen. Durch die gleichzeitige Einnahme gerbstoffhaltiger oder schleimhaltiger Drogen kann erfahrungsgemäß einerseits die Wirkungsdauer der Anthrachinone verlängert (Verzögerung der Abgabe der freien Emodine in den Dickdarm), andererseits die Gesamtwirkung als solche abgeschwächt werden (Verminderung der Reizung, dadurch Minderung evtl. auftretender Spasmen). Die unbedenkliche Verarbeitung von Sennesblättern in Teemischungen ist zu verwerfen. Der Gesamtgehalt soll jedenfalls 10% einer Teemischung – auch bei ausgesprochenen Abführtees – nicht überschreiten. Bei einem ausgesprochenen Laxans grenze man die Indikation ab.

### Folliculi Sennae

haben einen wesentlich anderen Charakter als Folia Sennae. Sennesschoten, aus Samenhülsen und den ihnen innewohnenden Früchten bestehend, sind gegenüber der Folia Sennae schwach und milde abführend. Aus diesem Grunde ist ihre Anwendung sowohl für Frauen als auch besonders für Kinder unbedenklich.

Der Gehalt an Schleimsubstanzen ist, besonders bei den Früchten, relativ hoch. Man erkennt dies leicht bei der Filtration, außerdem durch Feststellung des Quellungsvermögens. Harzige Substanzen wurden in Folliculi Sennae nicht festgestellt. Der Gehalt an Anthrachinonen (Bestimmung kolimetrisch, durch Bornträgersche Reaktion oder durch Lösung in Benzol und Ammoniak) ist relativ gering. Dies macht die Anwendung von Sennesschoten bei Beachtung der Dosierung unbedenklich, also auch bei Gravidität und in der Kinderpraxis. Ihre Dosierung ist, je nach Alter, 3–8 Gramm.

### RHABARBER – Rheum Palmatum

Die Anwendung der Rhabarberwurzel als mildes Abführmittel ist schon sehr alt. MATTHIOLUS (1563) schreibt: „. . . Man bringt sie auch aus India und Persia . . .'' Tatsächlich stammt Rheum palmatum aus China, wenn sie auch inzwischen bei uns angebaut wurde. Sie gilt als mildes Abführmittel, merkwürdigerweise aber ebenfalls als Stopfmittel. Es wird später noch eingehend davon die Rede sein.

Jedenfalls nimmt die Verordnung der Rheum-Präparate seit langem einen großen Raum ein. Ich denke hier nur an Tinkt. Rhei vinosa et aquosa,

Infusum Rhei RF, Pilulae purgantes RF, Tinktura stomachica RF, Tabl. Rhei, Extr. Rhei et dito comp., Pulv. Magnesia cum Rhei. Zunächst einmal die Kontraindikationen. Da ist zu bemerken, daß der hohe Chrysophansäuregehalt sowie große Mengen Kaliumoxalat in Rhiz. Rhei den Indikationsradius insofern einschränken, als die Verordnung bei bestehender Gicht, bei Blasenkatarrh und bei Oxalurie wegen einer eventuellen Verschlimmerung der Leiden nicht unbedenklich ist. Zu meiden ist die Droge auch während der Laktation, da das Emodin, zusammen mit der Chrysophansäure, in die Muttermilch ausgeschieden wird und dadurch Störungen im Befinden des Säuglings hervorrufen kann.

Wirkstoffzusammensetzung und Wirkungsmechanismus von Rhizoma Rhei sind seit langem hinreichend erforscht. Ich möchte mich bei diesen Ausführungen auf das Wesentlichste beschränken.

Interessant ist dabei die Feststellung (KROEBER, CASPARI und GÖLDIN, Basel), daß Anthrachinongehalt und Wirkung keineswegs parallel zueinander verlaufen, ja, daß selbst ein von seinem Anthrachinongehalt befreites Rhabarberpulver noch deutliche Abführeigenschaften aufweist. Wir sehen also auch bei einer so typischen, auf Wirkstoffe eingestellten Pflanze, daß es die Nebenwirkstoffe bzw. Ballaststoffe sind, die bei der Gesamtwirkung eine ganz wesentliche Rolle spielen.

Noch eine weitere Feststellung ist hierbei wichtig. Eine Feststellung, die Rhiz. Rhei mit ätherischen Öldrogen gemeinsam hat. Die Trocknung bedingt eine Zunahme von Aglykonen, von Anthrachinonen und weiteren wirksamen Kondensationsprodukten.

In der Droge selbst findet sich ein Gemisch von Anthrachinonen und Anthraglykosiden sowie ein Gemisch von Substanzen, die keine direkte Anthrachinonreaktion ergeben, sondern erst bei der Hydrolyse zu Anthrachinonen zerfallen (TUTIN und CLEVER). Es handelt sich hierbei um harzartige Substanzen, die außerdem noch Zimt- und Gallussäure liefern (TSCHIRCH). Isoliert man aus der Droge mittels Methylalkohol und Äther die kristallisierbaren Anthrachinonglykoside, so erhält man dadurch den wesentlichsten Wirkstoff, das Rheopurgarin (GILSON). Dieses setzt sich aus mindestens vier Einzelglykosiden zusammen, nämlich aus Chrysophanein, Rheumemodinglykosid, Rheochrysin und Rheinglykosid. Diese vier Aglykone finden sich in Rhiz. Rhei auch frei vor. Bei der hydrolytischen Spaltung bilden sich auf der einen Seite Glukose, auf der anderen Chrysophanol, Rheochrysidin, Rheumemodin und Rhein. Neben diesen Anthrachinonglykosiden sind es jedoch vor allem Gerbstoffe glykosidischer Bindung und verschiedener Struktur sowie als Rheumrot bezeichnete Umwandlungsprodukte, die der Wirkung von Rhiz. Rhei ihre Charakteristik geben. Da die adstringierenden Gerbstoffe als Obstipans wirken, stellen sie sich der abführenden Wirkung der Anthrachinonglykoside entgegen, wirken also im Sinne von Antagonisten dämpfend, verzögernd und, je nach eingenommener Menge, sogar wirkungsumkehrend.

Hierauf ist bei der Dosierung genauestens zu achten. In kleinen Dosen, d. h. bei 0,05 bis 0,5 g, ist Rhiz. Rhei ein brauchbares Stomachicum und gilt in dieser Dosierung außerdem als stopfend, blutstillend und galletreibend (KROEBER). In Dosen von 1 bis 3 g (Tabletten 0,5 bis 2,0) kennt man Rhiz. Rhei als ausgesprochen mildes Laxans, das nach 6 bis 10 Stunden ohne oder wenigstens nur selten mit Kolikschmerzen einen weichen Stuhl hervorruft. Besonders gern wird Rhabarber in der Kinderpraxis verordnet. Nach POULSSON soll die Wirkung auch bei jahrelanger Einnahme anhalten. Es dürfte aber trotzdem anzunehmen sein, daß bei allzu langem Gebrauch die Wirkung der Gerbsäure hemmend hervortreten könnte. Ich erinnere daran, daß z. B. bei einem so bekannten und bewährten Haustee wie Pfefferminze bei allzu langem Gebrauch durch die den Pfefferminzblättern innewohnenden Gerbstoff Verstopfungserscheinungen auftreten. Verwendet wird Rhiz. Rhei hauptsächlich bei chronischen Formen der Obstipation. In ihrer Gesamtwirkung ist diese Droge, neben der Faulbaumrinde, auf die wir noch zu sprechen kommen, die mildeste.

## FAULBAUMRINDE – Rhamnus Frangula

Wie L. KROEBER in seinem Buche „Das Neuzeitliche Kräuterbuch" richtig vermerkt, steht Cortex Frangulae hinsichtlich der Art und dem Grade ihrer Wirksamkeit an letzter Stelle der Reihe: Aloe, Sennae, Rheum und Frangula. Von ihr geht die geringste Erregung der peripheren Nerven der Dickdarmschleimhaut aus. Dies ist jedoch, wie wir aus nachfolgenden Ausführungen ersehen, durchaus kein Nachteil.

Faulbaum
Rhamnus frangula

Der Chemismus der Faulbaumrinde ist schon seit langem Gegenstand eingehender Untersuchungen gewesen. Nach R. MAEDER, St. Gallen, sind die wirksamen Bestandteile, Anthrachinonabkömmlinge, in der **frischen**

Rinde nicht vorhanden. Sie stellen sich erst bei der Trocknung und Lagerung ein. R. WASICKY stellte fest, daß die bekannte Brechwirkung der frischen Rinde darauf zurückzuführen ist, daß sie an Stelle der Anthrachinone viel stärker wirksame Anthrachinonderivate enthält, die erst allmählich durch Oxydation in Anthrachinone übergehen. Diese toxischen und stark wirksamen Anthranolglykoside, von denen das Frangula-Emosid das wichtigste ist, gehen durch Lagerung oder durch Fermentation beim Erhitzen auf 100 Grad durch Sauerstoffeinwirkung in das Glykosid Gluko-Frangulin über. Gluko-Frangulin, aus Frangula-Emodin, Rhamnose und d-Glukose aufgebaut, ist eine amorphe, in Wasser und verdünntem Alkohol leicht lösliche Substanz. Bei der Hydrolyse zerfällt Frangulin in Rhamnose und Rheumemodin. Dies ist in der Rinde bis zu 6–7% neben Zucker, Fett, einem Bitterstoff und ca. 12% Gerbstoffen sowie 5% Aschenbestandteilen vorhanden. Ferner finden wir noch freies Emodin und geringe Mengen Chrysophansäure.

Aus Vorangesagtem geht hervor, **daß frische Rinde zur Verwendung unbrauchbar ist.** Das Deutsche Arzneibuch schreibt daher eine mindestens einjährige Lagerung vor.

Höchstwahrscheinlich ist es das Vorhandensein von Gerbstoffen (Trübung und spätere Ausflockung einer Gelatinelösung, Schwarzgrünfärbung in Eisenchloridlösung), die wesentlich daran beteiligt ist, daß sich bei der Anwendung von Faulbaumrinde eine sogenannte Depotwirkung entwickelt. Im Gegensatz zu anderen Anthrachinondrogen tritt bei Faulbaumrinde eine verzögerte Abgabe des Frangula-Emodin-Rhamnoglykosides in den Dickdarm ein, welche die abführende Wirkung einmal mildert und zum anderen auf mehrere Tage ausdehnt. Wenn die Dosierung nicht überschritten wird (pro Tasse 3 bis 5 Gramm), haben wir es bei Cortex Frangulae mit einem unbedenklich zu empfehlenden, wirksamen Laxans **bei allen chronischen Formen der Obstipation** zu tun, das auch bei Gravidität, bei Hämorrhoidalleiden und bei schwächlichen Patienten verordnet werden kann. Ich kenne viele Familien, die Faulbaumrindentee in gewissen Abständen eine Zeitlang als abendlichen Haustee zu sich nehmen. Man soll sich jedoch davor hüten, größere Mengen davon zu trinken, denn dann wird auch hier die Einnahme bedenklich. Hier tritt neben der Emodinwirkung die Einwirkung der Chrysophansäure hervor. Sie kann entzündliche, mitunter höchst gefährliche Reizungen des Nierengewebes, choleraähnliche Durchfälle und auch hier bei Gravidität Abortus zur Folge haben.

Es ist daher immer wieder notwendig, auch bei der Verordnung selbst an sich unbedenklicher Mittel streng auf die Einhaltung der Einnahmevorschriften hinzuweisen, will man sich nicht unliebsamen Komplikationen aussetzen.

FLAMM nannte als eigentliches Anwendungsgebiet für Faulbaumrinde die chronische, auf mangelhafter Dickdarmbewegung und einer Dickdarmerschlaffung beruhende Form der Obstipation sowie alle ihre Folgeerscheinungen. Ebenso auch hieraus resultierende Schädigungen der Leber wie

Leberanschoppung, Leberschwellung, Stauung des Galleabflusses, zu starke Eindickung der Gallenflüssigkeit, Neigung zu Steinbildung, Gallengangs- und Gallenblasenentzündung. Jedenfalls ist Cortex Frangulae die einzige Anthrachinondroge, die unbedenklich bei Störungen im Leber-Galle-Gebiet empfohlen werden kann, da von ihr bei relativ sicherer Wirkung die geringste Erregung der peripheren Nerven der Dickdarmschleimhaut ausgeht. Dieser Auffassung sind neben FLAMM, SEEL und KROEBER auch LECLERC, GUMBRECHT, CAZIN, CAUVET, PIRAULT, LYON. LECLERC führt als typisches Beispiel die unbedenkliche Verträglichkeit bei einer Appentizitiskrise an.

Zum Schluß möchte ich noch einmal KROEBER anführen: „Eine Gewöhnung und ein Versagen der Wirkung scheint bei ihr im Gegensatz zu vielen anderen Abführmitteln nicht einzutreten. Ihr weiterer Vorzug, weder Kolikschmerzen noch dünnflüssige, schmerzerregende Stühle auszulösen, sollte ihr gegenüber den sonstigen Anthrachinondrogen und den salinischen Abführmitteln eine Vorzugsstellung einräumen."

RHAMNUS PURSHIANA — amerikanische Faulbaumrinde, bei uns als Cortex Cascarae sagradae bekannt, wurde in früheren Jahren weitaus mehr als bevorzugte Abführdroge herangezogen. Heute findet man sie bei uns kaum noch als Verordnung, dagegen noch viel in einer Reihe von Spezial-Erzeugnissen. Ihre Wirkung gleicht der unserer Faulbaumrinde.

RHAMNUS CATHARTICUS — Kreuzdorn. Ebenfalls bei uns heimisch, wird heute, außer in der Homöopathie, kaum noch angewandt.

Nach ECHSTEIN und FLAMM entspricht die Wirkung der Kreuzdornbeeren in allen Teilen jener der Faulbaumrinde. Deshalb wird sie ebenfalls bei chronischer Verstopfung und deren Folgezuständen verwendet.

Die Homöopathie stellt aus den frischen, reifen Früchten ihre Essenz her, die, außer als Abführmittel, bei Leberleiden und auch als wassertreibendes Mittel empfohlen wird.

Die wirksamen Stoffe der Kreuzdornbeeren sind ebenfalls, wie bei allen vorgenannten Drogen, Anthrachinonkörper: Rhamno-Emodin, Rhamno-Cathartin, ein Emodinglukosid sowie Emodin-Anthranol. Auf alle weiteren Inhaltsstoffe einzugehen, würde zu weit führen. Es sei nur noch erwähnt, daß sowohl die reifen als auch die unreifen Früchte im Gebrauch sind. Unreife Früchte enthalten, im Gegensatz zu den reifen, noch Saponine.

Wir kennen Sirupus Rhamnus catharticae in der Hauptsache als mildes Laxans, besonders für Kinder (1 Teel. für Kinder, 2–3 Eßl. für Erwachsene pro dosi).

Nun enthält aber Kreuzdorn nicht nur Anthrachinonabkömmlinge, sondern vor allem auch Flavonglykoside und Flavone und zwar reichlich und in verschiedenster Zusammensetzung. Es ist daher anzunehmen, daß wir auch mit einer wohltuenden Anregung der Kreislauforgane und der Harnabsonderung rechnen können. Die Beliebtheit des Kreuzdorn in früheren Zeiten war sicher nicht unberechtigt. Jedenfalls kannte man ihn nicht nur als Abführ- und Blutreinigungsmittel, sondern als Mittel gegen Gicht und Rheuma und ebenso bekannt waren seine harntreibenden Eigenschaften.

# 6 Arbutin-Drogen

## 6.1 Bärentraube, Heidekraut

Wenngleich wir Bärentraube als eine typische Gebirgspflanze kennen, stammt sie eigentlich aus dem hohen Norden. Dort war sie auch schon vor Jahrhunderten als Arzneipflanze im Gebrauch und wir finden sie im 13. Jahrhundert in England in den Arzneibüchern verzeichnet. Bei uns und in den romanischen Ländern dagegen finden wir sie erst im 18. Jahrhundert medizinisch erwähnt. Das Glykosid Arbutin wurde 1852 von KAWALIER erstmals isoliert und gab der Gruppe der Arbutindrogen dann ihren Namen.

*Bärentraube*
*Arctostaphylos Uvae ursi*

Zu diesen, nämlich zu den Arbutin- bzw. Methylarbutindrogen, zählen vor allem Bärentrauben-, Preiselbeer-, Buchsbaum-, Heidelbeerblätter, Heidekraut, Birnenblätter, ferner Moosbeere, Rauschbeere, Sumpfporst und Wintergrün (Pirola umbellata).
Da das sich aus dem Arbutin bzw. Methylarbutin abspaltende Hydrochinon zur Gruppe der Phenole zählt, nennt man diese Drogen auch Phenylglykosiddrogen. Bezeichnend für sie ist, daß sie außer dem Wirkstoff Arbutin durchwegs noch große Mengen Gallus- bzw. Ellaggerbsäure enthalten. Diese bilden bei der Spaltung Pyrogallol, ebenfalls ein Phenol, und sind, ebenso wie Hydrochinon, ein starkes Desinfiziens, unterstützen also die Wirkung um ein Bedeutendes.

Die bekannteste Vertreterin dieser Gruppe ist die **Bärentraube – Arctosta-phylos Uva ursi S.** –, eben jener zu den Heidekrautgewächsen zählende kleine Strauch. Seine Blätter – Folia Uvae Ursi – kommen hauptsächlich aus Tirol und aus Spanien. Beide Handelsqualitäten sind ziemlich gleichwertig. Die spanische Ware weist ungefähr 11 % Arbutin auf, während die alpinen Drogen 5–8% Arbutin und 2–3% Methylarbutin enthalten. Da die Methylarbutinwirkung wesentlich stärker ist, kann man den Unterschied als unbedeutend bezeichnen. Auf andere Wirkungsmerkmale weise ich später noch hin.

Wie bereits erwähnt, enthalten Fol. Uvae Ursi noch ca. 30–34% Gallus-bzw. Ellaggerbsäure sowie als weiteres Glykosid Ericolin, ferner Urson, Flavonfarbstoffe, organische Säuren, Enzyme, ätherisches Öl, Harze, Gummi, Wachse und Spuren von freiem Hydrochinon. An Mineralstoffen sind es vor allem die Kalksalze, die sicher wesentlich an der Gesamtwirkung beteiligt sind. Immer ist es jedoch das Zusammenwirken aller Stoffe, das die typische Gesamtwirkung hervorruft. Versuche z. B. mit reinem Arbutin führten zu Mißerfolgen.

Daß die Wirkung nur in alkalischem Harn eintritt, wurde bereits gesagt. Die Stoffe werden sonst vom Magen- und Darmkanal unverändert aufgenommen, wandern ebenso unverändert durch den Organismus und werden im Harn ausgeschieden. Also erst, wenn der Harn auf Grund entzündlicher Vorgänge der Harnwege alkalisch geworden ist, spaltet sich aus den beiden Muttersubstanzen Arbutin und Methylarbutin unter Freiwerden von Zucker Hydrochinon bzw. Methylhydrochinon ab. Beide besitzen eine ausgesprochen keimtötende Wirkung.

Man muß als Wissenschaftler mit exakten Methoden forschen, um immer Maß und Vergleich zur Hand zu haben. Man soll jedoch niemals jene exakten Forschungsmethoden allein nutzen, sondern dabei nie seine Augen vor dem Gesamtbild der Natur verschließen. Dies gilt überall, und nur nach diesem Gesetz ist die Pflanze und ihr Wirken zu begreifen.

Was nützt es uns, wenn wir als wirksamen Faktor einer Heilpflanze einen Wirkstoff festgestellt haben, ohne alle weiteren Wirkstoffe, alle Ballaststoffe und vor allem die lebendige Pflanze selbst in ihrer Gesamtwirkung einzuschließen.

Bärentraubenblätter sind ein typisches Beispiel hierfür. 10 Teile der Frischdroge ergeben 2 Teile der getrockneten Droge. Bei der Umrechnung des wirksamen Glykosides Arbutin ergibt 1 g davon unter Abrechnung des Zuckerbestandteiles ca. 0,4 g Hydrochinon. Arbutin wird zur Hälfte in der Leber unwirksam. Die andere Hälfte wird in den Nieren aufgespalten. Bei 5 g Droge (0,5 g Arbutin) ergäben sich also 0,2 g Hydrochinon : 2–0,1 g Hydrochinon als wirksames Agens in den Nieren.

Diese 5 g Bärentraubenblätter auf eine Tagesmenge von ca. 1,5 Liter Tee, also 3 × 0,5 Liter, berechnet, entsprächen einer Hydrochinonlösung von insgesamt 0,0067% Gehalt durch drei. Der Gehalt an Hydrochinon wäre also demnach so minimal, daß nach wissenschaftlich exakten Begriffen von einer Wirkung des Arbutins wohl kaum gesprochen werden könnte, setzte man die Normaldosis Hydrochinon mit 0,2 g an, wie sie, als Beispiel, noch vereinzelt in Fachlehrbüchern für Typhus vorgeschrieben ist. Interessant ist ja nun, daß dieser Umstand der medizinischen Wissenschaft tatsächlich in einigen Fällen Veranlassung dazu gab, die Wirksamkeit von Bärentraubenblättern stark anzuzweifeln,trotzdem die Tatsachen dagegen sprechen. Die Ergebnisse in Kliniken und Krankenhäusern bei richtiger und dem Leiden entsprechender Anwendung sind eindeutig und hervorragend. Der Gehalt des Harnes an Harnsäure und Uraten wird herabgemindert, die Zersetzung des Harnes wird behoben, die Eiterbildung in der Blasenschleimhaut geht zurück und Spasmen werden beseitigt.

Der anfangs braungefärbte bis schwärzliche Urin wird heller. Sein übler Geruch läßt nach und verschwindet später ganz. Erhöhungen der Wasserausscheidungen sind beobachtet worden, richten sich aber wohl nach der Wesensart des Patienten sowie nach der eingenommenen Teemenge.

Dies ist das Bild, das sich am Krankenbett zeigt. Tatsachen, die jeder nachprüfen kann, sprechen ihre eigene Sprache. Wo bleibt da die exakt wissenschaftliche Erkenntnis, daß 0,0067% Gehalt an Hydrochinon völlig wirkungslos sein müssen? Wer weiß Näheres über die wirkungssteigernden Begleitstoffe? Wenn nach der Formel (Arbutin + Wasser) = (Traubenzucker + Hydrochinon) ist, scheint wohl das Wirkungsproblem noch lange nicht gelöst.

Die Pflanze enthält noch ca. 30% Pyrogallolgerbstoff, wie der Nachweis mit $FeCl_3$ ergibt (Violettfärbung). Eine Abspaltung des stark desinfizierenden Stoffes Pyrogallol kann also ohne weiteres angenommen werden. Über die weiter in Bärentraubenblättern vorhandenen Kalium-Verbindungen, über das Quercetin, Ursin, Urson, Ericolin usw. ist noch gar nichts gesagt. Außerdem besteht ein Unterschied in der Wirkung des Arbutins und des weitaus wirksameren Methylarbutins, das im Verhältnis 1:2 bis 1:3 (gegenüber Arbutin), je nach dem Standort, in der Pflanze enthalten ist. Die wirkungssteigernde Eigenschaft des Kalziums im Sinne einer erhöhten Aufnahmebereitschaft steht außer Zweifel. Die diuretische Wirkung des Flavonole und Flavonglykoside (Quercetin, Ericolin usw.) ist erst in den letzten Jahren eindeutig bewiesen worden.

Man könnte jedoch alle Wirkungsfaktoren berechnen und käme trotzdem ohne die exakte Beweisführung am Krankenbett zu keinem Ergebnis. Schon deshalb nicht, weil bei allen Betrachtungen der Faktor „lebendige Pflanze" mit all seiner Sonnenkraft nicht mit einbezogen wird.

Eingenommen werden Bärentraubenblätter zum weitaus größten Teil und auch mit dem größten Erfolg in Form von Tees. Hierbei erhält man die wirksamste und ergiebigste Ausbeute von grob gepulverten Blättern. Zumindest sollten dieselben fein geschnitten sein. Die Dickwandigkeit der Blätter behindert die Ausnutzung der Arbutine und der weiteren Wirkstoffe. Man bereitet Bärentraubenblättertee am besten im Kaltauszug (12 Stunden ausziehen lassen), der dann noch kurz aufgekocht wird. Durch einfaches Aufbrühen wird die Droge nicht ausgezogen. Will man den Tee kochen, dann setze man ihn mit kaltem Wasser an und lasse ihn 20 bis 30 Minuten lang bei kleiner Flamme kochen. Der hohe Gerbstoffgehalt der Droge scheint für die Behandlung der atonischen Gefäße der erkrankten Blasenschleimhaut nicht unzweckmäßig zu sein. Man spricht ihr jedenfalls einen heilenden Effekt zu (KROEBER). Andererseits gibt es genug Stimmen, die behaupten, eben dieser hohe Gerbstoffgehalt könne bei empfindlichen Personen zu Appetitlosigkeit, Übelkeit und Erbrechen führen. Um dieses von vornherein zu vermeiden, gebe man Bärentraubenblätter stets zusammen mit Leinsamen, zu gleichen Teilen gemischt. Dadurch wird einerseits die Gerbstoffwirkung auf ein normales Maß herabgesetzt, andererseits die Gesamtwirkung wesentlich gesteigert (Leinsamen hierbei geschrotet verwenden). Man rechnet auf eine Tasse einen gehäuften Eßlöffel voll.

Die Anwendung von Bärentraubenblättern ist hauptsächlich angezeigt bei Blasen- und Nierenbeckenkatarrh sowie bei eitrigen Veränderungen, vor allem der Blase und den damit verbundenen, oft recht schmerzhaften Beschwerden der Harnblase, wie gehäufter Harndrang, Tröpfelharn usw. Empfohlen werden Bärentraubenblätter auch bei Bettnässen. Hier allerdings am besten in Verbindung mit Johanniskrauttee. W. BOHN hob vor allem auch ihren Wert bei Harngrieß und Harnsteinen hervor. Bei Phosphaturie dagegen ist der Erfolg eines einfachen Bärentraubenblättertees wenig zufriedenstellend. Hier verwendet man am zweckmäßigsten eine Mischung von 70 Teilen Bärentraubenblätter und 30 Teilen Krappwurzel, fein geschniten. (1 Teelöffel voll mit einer Tasse Wasser kalt ansetzen, 2–3 Stunden lang ziehen lassen, dann 10 bis 15 Minuten lang aufkochen.) Eine konzentrierte Abkochung von Bärentraubenblättern wirkt mitunter wehenfördernd. Daher ist bei Schwangeren Vorsicht geboten.

Für uns ist es aus physiologischen Gründen außerordentlich wichtig, sich den Wirkungsmechanismus der Drogenwirkstoffe zu erklären. Es wurde bereits darauf hingewiesen, daß die fermentative Spaltung nur im alkalischen Harn vor sich geht. Bei saurer Harnreaktion, in der Regel nicht nur eine Folge fleischreicher, sondern auch einer aus überwiegend säureüberschüssigen pflanzlichen Nahrungsmitteln zusammengesetzter Kost wird die Hydrochinonabspaltung gehemmt. Nur eine gleichzeitige Diätumstellung auf basenüberschüssige Pflanzenkost kann also bei Nieren- und auch bei Blasenleiden zu einer wirksamen Behandlung führen. Man muß dies dem Patienten klarmachen, denn wer diese einfachen Regeln nicht beachtet, braucht nicht verwundert zu sein, wenn trotz wochenlanger Einnahme z. B. eines Bärentraubenblättertees eine Heilwirkung nicht erzielt wird. Eine weitere Tatsache ist, daß eventuell vorhandene reduzierend (also hier heilungshemmend) wirkende Stoffe durch starke Flüssigkeitszufuhr ausgeschaltet werden können. Man gebe also in solchen Fällen öfter als sonst und größere Mengen Tee. Alle nierenwirksamen Tees sind so warm als möglich zu trinken.

H. SCHULZ und L. LEWIN kamen, ebenso wie andere Gewährsleute, zu dem Schluß, daß Bärentraubenblätter mit guten Erfolgen bei Cystitiden und Pyelitiden angewandt werden. Trotzdem immer wieder zu hören ist, daß der Genuß von Bärentraubenblättertee die Harnmenge steigert, sollten sie nicht als wassertreibendes Mittel eingesetzt werden. Ihrer Hauptwirkung nach sind sie ein Mittel gegen Entzündungen, Vereiterungen, Katarrhe. Zur Förderung der Harnmenge nehme man Zinnkraut, Birkenblätter und Bohnenschalen (zu gleichen Teilen). Bei der Eingabe größerer Mengen warmen Tees vereinigt sich so die desinfizierende Kraft mit der Förderung der Harnmenge und der mechanischen Steigerung der durchspülenden Wirkung.

Der Urin wird bei der Einnahme von Bärentraubenblättertee olivdunkel bis schwarzgrün gefärbt. Diese Färbung kann bei schweren (eitrigen) Entzündungen bis zum tiefsten Schwarzbraun gehen.

Mit fortschreitender Besserung schwindet die Braunfärbung. Auch der üble Geruch läßt hierbei nach und deutet so die Symptome einer Besserung an.

Interessant ist, daß man Bärentraubenblätter häufig in Teemischungen für Zuckerkranke vorfindet. Bei den den Bärentraubenblättern in der Pflanzenfamilie verwandten Heidelbeerblättern (Ericaceen) nimmt man als typischen blutzuckersenkenden Wirkstoff Glukokinine an. Diese finden sich, außer in Heidelbeerblättern, vor allem in den Bohnenschalen und in der Geißraute. Nach ÖTTEL glaubt man jedoch, das aus dem Arbutin abgespaltene Hydrochinon ebenfalls für die Blutzuckerwirkung verantwortlich machen zu können. Damit wäre die Mitverwendung auch der Bärentraubenblätter in Teemischungen für Diabetiker berechtigt. Sicher ist jedoch auch hier, daß wiederum verschiedene Wirkungsmomente zusammentreffen müssen, um eine wesentliche Gesamtwirkung zu erzielen. Eine Teemischung, bei der nach längerem Gebrauch eine gewisse Blutzuckersenkung sowie eine Verminderung der Harnzuckerausscheidung wohl zu beobachten ist, sei hier mit angeführt: je 30,0 Heidelbeerblätter, Bärentraubenblätter, Löwenzahnkraut zusammen mit je 40,0 Geißraute und Bohnenschalenblätter. Allerdings wissen wir sehr wohl, daß hier neben der Verabfolgung einer solchen Teemischung noch andere Maßnahmen notwendig sind, um zu einem Erfolg zu führen. Auch ist es wichtig, darauf hinzuweisen, daß eine solche Teemischung nicht länger als 4–6 Wochen eingenommen werden soll.

Die ferner noch als Arbutindrogen bezeichneten Heilkräuter wie Preiselbeerblätter, Heidelbeerblätter, Birnenblätter und Heidekraut stehen den Bärentraubenblättern in der Wirkung wesentlich nach. Sie sind als Harndesinfiziens, außer Heidelbeerblättern, kaum noch in Gebrauch. Ich weiß nur aus jahrzehntelanger Erfahrung, daß sie immer wieder im Gespräch sind, wenn wieder einmal warnende Stimmen vor dem Gebrauch von Bärentraubenblättertee sich erheben.

Warnende Stimmen, die all das nicht berücksichtigen, was ich versuchte, in diesem Beitrag klarzumachen, nämlich einmal, daß man, um die Wirksamkeit eines Heilkrautes zu erproben, sich niemals auf exakt wissenschaftliche Analysen versteifen sollte und daß man zum anderen (evtl. schädigende Gerbsäurewirkung) aus der Praxis heraus genügend Möglichkeiten besitzt, um hier ausgleichend zu wirken und evtl. sogar die Wirkung als solche noch zu steigern.

Einer Arbutinpflanze sei hier noch gedacht. **Heidekraut** wird als Harndesinfiziens vor allem von dem französischen Arzt LECLERC empfohlen. Seine wohltuende Wirkung soll sich in vielen Fällen erwiesen haben und besonders bei Prostataleiden sehr zu empfehlen sein. Gerade Heidekraut, jenes alte Heilkraut der Schäfer, sollte eigentlich wieder mehr Beachtung finden. Seine Inhaltsstoffe sind außerordentlich interessant. Neben einem hohen Prozentsatz von Mineralstoffen, unter denen vor allem Calcium und Kieselsäure hervorgehoben werden müssen, sind es die als entzündungshemmend bekannten Gerbstoffe, die Glykoside Arbutin und Erikolin, sowie ein Alkaloid Ericodinin, ferner Farbstoffe, Pflanzensäuren, Inulin, Pentosane u. a. m. Alle Inhaltsstoffe zusammengenommen weisen auf Heilwirkungen hin, die sich einmal auf Niere und Blase, dann aber auch auf den Magen-Darm-Kanal und zuletzt auf die nervösen Bahnen erstrecken. (Als ausgesprochene Kieselsäurepflanze vor allem das Zellgewebe aufbauend.) Die früher als Herba Ericae cum floribus officinelle Droge galt außerdem allgemein als schwaches Narkoticum bei Schlaflosigkeit.

Die Homöopathie bedient sich der aus der frischen Pflanze hergestellten Essenz.

Schäfer empfehlen Heidekraut nicht nur als Nerven- und Schlafmittel, sondern vor allem gegen Rheuma und als nierenreinigendes und harntreibendes Mittel. Daß es zur Desinfektion der Harnwege wohl geeignet ist, erklärt sich aus dem Gehalt an Arbutin ebenso wie aus dem Kieselsäuregehalt und dem Gehalt an Flavonen.

# 7 Bitterstoffe

Die typischen Vertreter unserer Bitterstoffdrogen sind Enzian, Wermut, Tausengüldenkraut, Kardobenediktenkraut, Bitterklee, bittere Kreuzblume. Auch der fast nur noch als Wurmmittel gebräuchliche Rainfarn zählt dazu. Aber auch eine große Anzahl der ätherischen Ölpflanzen könnte man ebensogut zu den Bitterstoffpflanzen zählen. So z. B. Schafgarbe, Arnika, Kamille, Hopfen, Bibernelle, Nelkenwurz, Salbei, Engelwurz, Ringelblume und Majoran.

Zu den Bitterstoff enthaltenden Heilpflanzen gehören ferner auch Huflattich, Isländisch Moos, Wegwarte, Andorn, Frauenmantel, Heidelbeerblätter, um nur die wichtigsten zu nennen.

Was sind nun Bitterstoffe und wie stellt sich hier dem Fachmann ihre Wirkung dar. Diese Fragen zu beantworten, ist bei näherer Betrachtung nicht so leicht, wie es im ersten Moment scheint.

Aus grauer Vorzeit ragt der Gebrauch der „Lebenselixiere" bis zu unserer Zeit hinüber. Auf den alten Bildern des Mittelalters sehen wir den Alchimisten abgebildet, der die „Tinktur des langen Lebens" braut. Jede Krankheit sei damit zu heilen und langes Leben sei dem beschieden, der es verstehe, die rechten Kräuter zu mischen.

*Silbermäntli*
*Alchemilla alpina*

Eines hatten jene Alten richtig erkannt, nämlich, daß zu dieser Mixtur Kräuter notwendig sind, die vor allem eine spezifische Wirkung auf den nervösen und sekretorischen Apparat der Verdauungsorgane ausüben.

Über diesen hinweg erfolgt sodann eine Anregung auf Blutbildung, Herztätigkeit, Gefäßtonus, Blutumlauf und Blutversorgung sowie auf den gesamten Stoffwechsel.

Angelika und Enzian waren die wichtigsten Wurzeln, deren Auszug für dieses „Elixier ad longam vitam" notwendig war. Wir finden sie in allen Rezepten alter Klostertränke. Wir finden sie auch heute noch in jenen bitteren Kräuterschnäpsen, die als Magenmittel verschiedenste Namen tragen. Neben Angelika und Enzian sind es vor allem Kalmus, dem sich noch Kardobenediktenkraut und von den ausländischen Drogen Ingwer und Zimt hinzugesellen. Bittere Kräuter waren es und sind es noch heute, die diesen Tränken ihren Charakter geben.

Enzian (gelber)
Gentiana lutea

Tausendgüldenkraut
Erythraea Centaureum

Bitterstoffe sind also ihre bezeichnenden Wirkstoffe. Man sollte meinen, diese Stoffe sind leicht aufzuspüren und zu bestimmen. Der Pharmakologe aber gerät bei der Bezeichnung „Bitterstoffe" in leichte Verlegenheit, denn man kann ungefähr alle Stoffe, die bitter schmecken, als Bitterstoffe bezeichnen. Von den Alkaloiden Strychnin und Brucin sowie dem Chinin,

Conchinin, Chinidin angefangen über die Glykoside von Meerzwiebel und Strophanthus, die Laktone des Enzian – das hauptsächlich wirksame Glykosid des Enzian – Gentiopikrin – ist ein Glykosid von Flavoncharakter –, des Andorn, des Beifuß bis zu den Säuren des Isländischen Mooses.

Der größte Teil der wichtigsten Bitterstoffdrogen gehört zur Gruppe der Glykoside (Enzian, Tausendgüldenkraut, Bitterklee, Kardobenediktenkraut, Wermut). Das Aglukon ist also an eine Traubenzuckerart gebunden und wird erst durch enzymatische Spaltung frei. Als Beispiel diene hier die Spaltung des wirksamen Bitterstoffes der Enzianwurzel: Gentiopikrin, das unter fermentativem Einfluß in Glukose und Gentiogenin zerfällt (Der Nichtzuckeranteil des Glykosids wird als Aglykon oder Genin bezeichnet.):

$$C_{16}H_{20}O_9 + H_2O = C_{10}H_{10}O_4 + C_6H_{12}O_6$$

Alle bitter schmeckenden Substanzen rufen eine vermehrte Speichelabsonderung hervor. Es ist jedoch falsch, daraus zu schließen, daß in analoger Weise auch die Magendrüsen durch Bitterstoffe aktiviert würden. Vielmehr geschieht die Reizung der Magensaftdrüsen reflektorisch über die Speicheldrüsen. Wissenschaftliche Versuche erhärten diese Tatsache, die für die Einnahme von Bitterstoffdrogen von außerordentlicher Wichtigkeit ist.

Wir unterscheiden bekanntlich im vegetativen Nervensystem den sympathischen und den parasympathischen Anteil, kurz Sympathikus und Parasympathikus genannt. Diese beiden Anteile verhalten sich wie zwei Zügel, von denen der eine hemmt, der andere fördert. Der Parasympathikus läuft von dem autonomen Zentrum im Hirn über das Rückenmark und tritt von dort zu den Eingeweiden, den Drüsen, zur glatten Muskulatur usw. Der bedeutendste Teil des parasympathischen Anteiles des vegetativen Nervensystems ist der Nervus vagus (der umherschweifende Nerv). Man bezeichnet daher auch den Parasympathikus nicht ganz richtig überhaupt als Vagus. Er versorgt u. a. Kehlkopf, Speiseröhre, Magen, Darm, Herz, Lungen, Nieren, Leber, Milz und Gefäße.

Der Nervus sympathikus stellt ein weitverzweigtes Geflecht dar, das aus dem Rückenmark austritt und in den gleichen Organen endet. Bleiben wir bei dem Vergleich mit den beiden Zügeln. Sie gleichen gegenseitig aus (Antagonismus), stellen also ein harmonisches Gleichgewicht (Ruhetonuslage) her.

Übergewicht eines dieser Zügel kann entweder zu Sympathikotonus oder zu Vagotonus führen. Dies tritt z. B. bei der Speichelsekretion deutlich zutage. Experimentelle Reizung des Parasympathikus führt zur Abgabe großer Mengen dünnflüssigen, Reizung des Sympathikus dagegen zur Abgabe kleiner Mengen dickflüssigen Speichels.

Nun sind allerdings die Angriffsflächen der beiden Nervenanteile nicht überall gleichmäßig verteilt; also nicht überall kann man mit dem (grob gesprochen) Anziehen eines Zügels gleichmäßige Reflexe ausüben. So bewirkt der Nervus vagus eine Hemmung der Herzaktion, gleichzeitig aber eine Steigerung der Darmperistaltik, während der Nervus sympathikus die Herztätigkeit fördert und die Darmtätigkeit hemmt.

Im allgemeinen kann man sagen: Dort, wo der Parasympathikus fördert, hemmt der Sympathikus und umgekehrt.

Diese Tatsachen sind für den Kräuterfachmann von außerordentlicher Wichtigkeit, denn erst ihre Kenntnis versetzt ihn in die Lage, Heilkräuter richtig einzusetzen, um sie voll zur Wirkung kommen zu lassen.

Kehren wir zu den Bittermitteln zurück, so haben wir hierfür ein lehrreiches Beispiel. Im vorangegangenen wurde betont, daß Bitterstoffe eine vermehrte Speichelabsonderung hervorrufen. Diese Speichelvermehrung geschieht nur auf ausgesprochen reflektorischem Wege, am wenigsten aber direkt, denn die Wirkung der Bitterstoffdrogen ist zum allergrößten Teil eine solche über den Sympathikus. Da nun die Magensaftsekretion nur durch parasympathisch reizende Mittel gesteigert wird, können Bitterstoffdrogen in den wenigsten Fällen direkt auf den Magen einwirken. Sie müssen also reflektorisch über den sensoriellen Weg reizen und dadurch die Magensaftvermehrung bewirken. Man nimmt daher an, daß die Reizung, über eine Anregung der Herztätigkeit hinweg, die Zirkulation in den Abdominalorganen (Bauchorgane) verbessert und auch auf gleichem Wege die Magensaftsekretion fördert (Durchblutungsverbesserung der Magen- und Darmschleimhäute). Hieraus ergibt sich eine bedeutsame Einschränkung in der Anwendung: Bitterstoffmittel sollten niemals ohne Umgehung der Mundverdauung, also nie durch Hinunterschlucken von Kapseln, Dragees, Tabletten eingenommen werden, weil sie sonst auf die Magensaftsekretion, die parasympathisch reagiert, nicht wirksam sind. Erst durch die Berührung mit der Mundschleimhaut, die bekanntlich sowohl sympathisch als auch parasympathisch reagiert, wird die Quantität des Magensaftes gesteigert und sein Inhalt an freier Salzsäure sowie die Gesamtazitität gehoben.

Als weiterer wichtiger Punkt gilt der Zeitpunkt der Einnahme. Zum Zwecke einer Steigerung der Tätigkeit der Verdauungsdrüsen nimmt man Amara (Bitterstoffe) ¼ bis ½ Stunde vor den Mahlzeiten. Die lebhafte Drüsentätigkeit wird hauptsächlich bei leerem Magen erzeugt. Zusammen mit der Nahrung gegeben, ist die Anregung auf jeden Fall weniger stark. Dies erwies sich in Experimenten deutlich bei der Aushebering des Magensaftes, der bei vorheriger Einnahme eine stärker verdauende Kraft aufwies. Bei vorheriger Einnahme tritt also eine raschere Magenentleerung und damit eine raschere Verdauung ein. Bei der Einnahme nach der Mahlzeit wurde dagegen eine deutliche Verzögerung der Magenentleerung erzielt. Man wird sich also diese letztere Tatsache zunutze machen, wenn man eine Einschränkung der Saftsekretion wünscht.

Von besonderer Beachtung ist, daß im Falle vorliegender Hyperazidität, also bei einem Zuviel an Magensäure, Bittermittel nicht gegeben werden sollten. In diesem Falle können sie sogar schädlich wirken. Dies geht aus Vorausgesagtem klar hervor. (Steigerung des Gehaltes an freier Salzsäure.)

Nicht zuletzt sei in diesem Zusammenhang noch auf die bekannte Arndt-Schultzsche Regel hingewiesen, die auch hier ihre Gültigkeit besitzt.

Kleinere Mengen von Bitterstoffen wirken begünstigend auf die Magenentleerung, während größere eher einen hemmenden Einfluß bewirken können.

Die Tatsache, daß Bitterstoffwirkungen den Sympathikotonus des Darmes zu erhöhen vermögen, wirkt sich dergestalt aus, daß der Spannungszustand des Darmes gemindert und die Peristaltik gedämpft wird. Bei bestehenden Spasmen (Krampfzuständen) können sich also krampflösende Einflüsse unter der Wirkung der Bitterstoffe bedeutend leichter durchsetzen.

Kehren wir zu unseren eingangs gemachten Ausführungen zurück und beleuchten wir nun einmal vom wissenschaftlichen Standpunkt aus gesehen die Tatsache, daß gerade die uns auch heute noch als ausgesprochene Bitterstoffdrogen angesehenen Heilpflanzen Grundlage jener seit alters her bereiteten „Lebenselixiere" waren.

Wissenschaftlich einwandfrei festgestellt ist, daß alle Bitterstoffverbindungen sich durch eine direkte Anregung des Nervus Sympathikus auszeichnen. Über den Sympathikus beschleunigen sie die Herztätigkeit, führen damit zu einer Anregung des Blutkreislaufes, also zu einer kräftigeren Durchblutung der Häute und Schleimhäute. Mit einer Anregung der Herztätigkeit und des Blutkreislaufes geht also auf reflektorischem Wege über die Schleimhäute eine Erhöhung der Sekretion und eine Kräftigung des Verdauungsapparates einher. Durch das Eingreifen in den Zirkulationsmechanismus vermögen Bitterstoffverbindungen einen energischeren Rückstrom des venösen Blutes zum Herzen auszulösen. Wir sehen also vor uns das Bild einer deutlichen Erhöhung des Stoffwechselprozesses auf reflektorischem Wege. Die Einzelvorgänge, die hierbei in einer Vielzahl ausgelöst werden, sind im Rahmen dieser Ausführungen unmöglich aufzuzählen. Wie stark sie sich auswirken, ersehen wir jedoch am besten in der außerordentlichen Vermehrung des Speichelflusses sämtlicher Speicheldrüsen und der Anregung der Magendrüsentätigkeit. Selbst die Dünndarmdrüsen nehmen an dieser allgemeinen Steigerung teil. Indirekt wird hierbei auch der Stoffwechsel der Leber, der Bauchspeicheldrüse usw. mit beeinflußt.

Die gleichzeitige beruhigende und entspannende Direktwirkung über den Parasympathikus (hemmend) macht die Heilpflanzen mit Bitterstoffwirkung also zu idealen Reglern der gesamten Verdauungsfunktion, die bei den verschiedensten Krankheitszuständen Verwendung finden können. Bei allgemeinen Erschöpfungszuständen und bei sogenannten Alterserscheinungen (die mit dem Alter an Jahren oft nichts zu tun haben) sind sie ideale Kräftigungsmittel. Dieses Kräftigungsgefühl tritt oft ziemlich rasch ein. Bei Ohnmachten und plötzlichen Schwächezuständen leisten sie Bedeutendes. Hier ist es die Wirkung auf die Eingeweidegefäße, die daraufhin erfolgende Beschleunigung des Rückflusses des venösen Blutes zum Herzen und die dadurch ausgelöste Anregung der Herztätigkeit. Bei Heilkräutern wie der Schafgarbe z. B. tritt das so zutage, daß sie als ausgesprochenes Mittel gegen Angina pectoris Anwendung findet (Dr.

Flamm und seine Schule). Schafgarbe ist in vieler Hinsicht eine klassische Vertreterin der Gruppe der Bitterstoffdrogen. Allerdings ist es bei ihr ein stickstoffhaltiger Bitterstoff, den man zu den Alkaloiden zählen muß, während Bitterstoffe im allgemeinen aus C, H und O bestehende Verbindungen darstellen.

Interessant ist nun die Tatsache, daß durch die regelmäßige Einnahme kleiner Mengen von Bitterstoffdrogen (Tausendgüldenkraut, Enzian) eine deutliche Vermehrung nicht nur der Leukozyten, sondern vor allem auch der Erythrozyten, also der roten Blutkörperchen eintritt. Wie ist dies zu erklären?

Rote Blutkörperchen werden bekanntlich im roten Knochenmark gebildet. Diese Bildung ist wesentlich von einem Stoff abhängig, der im Magen abgesondert wird. Der Vorgang hierbei ist ungefähr folgender: für die normale Entwicklung der roten Blutkörperchen ist ein auf das rote Mark einwirkender Reifungsstoff nötig. Ohne diesen Stoff bleibt die Blutkörperchenbildung auf der embryonalen Stufe (im Knochenmark, in Milz und Leber) stehen. Erst das Vorhandensein des Stoffes „Anahämin" bewirkt die Ausreifung im roten Knochenmark. Dieses Anahämin besteht aus einem thermostabilen Stoff von Vitamincharakter, dem Haemogen, das dem Vitamin-B-Komplex angehört, und einem thermolabilen, fermentartigen Stoff, der von der Magenschleimhaut gebildet wird, der Haemogenase. Die Speicherung des Stoffes Anahämin geschieht in der Leber.

Bei einer intensiven Anregung des Verdauungsprozesses, wie dies durch Bitterstoffe geschieht, kann nun sehr wohl die Absonderung des Stoffes Haemogenase gefördert und dadurch die Bildung der Erythrozyten vermehrt werden, wenn auch dieser Vorgang im einzelnen noch nicht geklärt ist.

Die Tatsache, *daß* es geschieht, macht die Bitterstoffe zu ausgesprochenen Kräftigungsmitteln im Sinne eines echten Roburans.

Somit hatten die Alten recht, wenn sie ihrem Elixier ad longam vitam einen weit über die Bedeutung eines Magenmittels hinausragenden Rahmen gaben.

# 8 Blausäure – Glykosid – Drogen

## 8.1 Schlehdorn, Holunder, Leinsamen

> Was ist das Schwerste von allem?
> Was dir das Leichteste dünkt. –
> Mit den Augen zu seh'n,
> Was vor den Augen dir liegt.
>
> Goethe – „Xenien"

Wenn der warme Frühlingshauch den letzten Schnee von den Feldern fegt, überschüttet als erster der **Schlehdorn,** der überall, am Feldrain, am Waldesrand, an Hecken und Zäunen sowie an sonnigen Fels- und Schutthängen wächst, seine Äste und Zweige mit einer Fülle von weißem Blütenschnee. Wer eine gute Nase hat, spürt den feinen Duft wie nach Honig und Bittermandel. Die Bienen wissen es, denn sie sind die ersten, die davon Nutzen ziehen.

*Schlehdorn*
*Prunus Spinosa*

Für den aufmerksamen Beobachter der Natur ist der Schlehdorn ein interessanter Geselle. Schwarzdorn, Dornschlehe, Heckdorn oder überhaupt nur Dorn nennt man ihn im Volksmund. Die *Dornen* sind es, die ihm sein eigentliches Gepräge geben und ihn für die Natur so wertvoll machen. So ist denn auch seine botanische Bezeichnung **Prunus Spinosa.** „Prunia" bedeutet Duft und „Spinosa" Dorn.
Die Dornen sind es und seine festen, knorrigen Zweige, die so ineinander verästelt sind, daß sie auch bei stärkstem Sturm und Schneetreiben, wenn andere Bäume und Sträucher unter der Gewalt ächzen und sich beugen, wie ein Hort des Friedens in der Landschaft stehen. Im Winter krönt sie eine Schneehaube, die mit ihrer Wärme und Dichte unseren gefiederten Freunden Schutz und Geborgenheit bietet, bis es wieder Frühling wird.

Und die sie dann erst recht schützt mit ihren langspitzigen Dornen und ihren verästelten Zweigen, damit sie ihre junge Brut ungestört aufziehen können, ohne von Raubwild wie Iltis, Wiesel, Marder oder auch von Katzen belästigt zu werden.

So sind denn Grasmücken, Drosseln, Zaunkönig und Lerchen, unsere kleine, gefiederte Welt, und der Dornschleh eine naturgegebene Gemeinschaft, die zu betrachten uns nachdenklich stimmen sollte. Sie werden fragen: Was hat dies alles mit Heilpflanzen zu tun?

Man muß eine Pflanze im Ablauf eines ganzen Jahres und dann immer wieder und wieder beobachten, um ihre Wesenheit begreifen zu können.

Man muß wissen, daß ihre Aussage so ganz anderer Art ist als die eines Menschen. Ihre Mitteilungsfähigkeit ist nur scheinbar der unsrigen diametral.

Wir *sprechen* und verständigen uns durch die uns Menschen gegebene Sprache. Die Natur spricht schweigend und wir vernehmen nur noch in begnadeten Augenblicken den „Donner der Stille" – wie es LAO-Tse nannte –, das immerwährende Wesen, die unendlich beglückende Ruhe der uns umgebenden Natur, die ihre eigene Sprache spricht. Alle Dinge beginnen zu reden, wenn man sein eigenes Ich zum Schweigen bringt. Nicht nur alle Dinge um uns, sondern auch unser eigenes Wesen tönt plötzlich mit nie gehörter Kraft. In dieser Melodie des Natürlichen in uns begreifen wir erst, was wir gewinnen, wenn wir zurückfinden zum Ursprung, zu dem wir gehören und aus dem wir wurden.

PARACELSUS sagte einmal: „Die Natur zeichnet ein jeglich Ding, so von ihr ausgeht, zu dem es gut ist. Darum, wenn man erfahren will, was die Natur gezeichnet hat, so soll man's an den Zeichen erkennen, was Tugend in selbiger ist."

Beim Schlehdorn spüren wir es deutlich: so, wie er den Kleinen und Kleinsten, eben den Vögeln, Schutz und Wärme bietet, so sind seine Blüten in ihrer Heilwirkung gerade für Kinder und Frauen so wertvoll.

Sie sind es, trotzdem sie zu den **Blausäure-Glykosid-Drogen** zählen. Der minimale Gehalt an Nitrilglykosid wirkt hier in keiner Weise schädlich.

Für den Schlehdorn in seiner natürlichen Umgebung ist er sicher sehr notwendig, denn dieser Hauch an dem, was wir Cyanwasserstoff nennen, bewirkt die Vernichtung von Kleinstbakterien, die vielleicht dem Strauch, auf jeden Fall aber der Vogelwelt schädlich werden könnten.

Ich möchte bei dieser Gelegenheit noch eine andere Parallele ziehen: PRUNUS SPINOSA stammt aus der Familie der Rosenblütler, der Rosaceen. Auch der Spierstrauch, ebenfalls eine Nitril-Glykosid-Pflanze, auf die ich später noch zu sprechen komme, ist eine Rosaceenart. Von der Rose geht der Spruch: „Wer Rosen liebt, lebt länger." Es bedeutet dies, daß ein Rosenzüchter in geheimnisvoller Weise von seinen Rosen derart beeinflußt wird, daß sie ihm Jahre an Leben schenken. Dieser Aberglaube hat nun tatsächlich einen realen Hintergrund, denn, wie Dr. K. JEREMIAS, Stuttgart, feststellte, senden die Rosensträucher winzige, schwebende Teilchen aus, die schädliche Mikroben in der Luft vernichten. Daß es sich hierbei um ähnliche, wenn nicht sogar gleiche Stoffe handelt wie unsere Nitrilglykoside, darf angenommen werden.

Blausäure (Cyanwasserstoff) zählt zu den am raschesten tödlich wirkenden Giften. 60–70 mg HCN gelten für absolut tödlich. Beim Einatmen blausäurehaltiger Luft sind 0,3 mg/l Luft die letale Dosis. HCN greift im physiologischen Geschehen vornehmlich am Eisen der Zellsubstanz an. Dadurch werden die Oxidationsfermente aller Zellen irreversibel gelähmt, d. h., sie können den im Blutfarbstoff vorhandenen Sauerstoff nicht mehr für Oxydationsvorgänge nutzbar machen. In erster Linie sind davon die Nervenzellen und das Atmungszentrum betroffen. Hier gibt es auch keine Gewöhnung, wie z. B. beim Arsenik , und damit eben wird Blausäure zu jenem gefährlichen Gift, bei dessen Verwendung man – es wird in der Technik und als Desinfektionsmittel verwendet – gar nicht vorsichtig genug sein kann. Bei Blausäurevergiftungen werden nacheinander intravenöse Natriumnitrit- und Natriumthiosulfatspritzen empfohlen.

Das Natriumnitrit bildet Methämoglobin, welches Cyanid durch Bildung von Cyan-Methämoglobin aus dem Gewebe entfernt. Das Thiosulfat verwandelt den Rest von Cyanid in unschädliches Rhodanid (in Gegenwart des Fermentes Rhodanase). Mit diesem Verfahren kann man die 20fache tödliche Cyaniddosis entgiften, selbst wenn die Atmung bereits ausgesetzt hat.

Es dürfte gut sein, diese Tatsachen zu wissen, aber sie bringen uns auf die Frage zurück: Was ist eigentlich Blausäure? Und wieso kommt sie in der Natur vor?

Ein Stralsunder Apotheker, Carl Wilhelm SCHEELE, war es, der im 18. Jahrhundert der Chemie außerordentliche Impulse gab. Ein rastloser Forscher, ein Mensch, der von der Wissenschaft besessen war, entdeckte er in den vierundvierzig Erdenjahren seines Daseins (1742–1786) nicht nur, unabhängig von PRIESTLEY, den Sauerstoff, sondern auch das Chlor, Glycerin, die Milchsäure, Weinsäure, Apfelsäure, Zitronensäure, Harnsäure, Gallus-, Wolfram- und Molybdänsäure, den Phosphorgehalt der Knochen und die Lichtempfindlichkeit des Silberchlorides und 1782 auch die Blausäure.

Wir müssen uns immer darüber im klaren sein, daß das, was wir unter dem Begriff Chemie verstehen, nicht von Menschen erfunden, sondern nur von ihnen entdeckt wurde. In der Natur waren und sind diese Vorgänge seit Urzeiten Dreh- und Angelpunkt des Weltengeschehens. *Was* wir entdeckten und immer noch entdecken, ist dem menschlichen Genie und Forschergeist zu danken, die jene Zusammenhänge aufzeigen, die uns die Natur vorgemacht hat.

So ist die Blausäure ein Nitril der Ameisensäure, eben jener Ameisensäure, die uns aus der Pflanzen- und Tierwelt bekannt ist, und damit wird uns dieser Stoff schon wesentlich vertrauter. Hier entsteht also aus einer organischen Säure von verhältnismäßiger Ungiftigkeit plötzlich, durch Hinzufügen des Atomes Stickstoff-Nitrogenium, eine solche von eminenter Giftigkeit.

Ameisensäure ist eine organische Säure von besonders starker Desinfektionskraft von der Formel: HCOOH (H-C-O-H). Sie enthält 3,5- bis 4mal mehr Wasserstoffionen als Essigsäure ($CH_3$-COOH).

Ameisensäure finden wir in den Stechapparaten der Ameisen und Bienen, in den Brennhaaren der Prozessionsraupen, in den Nesseln der Nesseltiere und in so vielen Pflanzen, daß es schwerfällt, sie alle aufzuzählen. Ich nenne nur: Arnikawurzel, Baldrianwurzel, Brennessel, Bitterklee, Efeublätter, Dachwurz, Hauhechel, Leinkraut, Meisterwurz, Schöllkraut, Sonnentau, Tannennadeln, Wacholder – um nur einige Beispiele anzuführen. Während die Ameisensäure in den Stacheln und Nesseln der Tiere der Abwehr dient, hat sie in der Pflanze ausgesprochen konservierende und desinfizierende Aufgaben. Es sei an dieser Stelle noch vermerkt, daß es in den Brennhaaren der Brennessel *nicht* die Ameisensäure ist, die hautreizend wirkt, sondern eine nicht flüchtige, ungesättigte stickstofffreie Verbindung, die nach ihrer Eigenschaft den Harzsäuren nahesteht. Brennesselgift ist weder Ameisensäure noch ein Enzym noch ein Toxalbumin, sondern ein Stoff, ähnlich dem der hautreizenden Primeln, des Giftsumachs usw. (F. FLURY 1927).

Amygdalin, Laurocerasin, Durrhin, Lotusin, Vicianin, eben jene Nitrilglykoside der Pflanzen, finden wir nicht nur in den Kernen der bitteren Mandeln. Wir finden sie ebenso in den Kernen der Prunusarten, wie Aprikosen, Kirschen, Pfirsichen, in Kirschlorbeerblättern, aber auch in einer ganzen Reihe bekannter Heilpflanzen wie Schlehdornblüten, Holunder, Ulmspierblüten, Schafgarbe, Leinkraut, Leinsamen, Löwenzahn, Weißdorn, Attich, Bitterklee und auch in der Faulbaumrinde.

Amygdalin hat die Bruttoformel: $C_{20}H_{27}NO_{11} \cdot 3\,H_2O$. Es wird zerlegt in: Traubenzucker–Benzaldehyd–Blausäure.

Benzaldehyd ($C_6H_5$–CHO) ist bekannt als künstliches Bittermandelöl, enthält also *kein* Stickstoffatom, ist daher auch nicht giftig. Die Umwandlungsformel zeigt dies deutlich:

$$C_6H_5 - \overset{\text{H}}{\underset{\text{CN}}{C}} - O \cdot C_{12}H_{21}O_{10} \rightarrow \quad \overset{2H_2O}{2C_6H_{12}O_6} +$$

Traubenzucker

$$+ \; C_6H_5 - CHO + HCN$$

Benzaldehyd   Blausäure

Bei der Betrachtung der angeführten Heilpflanzen mit Blausäuregehalt sehen wir, daß die Natur nicht danach fragt, was *wir* von jenen Wirkstoffen annehmen, sondern ihre eigene Chemie entwickelt, die sie für zweckmäßig hält. Schlehdornblüten zählen zu den harmlosesten Abführmitteln, besonders für Frauen und Kinder. Holunder gilt seit je als die Volksapotheke – einmal wegen seiner vielseitigen Heilwirkungen, zum anderen wegen seiner Unschädlichkeit auch bei längerer Anwendung. Blüten und Beeren stellen außerdem noch als Nahrungsmittel die Grundlage beliebter

Küchenrezepte: Hollerküchle, Hollersuppe und Hollermus, das zudem noch als besonders magenfreundlich bekannt ist. Ebenso ist es mit allen anderen genannten Heilpflanzen. Das beste Beispiel der Unschädlichkeit jener in den Heilpflanzen vorhandenen Blausäureglykoside aber ist wohl mit Recht der Leinsamen. Wäre er giftig, wären Generationen vor uns schon den Gifttod gestorben, denn seit Urzeiten ist er Nahrungs- und Heilmittel der Menschheit und er liefert uns im Leinen auch noch das Gespinst für Kleidung und Hausrat. Ich erwähne dies nur, weil sogar Fachleute mitunter vor der Anwendung von Leinsamen warnen. Diese möchte ich mit den nachfolgenden Ausführungen von der völligen Unschädlichkeit überzeugen.

Linamarin, das Blausäureglykosid des Leinsamens, bezeichnet man als Acetoncyanhydringlykosid. Es spaltet sich in Dextrose, einen Acetonkörper und Blausäure. Diese Spaltung des Linamarins geschieht durch ein glykosidspaltendes Enzym. Dieses Enzym wird durch Behandlung mit heißem Wasser zerstört, so daß alsdann keine Blausäure mehr frei gemacht werden kann. Viel wichtiger aber ist die Tatsache, daß schon Spuren von Säuren die Entwicklung von Blausäure verhindern. So wird Linamarin schon vom Mundspeichel bzw. dessen wichtigstem Desinfektionsstoff Rhodanwasserstoffsäure unschädlich gemacht. Auch Rhodanwasserstoffsäure ist eine Blausäureverbindung (HSCN), bei der durch die Aufnahme eines Schwefel-Atoms die giftige Blausäurewirkung neutralisiert wurde. So ist besagte Blausäure in umgewandelter Form sogar ein wichtiger Bestandteil des menschlichen Körpers – nicht nur im Mundspeichel.

Bei bitteren Mandeln, Aprikosen- und Pfirsichkernen allerdings müssen wir schon die nötige Vorsicht walten lassen, aber das ist ja schon jeder Hausfrau bekannt. Bittermandelöl (natürliches, im Gegensatz zu dem künstlichen, das ich vorher erwähnte) wird vorwiegend aus Aprikosenkernen durch Wasserdampfdestillation gewonnen. Es besteht aus 70–85% Benzaldehyd, etwas Benzaldehydcyanhydrin, 1,4–4% Blausäure und Begleitstoffen, ist also sehr giftig!

Die Wichtigkeit jener Spuren von Blausäure in den Pflanzen erkennen wir an den schon erwähnten Eigenschaften, die wir Menschen uns ja auch auf den verschiedensten Gebieten der Schädlingsbekämpfung zunutze machen. Sie hat ausgesprochen bodenbiologische Aufgaben und konserviert so z. B. auch die Früchte und deren Samen, um sie so für ihre Aufgaben – der Fortpflanzung – zu erhalten. Die bakteriziden Eigenschaften jenes Wirkstoffes vollziehen sich nicht nur in den Blättern, Blüten und Wurzeln, sondern übertragen sich auch auf deren Umgebung, wie wir an dem Rosenbeispiel deutlich ersehen.

Damit fügen sich die Nitrilglykoside eindeutig in jene Reihe von Stoffen, die schon Prof. Dr. A. I. VIRTANEN, Helsinki, und vor allem Prof. Dr. H. WINTER, Köln, aus Roggenpflanzen, Winterweizen und Mais, aus der Möhre, aus Kartoffelblättern, aus Rotklee und Weißklee, vor allem aber aus den Allium-Arten wie Knoblauch, Zwiebel, den Kreuzblütlern, der

Kresse und vielen anderen Pflanzen isolierte und als Schutzstoffe für diese Pflanzen bezeichnete. Ich gehe sogar noch weiter, denn wenn man es erst einmal gelernt hat, die Natur als Ganzes zu betrachten, fällt einem so vieles auf, an dem man sonst achtlos vorübergeht. Alle Pflanzengemeinschaften sind schicksalhaft miteinander verbunden. So wissen wir vom wilden Stiefmütterchen, vom Sauerampfer, von der Kamille und von noch vielen anderen Ackerbewohnern, die man sonst als Unkraut bezeichnet, daß sie eine bedeutende bodenbiologische Aufgabe zu erfüllen haben. Sie vernichten gewisse Bodentoxine und arbeiten durch ihre Ausscheidungsstoffe der Bodenmüdigkeit entgegen, sie können das Wachstum der Gesellschaftspflanzen fördern oder hemmen. Man stellte z. B. fest, daß ein kurzes Bad von Pflanzen in Kamillen das Wachstum fördert, während die Herbstzeitlose mit ihren Bodenwirkstoffen das Gegenteil bewirkt.

Wir Menschen sind nicht allein auf der Welt, sondern nur Teil einer Schicksalsgemeinschaft, der wir auf Gedeih oder Verderb angehören und der wir uns nicht entziehen können. Nur sind wir leider aus unserer Überheblichkeit heraus manchmal geneigt, dies zu vergessen.

Nun aber zu den bekanntesten Blausäureglykosid-Drogen im einzelnen:

## SCHLEHDORN – Prunus Spinosa

Daß der Schlehdorn mit zu den ältesten vom Menschen als Nahrung benutzten Pflanzen zählt, beweisen Funde aus neolithischen Pfahlbauten der Jungsteinzeit (5000–4000 J. v. Chr.). Auch wir verwenden die Früchte, wenn sie die ersten Nachtfröste hinter sich haben, noch gelegentlich zur Bereitung von Schlehenmus. Der frische Saft dient vor allem als Gurgelmittel bei Mund-, Hals- und Zahnfleischgeschwüren. Man soll das Mus der Schlehenfrüchte vor allem Kindern geben, die unter Stuhlverstopfung leiden.

Viel interessanter sind für uns als Heilpflanzen jedoch die Schlehdornblüten.

Schlehdornblüten enthalten, wie bereits erwähnt, Spuren eines Nitrilglykosides, ferner etwas Ammoniak, ein Amin sowie Spuren von Quercitin. Sie sind besonders als sehr mild wirkendes Abführmittel, vor allem für Frauen und Kinder, bekannt. Nach Pfarrer KNEIPP sind sie das harmloseste, dabei aber zuverlässige Abführmittel, das auch als reinigendes und stärkendes Magenmittel gute Dienste tut. Die chronische Form der Verstopfung, bei der im Wechsel Stuhlverhaltung und schmerzhafte Durchfälle auftreten, erfordert Mitverwendung von Schlehdornblüten; sie wirken krampflösend und schmerzstillend. Schlehenblüten und -blätter werden außerdem noch bei katarrhalischen Veränderungen der Harnwege mit krampfartigen und schmerzhaften Erscheinungen empfohlen. In diesem Zusammenhang sei erwähnt, daß die schwach narkotisierende Wirkung in diesen Fällen einwandfrei dem Blausäureglukosid zuzuschreiben ist. Man nimmt zur Teebereitung einen Eßlöffel Blüten für eine Tasse Tee (aufbrühen) und trinkt morgens und abends je 1 Tasse voll.

Die Homöopathie stellt aus den frischen, eben aufgeblühten Blüten eine Essenz her, die gegen Kopfschmerzen, Blähungskolik, bei Herzerweiterung, gegen Dysmenorrhoe mit profusem Fluß, bei Harndrang, brennenden Schmerzen in der Blase und Harnröhre und auch bei Weißfluß Anwendung findet.

**HOLUNDER – Sambucus nigra** ist schon seit dem Altertum als Heilmittel bekannt. THEOPHRAST, der Schüler des ARISTOTELES, charakterisierte diese Heilpflanze als das Mittel der Hippokratiker des 5. u. 4. Jahrhunderts vor Christi. Dort galt Holunder als abführend, wassertreibend und vor allem als Gynaekologikum. Die gleichen Eigenschaften werden ihm später von DIOSKORIDES und PLINIUS nachgerühmt.

Verwendet werden vom Holunder Beeren, Blüten, Blätter, Rinde, Mark und Wurzel. HÖFLER sagte von ihm, er sei die lebendige Hausapotheke des Einödbauern, denn – Holler hatte ein jeder vor seinem Haus. Wer hat nicht schon in lauer Sommernacht den berauschenden Duft der Hollerblüten eingeatmet. Wohl kaum einer ahnt, daß dieses Aroma einmal natürlich den ätherischen Ölen, zum anderen aber auch jenem Nitrilglykosid zuzuschreiben ist, das – eben nach bitteren Mandeln riecht. Auch hier ist jene Spur von Blausäure völlig unschädlich, trägt aber wesentlich zur Gesamtwirkung bei.

Holunder (schwarzer)
Sambucus nigra

Es würde ein Buch füllen, wollte man der seit alters her geübten Verwendung des Hollers gerecht werden. Wohl nur wenige Heilkräuter sind mit dem Volksglauben und mit der Volksmedizin so verbunden wie der Holunder. Sein Name hat zwar den Gleichklang wie der jener Frau, die man als Beschützerin von Haus und Hof in ältesten Zeiten verehrte – der Frau Holle. Er stammt jedoch aus dem Althochdeutschen. Holan-tar bedeutet hohler Baum, weil das dicke und leichte Mark aus den Zweigen mit der Zeit eintrocknet und die Zweige sich dann leicht aushöhlen lassen. Der

Name der Frau Holle bedeutet ja „die Holde" – im Gegensatz zu den Unholden, die des Nachts im Sturme über die Dächer brausten. Vielleicht hat man unbewußt wegen der Namensähnlichkeit den Baum und die Holde Frau so identifiziert, daß man den Baum zu ihrer Heimstatt machte. Er war ja eben kein Busch wie jeder andere, nicht nur bei uns. Er war der Vertraute des Menschen, der Wohnsitz der Hollermutter, die in der Dämmerung durch die Fenster schaute, um nachzusehen, ob alles in Ordnung ist, ebenso, wie er bei den Letten der Wohnsitz des Gottes Puschkait war, der unter dem Baume hauste und dem man Brot und Bier hinstellte. Bei den Polen war es der König der Zwerge, Pikulik, der mit seinem ganzen Zwergenvolk unter dem Hollerbaum seine Heimstatt hatte.

Wir sehen – überall wurde der Holler verehrt. Keiner durfte es wagen, den heiligen Baum umzuhauen oder auch nur zu stutzen, denn er brachte Heim und Hof Segen und Frieden. In seinem Schatten konnte man in der Sommernacht ausrasten, ohne von giftigem Gewürm oder Insekten geplagt zu sein. Diese alte Überlieferung beruhte auf Erfahrung, wie ja all diese alten Mären einen tieferen Grund haben. Jener so bakterizid wirkende Stoff, dessen Fluidum der Baum ausströmt (Nitrilglykosid), sorgt für das Fernbleiben des Ungeziefers. Es findet sich ja im ganzen Baum und nicht nur in den Blüten. So rieb man in früheren Zeiten die Möbel mit Hollerblättern ab, um sie gegen Wurmfraß zu schützen.

Sagen, Volksglaube und uralte Überlieferung haben einen tiefen Sinn. Ich habe nur in kurzen Beispielen darauf hingewiesen, um aufzuzeigen, wie man Heilpflanzen deuten muß, um ihre Bedeutung zu erkennen.

Beim Holler finden wir davon so viel, daß es schwerfällt, nicht noch mehr zu erzählen. Beim Holler finden wir auch eine Signatura, die er mit dem Volksglauben um den Faulbaum gemeinsam hat. Man müsse, so sagte man, bei der Verwendung von Hollerrinde, sie von oben nach unten, also vom Mund zum Pförtner, vom Baume abschälen, wenn sie abführen soll. Beim umgekehrten Vorgehen, also vom Magen zum Mund, werde sie zum Brechmittel. Tatsächlich besitzt Hollerrinde beide Eigenschaften. Durchfall und Erbrechen sind ja, ebenso wie Stuhlverstopfung, nur verschiedene Auswirkungen eines Krankheitszustandes. Die Pflanze denkt aber nicht in von den Menschen erfundenen Krankheitsbezeichnungen, sondern nur im Ganzheitsbegriff. Wir wissen ja auch, daß z. B. bei einer krampfartigen Kontraktion (Spastische Obstipation) am Darm Mittel, die wir gewöhnlich als Obstipantia bezeichnen, geradezu als Abführmittel wirken, und zwar dadurch, daß sie die spastischen Kontraktionen lockern und damit den Darm aus einem Übererregungszustand herausbringen. Wir als Naturheilkundige wissen noch mehr, nämlich, daß es vor allem die Disharmonie im menschlichen Geschehen ist, die zu Krankheitszuständen führt, und daß es gilt, diese wieder zur Harmonie zurückzuführen, um eine tiefgreifende Gesundung herbeizuführen. Hierin fühlen wir uns mit dem Denken der Pflanze einig.

**HOLUNDERBLÜTEN** sind uns in erster Linie, meist in Verbindung mit Lindenblüten, als schweißtreibendes Mittel bekannt. Hier tun sie besser als jedes andere Mittel ihre Wirkung und sollten daher in Grippezeiten und bei Erkältungen in keinem Haushalt fehlen. Blätter und Blüten sind außerdem bei Wassersucht, Nieren- und Blasenleiden, Steinleiden, Rheumatismus, Gicht, Stuhlverstopfung und bei Erkrankungen der Atmungsorgane im Gebrauch. Als Antidyskratikum, vor allem bei chronischen Hautausschlägen, sollen sie sehr gute Dienste tun. Äußerlich aufgelegt werden frische Blätter bei Entzündungen und Geschwüren. Ebenso nimmt man frische Blätter und Blüten äußerlich als Emmolliens sowie für Gurgelwasser bei Mund- und Zahnfleischerkrankungen.

H. EPSTEIN prüfte ein altes Bauernrezept nach und kam dabei zu der Überzeugung, daß man mit dem frisch ausgepreßten Saft der Holunderbeeren eine genuine Neuralgie für dauernd heilen könne. Die in den Beeren festgestellten Inhaltsstoffe bestätigen dies.

Die Steigerung der Stoffwechseltätigkeit der Haut durch einen Tee aus Holunder- und Lindenblüten ist eine volkstümlich feststehende Tatsache. Sie hat aber ihre Ursache nicht nur im „heißen Wasser", wie Gegner der Phytotherapie behaupten. Wir unterscheiden bekanntlich die Perspiration (Hautatmung) und die Transpiration (Schweißausbruch). Zwischen beiden steht die Perspiratio insensibilis, die unmerkliche Ausscheidung von Flüssigkeit und Abfallstoffen durch die Haut. Insgesamt faßt man diese Äußerungen der Hauttätigkeit unter dem Begriff Diaphorese zusammen.

Diese Steigerung der Stoffwechseltätigkeit der Haut, die durch Anregung der Sekretion der Schweißdrüsen herbeigeführt wird, ist nicht nur ein landläufiger Begriff zur Bekämpfung alltäglicher Erkältungskrankheiten, sondern erweist sich tatsächlich als nützlich und vorteilhaft bei zahlreichen katarrhalischen und entzündlichen Vorgängen in den verschiedensten Organen. So in den Bronchien, den Lungen, im Brustfell und besonders in den Nieren, die durch die gesteigerte Diaphorese wesentlich entlastet werden können. Ebenso dienlich ist sie bei mit Wasseransammlungen und Hydrops einhergehenden Erkrankungen verschiedener Ursachen. W. WISCHOWSKY (Med. Klinik 1972, Nr. 16, S. 590) hat sich mit dieser Frage eingehend beschäftigt und bewies durch exakte Versuche mit Flores Sambuci, Flores Tiliae und Flores Chamomillae, daß die Schweißabsonderung durch diese Drogen erheblich gesteigert wurde. Nach seiner Auffassung beruht die diaphoretische Wirkung nicht allein auf den in den Drogen vorhandenen ätherischen Ölen, sondern sie ist eine Komplexwirkung glykosidischer Körper (zu denen auch das Nitrilglykosid zählt) und der Saponine. K. LEUPIN (Ph. Acta Helvet. 1933, Nr. 4) schloß sich dieser These an und kam dabei ebenfalls zu der Feststellung, daß die durch diese Drogen hervorgerufene Schweißsekretion eine echte Drüsentätigkeit ist, d. h., sie erfolgt, im Gegensatz zur Hautausscheidung, nur durch Erregung sekretorischer Nerven, unabhängig von Blutdruck und Blutkreislauf.

**Diese Tatsache ist für viele Krankheitszustände, bei denen verminderte Blutdruck-, Herz- und Kreislauftätigkeit vorliegt, von wesentlicher Bedeutung.** Besagt sie doch einmal eine Entlastung der Nieren, zum ande-

ren in der Rückwirkung eine indirekte Stärkung der Herz- und Kreislauffunktionen.
Die Homöopathie stellt aus Sambucus nigrum zwei verschiedene Essenzen her. Einmal jene aus frischen Blättern und Blüten und zum anderen eine Essenz aus der inneren, grünen Rinde. Beide weichen in ihrer Wirkung wenig voneinander ab, jedoch gilt die letztere hauptsächlich als Tinktur gegen Ileus (Darmverschluß) und gegen Miserere (Koterbrechen). (Homöopathische Arzneimittellehre von A. v. Fellenberg-Ziegler, Haug-Verlag).

Fassen wir noch einmal zusammen:

## Sambucus nigrum

Inhaltsstoffe:

### Blüten:

Saponine, Nitrilglykosid, ätherisches Öl, Cholin, Gerbstoff, Harze, Zucker, Schleim, Rutin (Farbstoff), Apfel-, Valerian-, Weinsäure. In der Asche vor allem Eisen und Kupfer, Vitamin C (in der frischen Blüte 82 mg%).

### Blätter:

Emulsion, Invertin, Saccharose, Kal. nitricum, ein dem Coniin ähnliches Alkaloid-Sambucin, Mandelnitrilglykosid als isomeres Monoglykosid (Sambunigrin), welches in Glucose, Benzaldehyd und Blausäure zerfällt, und Spuren von Blausäure in nichtglykosidischer Form.

### Beeren:

Apfelsäure, Zitronensäure, Valerian-, Propion-, Essig-, Wein- und Gerbsäure, Zucker, äther. Öl, Bitterstoff, ein roter Farbstoff (Anthocyan), Pentosan, Tyrosin, Wachs, Gummi, Harz, Vitamin A, $B_1$, $B_2$, C.

### Rinde:

Gerbstoff, Harz (abführend), Duftstoffe, ein kristallin. Alkaloid.

Indikationen:

### Blüten:

Grippe, Fieber, Erkältungskrankheiten, Gelenkrheumatismus, Wassersucht, Nieren- und Blasenleiden, Steinleiden, Gicht, Rheumatismus, Verstopfung, chron. Kopfschmerzen, Erkrankungen der Atmungsorgane, als Blutreinigungsmittel sowie als Gurgelmittel bei Erkrankungen des Raches und des Mundes. Als „Erweichende Kräuter" zur Behandlung von Verbrennungen, Entzündungen, Geschwüren und Geschwülsten.

**Blätter:**

ähnlich wie Blüten, nur von etwas geringerer Wirkung, dagegen verstärken sie deutlich die harnabsorbierende Wirkung, daher: bei Störungen der Nierentätigkeit, mangelnder Urinausscheidung, Flüssigkeitsansammlung im Körper.

**Früchte:**

darmregulierend, die Darmsekretion und -peristaltik anregend, mild wirkendes, doch ausgiebig förderndes Abführmittel, besonders bei krampfartigen Zuständen.

**Rinde:**

auf Darm und Nieren intensiv wirkendes Mittel, in größeren Gaben abführend und brecherregend, bei Wassersucht und Nierenentzündung.
Insgesamt: Blut- und Hautreinigungsmittel, Bestandteil von Species Emmollientis, Species Antidyskraticum, Species Pectoralis.
Ich habe versucht, zwei Heilpflanzen aus ihrem natürlichen Wirkungskreis heraus zu zeichnen. Es sollen Denkanstöße sein, denn wir sind nur allzugern geneigt, uns an Buchweisheit, an rein wissenschaftliche Beweise und Tatsachen zu halten, die eben oft nur Bruchstücke der Wirklichkeit sind. Die Wirklichkeit selbst steht hinter den Dingen und wird erst offenbar, wenn man versucht, das Unbewußte in sich zu wecken. Erst dann erblickt man Zusammenhänge, die einem vorher verschlossen waren. Heilkräuterkunde läßt sich nicht aus Büchern erlernen. Sie ist, wie alle Heilkunde, eine Kunst, und der wahre Heilkundige ist kein Handwerker, sondern ein Künstler, der aus der Begabung heraus das Richtige tut. „Das Richtige tun" setzt wohl die gründliche Erlernung des Handwerks voraus, aber niemals kann das Nur-Erlernen Begabung ersetzen. Begabung und Begnadung aber bedingen als Grundlage die Liebe. So, wie schon PARACELSUS sagte: „Mehr selig und abermals selig ist der Arzt, der die Arzeneien lebendig erkennet und weiß, sie zu gewinnen und weiß, daß sie nicht tot sind" – und „Die höchste aber aller Arzeneien ist die Liebe. So einer *die* nicht mitbringet, nützen alle Arzeneien nichts."

### Spiraea (Filipendula) Ulmaria

Wenn wir im Sommer an Bachläufen entlang oder über feuchte Wiesen gehen, fällt uns eine Pflanze besonders auf. Es ist der Wiesengeißbart, auch Mädesüß genannt. Er trägt auch den stolzen Namen: Wiesenkönigin. Seine weißen Trugdolden schweben auf hohen Stengeln über dem Wasser oder über dem Weidegrund und erscheinen, besonders im Dämmer des Abends, wie losgelöst von aller Erdenschwere. Ihr Duft, wie nach Honig und Bittermandel, gleicht dem der schon beschriebenen Schlehdornblüten. Er ist nur voller und reifer. Auch hier tritt uns also, schon im Duft, wieder jener Wirkstoff entgegen, dem diese Ausführungen gewidmet sind. Dabei ist der Gehalt an Nitrilglykosid bei Spiraea ulmaria so gering, daß er

*Mädesüß, Wiesengeißbart*
*Filipendula Ulmaria*

fast nicht meßbar ist. Die Pflanze zählt daher auch nur am Rande zu den Blausäureglykosid-Drogen. Vielmehr erlangte sie dadurch Bedeutung, daß in ihr schon 1840 erstmals von LÖWIG und WEIDMANN Salicylsäure nachgewiesen wurde. Ich werde in späteren Ausführungen noch eingehend darauf zu sprechen kommen. Nur so viel sei hier gesagt: J. G. RADEMACHER bezeichnet Spierblüten in seiner „Erfahrungslehre" (1859) als Nierenmittel, das bei Bauch- und Hautwassersucht von ihm mit Erfolg angewendet wurde. Ebenso äußert sich H. SCHULZ (1929): „Die bei Anwendung von Mädesüß ebenso rasch wie ergiebig eintretende Diurese bei dem im Verlaufe der Scharlachnephritis auftretenden Hydrops (Wassersucht) ist von ärztlicher Seite festgestellt worden."
Eine Tatsache ist am Wiesengeißbart noch nie so recht beachtet und berücksichtigt worden. In einer älteren Aschenanalyse der Spiraea Ulmaria von E. WOLFF fällt der hohe Gehalt (10,05%) an Kieselsäure auf. Wenn man den Habitus der Pflanze betrachtet – und zwar sowohl den zart-feinen architektonischen Aufbau als auch das ätherische des Aussehens, muß einem dies sofort ins Auge fallen. Sie ist eine typische Kieselsäurepflanze. Nehmen wir einmal zum Vergleich einige bekannte Kieselsäurepflanzen zur Hand: Kieselsäuregehalt in Hohlzahn 0,72 bis 0,90%, Vogelknöterich 0,85 bis 1,5%, Zinnkraut von 3,21 bis 16,25%, wobei allerdings jeweils Standort der Pflanze, Jahreszeit der Ernte und ob frisch oder getrocknet als Meßgrundlage berücksichtigt werden müssen. Es fällt jedoch auf, daß Spiraea Ulmaria der Equisetum arvensis hinsichtlich ihres Kieselsäuregehaltes gleichzustellen ist. Die Beziehungen der Kieselsäure zum Bindegewebe sind hinreichend bekannt.

Wer einmal Gelegenheit hatte, das pflanzliche Gewebe einer Kieselsäure-pflanze im Fluoreszenz-Mikroskop zu betrachten, der ist beeindruckt von jenen hell aufleuchtenden Lichtpunkten, in denen dort die Kieselsäure-Teilchen erscheinen. Ein solcher Blick in das Pflanzeninnere sagt uns mehr als alles andere, daß das Silizium der Licht- und Sonnenträger der Pflanze ist. Es ist der Stoff, der, vom Kosmischen her, die Hülle, die Gestalt der Pflanze formt und diese Form dann später, wenn er selbst sich festigt, erhalten hilft. Die gleiche Aufgabe ist der Kieselsäure auch in Tier und Mensch zugeteilt. Auch hier finden wir ihre verschiedenen Formen, vom Wässerigen über die Kolloidform bis zum Festen und so, wie sie in der Pflanze das Stützgewebe aufbaut, formt sie unser Bindegewebe, hilft ihm, seine Aufgaben zu erfüllen.

Nach FLAMM-KROEBER zeigt die unverletzte Haut nach einer Durchführung von Warmbädern mit Kieselsäure eine wesentlich stärkere Durchblutung und ein länger anhaltendes Wärmegefühl als nach einfachen Warmbädern gleicher Temperatur. Entzündungen der Haut, nässende Ekzeme, schlecht heilende, schmierige Wunden zeigen eine auffallende rasche Reinigungstendenz, die Bildung eines gesunden Granulationsgewebes und einen beschleunigten Rückgang der entzündlichen Erscheinungen. Nach G. P. UNNA ist die Wirkung fast noch intensiver bei entzündlichen Veränderungen der Schleimhaut. Lidrandentzündungen, Konjunktivitis (10 Tropfen Zinnkrauttinktur auf ¼ Glas Wasser), Zahnfleischschwellungen und Entzündungen, Entzündung der Rachen- und Mundschleimhaut und die Form des entzündlichen, mehr akuten Darmkatarrhs reagieren fast prompt auf die Verwendung kieselsäurehaltiger Heilpflanzen in geeigneten Dosierungen. Konstitutionell sind alle kieselsäurehaltigen Drogen angezeigt, sowohl bei der allgemeinen Bindegewebsschwäche im Sinne einer Asthenie als auch bei der sogenannten lymphatisch exsudativen Diathese. Jetzt wird uns auch klar, warum Spiraea Ulmaria volkstümlich z. B. bei Weißfluß, übermäßigen Menstruationsblutungen, Blutspucken, Skrofulose und Ekzemen Verwendung findet. Ich bin der Auffassung, daß damit die Anwendungsmöglichkeiten noch lange nicht erschöpft sind.

### SCHAFGARBE – Achilla Millefolium

Einer Heilpflanze wie der Schafgarbe in kurzen Ausführungen gerecht zu werden, ist unmöglich. Ihre durch ihre Vielseitigkeit dominierende Stellung kann nur durch einen ausführlichen Beitrag gewürdigt werden. Die außerordentliche Vielzahl der ihr innewohnenden Wirkstoffe macht es dem Fachmann schwer, sie in eine bestimmte Gruppe einzureihen. Es ist aber selbst für den Fachmann interessant, zu wissen, daß sie neben anderen Alkaloiden und Glykosiden auch ein Glykosid des Benzaldehyd-cyanhydrins (Rosenthaler u. Bourquelet) enthält. Blausäure also auch in dieser Heilpflanze, die wohl mit zu einer der volkstümlichsten zählt. Damit ist wieder einmal die Unschädlichkeit dieses **pflanzlichen** Wirkstoffes eindeutig dokumentiert. Zum anderen aber zeigt uns die Natur an diesem Beispiel, wie sinnvoll *sie* zu walten pflegt, denn die Schafgarbe hat ja auf

Wiesen und Weiden ebenso wie auch am Wegesrand zunächst einmal eine ganz wichtige bodenbiologische Aufgabe – die gleiche Aufgabe, die die Kamille und das Feldstiefmütterchen auf den Äckern zu erfüllen haben. Erst in zweiter Linie kommen ihre Aufgaben für Mensch und Tier. Und diese sind nun wirklich erstaunlich vielseitig.

## LEINSAMEN – Linum Usitatissimum

„Höchst nützlicher und brauchbarer Lein", so lautet die deutsche Übersetzung der botanischen Bezeichnung. Besser konnte man die Bedeutung des Leinsamens durch die Jahrtausende hindurch, die er im Gebrauch ist, nicht charakterisieren.

Lein
*Linum usitatissimum*

Seine Geschichte zu schreiben, hieße jahrtausendealte Kulturen zum Leben erwecken. Sie ist Schicksal wie jene linnenen Fäden, welche die Parzen des Hellas ebenso spannen wie die Nornen unserer Vorfahren Germaniens. Der Lein ist mit der Geschichte der Zivilisation ebenso innig verbunden wie die Getreidearten und andere Nahrungspflanzen. Aus der Jungstein- und der Bronzezeit stammen jene Pfahlbauten am Bodensee. In ihnen bereits fand man Leinsamen, und in den Grabkammern ägyptischer Dynastien barg man nicht nur gut erhaltene Leinwand, sondern auch Leinsamen als Totenbeigabe. Der Sagenkreis, der sich um das Säen, Ernten und Verarbeiten des Flachses webt, würde Bände füllen. Im alten Ägypten war Isis die Spenderin der Leinpflanze. Sie nannte sich als solche Linigera. Ihre Priesterinnen waren nur mit reinstem Linnen bekleidet. Im Norden war es Frau Holle, Freya, die Flachsgöttin, welche die fleißigen Spinnerinnen belohnte und die faulen strafte. Die Preußen verehrten ihren Waizganthos als Flachsgott und die Litauer ebenso. Die

Wenden dagegen hatten in Pschipolnitza ihre Flachsgöttin. Schon diese kleine Auslese aus der Welt der Götter und Göttinnen unserer Vorfahren zeigt, wie wichtig ihnen der Lein war.

PLINIUS hatte einmal den Flachs gepriesen, weil aus ihm die festesten Segel hergestellt wurden. Den Aufbruch zu einer neuen Kultur jedoch bedeutete es, als man lernte, aus Leinen Papier zu bereiten, um damit in Büchern das Licht der Wissenschaft und Weisheiten zu verbreiten. „LINUM USITATISSIMUM" – fürwahr, kann man da sagen.

Wie wichtig der Leinsamen als Nahrungs-, aber auch als Heilmittel ist, wird einem erst offenbar, wenn man sich näher mit seinen Inhaltsstoffen befaßt. Er ist vor allem reich an biologisch hochaktiven ungesättigten Fettsäuren, an Schleimstoffen (6%), die neben Spuren von Zellulose und Mineralstoffen Pentosane und Hexane enthalten. Er liefert, hydrolysiert neben Dextrose auch Galaktose, Arabinose und Xylose, also alle für die menschliche Ernährung wichtigen Monosaccharide (einfache Zuckerarten). Der Aschegehalt (eta 12–14%) ist reich an Kalzium- und Kaliumkarbonat, Kalziumphosphat, Kaliumsulfat, Eisen, Aluminium, Kupfer, Zink und Silizium. Neben 0,9% Lecithin findet sich an Fermenten Lipase, Protease, Diatase. An Vitaminen enthalten Leinsamen Provitamin A, vom Vitamin-B-Komplex $B_1$, $B_2$, Nikotinsäureamid, ferner Vitamin C, Vitamin D (Ergosterin) und Vitamin E (Tocopherol). Von besonderer Bedeutung ist der Gehalt an Eiweißen und Eiweißbausteinen (Aminosäuren), von denen Leinsamen enthält: Arginin, Histidin, Lysin, Tyrosin, Tryptophan, Phenylalanin, Cystin, Methionin, Threonin, Leucin, Isoleucin und Valin; dazu noch Glutaminsäure und Serin. Letztere Aufstellung verdanke ich einem Untersuchungsergebnis von Prof. Dr. Schormüller über „Linusit". Vergleicht man die Aufstellung der Aminosäuren mit der der Milch, muß man schon sagen, daß hier frappierende Übereinstimmungen bestehen, die nur hinsichtlich der mengenmäßigen Vergleiche variieren.

Da denke ich unwillkürlich an das alte Volksnahrungsmittel: Pellkartoffel mit Quark und Leinöl. Hier ergänzt eines das andere. Gewürzt mit Küchenkräutern sollte es jede Woche einmal auf dem Mittagstisch – in jeder Familie – stehen. Ich habe dies jahrelang in Vorträgen propagiert und ich halte es noch heute, vielleicht heute erst recht, für ein gutes Krebsvorbeugungsmittel. Bei dem hohen Gehalt an ungesättigten, essentiellen Fettsäuren, essentiellen Aminosäuren und unvergärbaren Kohlenhydraten drängt sich dies geradezu auf.

Es ist vor allem Frau Dr. Johanna BUDWIG, Münster, zu danken, die auf die fundamentalen Zusammenhänge zwischen Fettstoffwechsel und innerer Atmung hingewiesen hat (Fettstoffwechsel und innere Atmung ARS MEDICI Nr. 1/1954, Liestal/Schweiz). Mit Recht beginnt man immer mehr, die Krankheit als eine Summe von Einzelwirkungen aufzufassen, die einmal seelisch-geistig, zum anderen aber ernährungs- und umweltbedingt sind. Welchen Einfluß die Nahrung hierbei wiederum auf die geistig-seelische Haltung ausübt, ist eine Auseinandersetzung für sich wert.

Bei der Suche nach dem Krebserreger, dem fürchterlichsten und unheimlichsten Feind der zivilisierten Menschheit, stieß man auf eine Reihe von Tatsachen, die zu denken geben.

Die Zelle ist die Grundlage des Lebens. Sie ist der Sitz des Lebensstoffes, des Protoplasmas. Sie ist ein Gebilde, das in einem flüssigen Leib einen ebenfalls flüssigen Kern birgt. Der Zellkern ist von einer Membran umgeben, dem Plasmahäutchen. Jede Zelle wiederum ist ein in sich geschlossenes Ganzes, das jedoch wiederum ständig mit seiner Umgebung im Austausch lebt. Der Zellkern lebt ein eigengesetzliches Leben. Seine Funktionen bestimmen die Vorgänge im Zelleib, die zusammenwirkenden Funktionen der Zellkerne eines Zellenstaates bestimmen dessen Sein, bestimmen Wachstum und Tätigkeit, Auf- oder Abbau, Jugend, Alter und Tod. Die biologische Chemie der Zelle sowohl als auch des Zellenstaates ist eine Form- und eine Raumchemie, eine Bändigung und Lösung des Protoplasmas als des Lebensstoffes, wobei das Protoplasma weder Stoff noch Stoffgemisch von bestimmter Form oder Zusammensetzung ist, sondern ständig wechselnde Form und ständige Wandlung.

Stoffwechsel – ewige Wandlung des Stoffes, Assimilation und Dissimilation gehen ineinander über.

Der Mensch kann für oder wider das natürliche Prinzip leben. So lange er ein Stück der ihn umgebenden Natur ist und sich als solches fühlt, folgt er ihren Rhythmen. Je mehr er sich von ihr löst, ob bewußt oder unbewußt, desto verhängnisvoller sind die Folgen. Seine natürlichen Funktionen werden zuerst verkümmern, dann entarten. So entstehen Krankheit und Tod.

In Prof. H. ZIMMERS Buch „Ewiges Indien" lesen wir: „Das Denken des Menschen stammt aus seinem Leib und Leben, ist eine Funktion des Essens und Zeugens, wird bestimmt von dem *Wie* dieser beiden Vorgänge, die Vorgänge ewiger Wandlung sind; wie ja auch Leben nicht „Sein", sondern „Werden" stetes „Sichwandeln" ist. Aus Speise wird Fleisch, Blut, Kraft, Bewegung, Wärme, Geist und Samen; aus Speise wird aber auch Schweiß, Harn und Kot. All dies sind Formen der Wandlung."

Wie sehr es bestimmend ist, *welche* Speisen und Getränke wir genießen, sollte schon die Einsicht in die natürlichen Zusammenhänge klarmachen. Aber wer sieht und erkennt sie noch klar?

Also muß Wissenschaft beweisen. Was aber beweist sie?

Die Nahrung des Menschen besteht nicht nur schlechthin aus Kohlenhydraten, Fetten und Eiweißen in einem bestimmten Gleichgewichtsverhältnis, besteht nicht nur aus Vitaminen, Mineralstoffen und Spurenelementen. Die *Struktur* jener Kohlenhydrate, jener Fette und Eiweiße ist maßgebend für das reibungslose Ineinandergreifen der Ernährungs- und Stoffwechselvorgänge. Die Begleitstoffe dienen hierbei der Umwandlung und der Bindung, dem Aufbau und dem schlackenlosen Abbau.

Die Bedeutung der Galaktose, Arabinose, Xylose, Rhamnose und Fruktose, also jener Kohlenhydrate, die nicht vergärbar sind, wird sofort klar, wenn man sich vor Augen hält, daß jene genannten Pentosen eine wichtige Rolle beim Aufbau der Zellkernsubstanz spielen. Der Schleim des

Leinsamens wird bekanntlich durch Hydrolyse in Dextrose (ca. 60%), Galaktose, Xylose und Arabinose gespalten.

Die Zellkernsubstanz umschließt jenes Plasmahäutchen, das damit bestimmend auf den Zellkern, seine Form und sein Eigenleben einwirkt. Dieses Plasmahäutchen besteht aus Lezithin und essentiell-hochungesättigten Fettsäuren der 9/11-Linolsäure. Histologische Untersuchungen (Dr. Johanna Budwig) haben bei Karzinom, Lymphogranulomatose und Sarkom gezeigt, daß die in der normalen Zelle vorhandenen Plasmahäutchen *fehlen*. Hämatogramme vom Blut Krebskranker wiesen die im normalen Papyrogramm vorhandenen Phosphatide *nicht* auf. Zwischen dem Fehlen des Plasmahäutchens einerseits und dem Fehlen der Phospatide andererseits bestehen zweifellos schwerwiegende Zusammenhänge. **Das Zellplasma,** nicht mehr durch die normalerweise vorhandene semipermeable Wand geformt, **zerfließt.** Die Steuerung des Zellebens ist dadurch aufgehoben. Es kommt zu einer Entartung der Zelle. Wichtig, ja lebensentscheidend für den Zellenstaat ist jener Vorgang, den wir mit „innerer Atmung" bezeichnen. Die Zellatmung entscheidet über die Sauerstoffaufnahme der Zelle und damit über die sich in ihr abspielenden Oxydationsvorgänge. Damit regelt sich der Ablauf der Stoffwechselvorgänge und damit entscheidet sich, ob Nahrung abgelagert und ob aus ihr Energie gewonnen wird.

Energiegewinn aber ist der Sinn der Ernährung. Nicht eine unproduktive Gewichtszunahme, sondern eine reibungslose Umwandlung in Kraft-, Wärme- und Aufbaustoffe liegen in der Richtung eines harmonischen Ablaufes der Stoffwechselvorgänge.

Für die Zellatmung von grundlegender Bedeutung ist das Zusammenwirken der Fett- und Eiweißverbindungen. Bei der fermentativen Spaltung der Kohlenhydrate entsteht Milchsäure unter Aktivierung von Sauerstoffionen. Sauerstoff jedoch wird von der Zelle nur aufgenommen, wenn essentielle, schwefelhaltige Aminosäuren und essentielle hochungesättigte Fettsäuren unter Einwirkung der Begleitstoffe Vitamin A, Vitamin $B_2$, Vitamin $B_6$ und Vitamin E Verbindungen miteinander eingehen.

Diese Additionsverbindungen stehen in unmittelbarer Beziehung zur Cytochromoxydase. Auf der einen Seite also brauchen wir die im Leinsamen vorhandenen Phosphatide, die sich ja nicht nur in der Zellmembran befinden, sondern als besonders aktive und bewegliche feinnetzige Struktur das gesamte Zellinnere durchziehen. Auf der anderen Seite sind es die im fetten Öl des Leinsamens vorhandenen 30–40% hochungesättigten Fettsäuren in ihrer Form der Linol- und Linolensäuren. Überall sehen wir das gleiche Zusammenwirken jener gerade im Leinsamen so ideal verteilten und im richtigen Verhältnis vorhandenen Lebens- und Nährstoffe, deren Fehlen im menschlichen Körper zu schweren Schäden führt, beginnend bei einer Degenerierung der Darmflora, die zu chronischer Darmträgheit, zu Leber- und Gallestörungen (Fettstoffwechsel) und später zu jenen Zivilisationsschäden wie Herzinsuffizienz, sklerotischen Erkrankungen, Diabetes, Tuberkulose und Krebs übergehen.

Vollkornbrot, Quark, Leinsamen und das daraus gewonnene kalt geschlagene Leinöl sind nicht nur Mittel zur Gesunderhaltung, sondern Beiträge vor allem auch zur Wiedergesundung – auch und *gerade* bei jenen schwersten Formen der Stoffwechselerkrankungen.

Leinsamen ist, von dieser Warte gesehen, weit mehr als nur ein Heilmittel, das mitwirkt. Es ist notwendiger Heilungsfaktor überhaupt.

Wer Gelegenheit hatte, die mit diesem Ernährungsplan von Frau Dr. BUDWIG erzielten Erfolge zu studieren, ist aufs tiefste beeindruckt. Es wird so viel von Krebsforschung geredet. Hier liegen Tatsachen vor, an denen man wohl kaum vorübergehen kann.

Damit habe ich die Bedeutung des Leinsamens mit diesen Ausführungen nur einmal vom ernährungswissenschaftlichen Standpunkt aus gewürdigt. Daß wir uns hierbei in guter Gesellschaft befinden, sehen wir an den jahrzehntelang verordneten Diätvorschriften, z. B. der Gerson-Sauerbruchschen Diät bei Tuberkulose und der Ewers-Diät bei Multipler Sklerose, um nur einige markante Beispiele zu nennen.

Nun aber zur therapeutischen Bedeutung des Leinsamens, den wir in der Praxis nicht missen können. Dabei spielt der hohe Schleimgehalt der Pflanze eine besondere Rolle, und zwar sowohl bei der inneren als auch bei der äußeren Anwendung.

Äußerlich kennen wir heiße Breiumschläge mit gepulvertem Leinsamen nicht nur gegen Magenkrämpfe, Durchfälle, Ruhr (in Verbindung mit anderen Mitteln), sondern vor allem zu Auflagen bei Geschwüren und Geschwülsten, bei Prellungen und Verstauchungen, also überall dort, wo man eine Erweichung, Verteilung und Abheilung beschleunigen möchte.

Die Einführung des Leinsamens als Abführmittel durch KLYSMEN bei Typhusgeschwüren und bei durch Stuhlverstopfung verursachter Kolik finden wir durch KROEBER bestätigt.

Innerlich wird Leinsamen als Abführmittel schon von jeher gebraucht und empfohlen. Und zwar sowohl in Form von ganzen Samen als auch gemahlen. Bei der Einnahme in ganzen Körnern kommt natürlich die Ölwirkung nicht zur Geltung, während bei der zerkleinerten Form sowohl der Öl- als auch der Schleimgehalt mitspricht, von allen anderen dem Leinsamen innewohnenden Wirkstoffen gar nicht zu reden. Halten wir erst einmal die Dosierung fest. Während man in Frankreich bedenkenlos ein- bis zweimal täglich zwei bis fünf Eßlöffel voll verordnet, gibt man bei uns in Sanatorien gewöhnlich zwei Eßlöffel voll als erstes Frühstück. Schädigungen durch Blausäure waren dabei übrigens nie zu verzeichnen. Ich wies bereits darauf hin, daß die Blausäure im Körper zu Rhodanwasserstoffsäure umgebildet wird und als solche im menschlichen Organismus eine integrierende Rolle spielt. Zum anderen vermögen ja die Mucilaginosa nicht nur die Schleimhäute zu überziehen, sondern auch örtlich reizende Stoffe bis zu einem gewissen Grade einzuhüllen. Dadurch wird ihre Reizwirkung auf die Schleimhäute im hohen Grade gedämpft, zum anderen aber durch die verursachte Depotwirkung die Wirkung als solche verlängert. H. SCHULZ betont, daß die bewirkte Herabsetzung von

Schmerzempfindungen auf Rechnung der Blausäure zu setzen ist. O. KOHNSTAMM und M. OPPENHEIMER (Therapie der Gegenwart 1915) vermochten schon damals beim Durchgang des Leinsamens durch die Windungen des Magen-Darm-Kanals eine Quellung auf das 2,7fache festzustellen. Dies wurde seitdem durch Anwendungen von H. SCHULZ, L. KROEBER, S. FLAMM, H. SEEL und vielen anderen immer wieder bestätigt. Die Quellstoffe führen einmal durch Wasserentziehung zu einer erheblichen Volumenvermehrung des Kotes, der durch den Pflanzenschleim weich und schlüpfrig wird. Zum anderen bewirkt diese Quellung wiederum eine mechanische Reizung der Darmganglien. Dabei wird unter Kräftigung der Darmmuskulatur eine Erhöhung der Darmperistaltik erreicht. Durch diese Schubbewegungen werden dann vor allem jene Stoffe aus dem Darm entfernt, deren langes Verweilen im Darm oftmals Anlaß zu den verschiedensten gesundheitlichen Störungen war.

Wir sehen also – Leinsamen ist ein völlig indifferentes Abführmittel von mildester Wirkung. Aber nicht nur dies. Als Darmgleit- und Darmreinigungsmittel schon sehen wir die wichtige „Nebenbedeutung" der Blausäure: Schmerzdämpfung, Hemmung der Entzündung, Behebung von Gärungs- und Fäulniszuständen. Noch deutlicher tritt dies bei der Behandlung von katarrhalischen Zuständen der Magen-Darm-Schleimhaut hervor. Bei Ulcus ventriculi und Ulcus duodeni ist die Einnahme von Leinsamen geradezu unentbehrlich. Ich habe hier selbst schon ganz beachtliche Erfolge gesehen. Selbstverständlich muß dabei die psychologische Behandlung als unentbehrlich nebenherlaufen. Ebenso wertvoll ist die Einnahme von Leinsamen bei Gallen- und Leberaffektionen. Man darf dabei als sicher annehmen, daß Gallenfluß und Gallensekretion angeregt werden. J. BUDWIG schreibt hierüber: „Die schnelle und sehr günstige Auswirkung der Öl-Eiweißkost (Leinsamen, Leinöl, Quark) ist gerade bei derartigen Kranken offensichtlich." Bei einem schwerkranken Diabetiker konnte sie bei der gleichen Kost nach 14 Tagen feststellen, daß die ödematösen und zyanotischen Füße vollkommen normal, frei beweglich und leistungsfähig wurden.

Auf die Anwendungen bei Blasenkatarrh, Blasenentzündungen, Steinreizungen, hämorrhoidalen Schmerzen, Harnröhrenkatarrh weisen W. BOHN und K. KAHNT besonders hin. Schon HUFELAND, der Arzt Goethes, empfahl sie hier und vor allem gegen krampfhaften Husten und Bluthusten.

Nach E. LÖWENSTEIN und P. MOKKAVESE erwies sich Leinsamen und Leinöl als wirksames Antibakterium gegen säurefeste, z. B. Tuberkelbazillen. Die Erklärung dafür sucht man vor allem wiederum auf die keimtötende Kraft des Nitrilglykosides zurückzuführen. Wir kennen als bakterizides Moment die Bedeutung der Rhodanverbindungen im Körper bzw. in den verschiedenen Körperflüssigkeiten. Die Rhodan-Ionen beschleunigen nicht nur die keimtötende Wirkung der H-Ionen, sondern wirken ausgesprochen katalytisch, also steigernd auf diese, die ebenfalls als Katalysatoren anzusprechen sind. Als wichtigen Katalysator kennen wir Rhodani-

den und Rhodanwasserstoffsäure vor allem bei der Spaltung von Säure-
und Laugeneiweiß, also beim Eiweißstoffwechsel überhaupt.

Lassen Sie mich zum Schluß bei der Betrachtung des Leinsamens noch
auf ganz andere Zusammenhänge hinweisen, die so elementar sind, daß
sie nicht übersehen werden können.

Ich zeigte schon am Beginn dieser Ausführungen auf, daß man, um eine
Pflanze kennenzulernen, versuchen muß, in ihr Wesen einzudringen. Man
muß versuchen, Zwiesprache mit ihr zu halten, so, wie dies unsere
Altvorderen taten.

Wer schon einmal vor einem blühenden Leinfeld gestanden hat, glaubt,
ein wogendes Meer im Sonnenlicht vor sich zu sehen. Wenn der Wind die
zartblauen Blüten bewegt, glaubt man wirklich vor einer Wasserfläche zu
stehen, die den schönsten blauen Himmel widerspiegelt. Diese Täuschung
ist so vollkommen, daß wir sie in vielen Märchen, Sagen und Geschichten
wiederfinden. Der langobardische Geschichtsschreiber Paul DIACONUS
berichtet, wie die Heruler, jener germanische Stamm aus Nordeuropa, der
später ein mächtiges Reich in Ungarn gründete (5. Jahrh. nach Chr.), auf
der Flucht ein blühendes Flachsfeld für das offene Meer hielten und sich
mit ausgebreiteten Armen hineingeworfen hätten, um hindurchzuschwim-
men. Sie verloren dabei ihr Leben. Die sieben Schwaben jedoch, die ein
blühendes Leinfeld für den Bodensee angesehen hatten, ern eten nur
Spott.

Die sehr zarte, himmelblaue Blüte ist in allen ihren Teilen fünfzählig. Fünf
Blütenblätter, fünf zu einem Ring verwachsene Staubfäden, fünf rudimen-
täre Staubfäden in Gestalt feiner Zähnchen und dann fünf Abteilungen
der Kapsel, durch falsche Scheidewände fünfmal unterteilt.

*Leinsamen-Fruchtkapsel quer durch-
geschnitten mit innerem und äußerem
Pentagramm.*

Der Aufschnitt der Blüte *und* der Frucht wirken wie ein Pentagramm. Das
Pentagramm aber mit seiner Zahlensymbolik – 5 × 36 – 180 ist die Summe

der Vollkommenheit, ist die heilige Zahl der Pythagoräer und vor ihnen der Orphiker, die ihre Weisheit wiederum von den Ägyptern hatten und diese wiederum hatten sie der altindischen Lehre des Kapita (Sanky) entnommen, deren Weisheiten uns heute noch vertraut sind.

Dies ist die menschliche Seite der Weisheiten. Sie stammt aber nicht vom Menschen. Sie wurde ihm von der Pflanze gleichsam aus dem Kosmischen überbracht, denn auf jenem in der Pflanze uns vorgezeichneten Pentagramm finden wir eines jener großen Lebensrätsel von der Natur gelöst, deren Lösung die Alten in Ehrfurcht übernahmen, um damit die Gesetze der Harmonie aufzubauen. Gesetze, die uns die Natur vorgezeichnet hat.

Wer hat sich schon einmal Gedanken darüber gemacht, daß in alten Beichtstühlen, in Ratssälen und -kellern, auf alten Grabmälern, in den Fenstern gotischer Dome die Rose als Symbol des Schweigens und des Wissens erscheint. Sie ist auch das Symbol der Rosenkreuzler.

Albertus MAGNUS (+/1280) sagte einmal: „Jede Rosenknospe birgt außer ihrem Geheimnis im Inneren noch ein viel wesentlicheres äußeres Geheimnis."

Ein altes Rätsel lautet:

> „fünf Brüder sind's, zur gleichen Zeit geboren,
> doch zweien nur erwuchs ein voller Bart.
> Zwei andren blieb die Wange unbehaart.
> Dem letzten ist der Bart zur Hälft' geschoren."

Diese fünf gleichaltrigen Brüder sind die fünf Kelchzipfel der Rose. Von ihren Backenbärten ist hier die Rede. Zwei Gegenüberstehende besitzen nämlich diesen „Bart", während zwei weitere „bartlos" sind und der fünfte dazwischen besitzt nur auf einer Seite eine Behaarung, die andere Seite ist kahl. Hier beginnt jene geheimnisvolle Zahlensymbolik, die ich am besten durch eine Zeichnung ausdrücke.

Beim genauen Hinsehen stellen wir fest, daß es einen äußeren und einen inneren Kelchzipfel gibt. Die äußeren bezeichnen wir einmal mit den Zahlen eins bis drei, die inneren dann mit vier und fünf. Um von Nummer eins zu Nummer fünf zu gelangen, müssen wir (behaart oder unbehaart bzw. äußere oder innere Kelchzipfel) entweder einen oder zwei Zipfel überspringen, je nachdem, ob wir in der einen oder in der anderen Richtung herumgehen. Es gibt also einen „langen Weg" und einen „kurzen Weg". Wir müssen beim „kurzen Weg" zweimal im Kreis herumgehen. Die fünf Kelchblätter sind, so wie auch die fünf Blütenblätter, auf zwei Windungen verteilt. Sie stehen, um es mit einem Bruch auszudrücken, in $^2/_5$-Stellung.

Verfolgen wir nun denselben Weg in unmittelbaren Linien, dann beschreiben wir mit einem Zuge jene uralte Hieroglyphe, die jene pythagoräischen Philosophen über ihre Briefe setzten. Die Druiden stickten sie in Gold auf ihre weißen Gewänder und die Baumeister der gotischen Dome zeichneten sie in ihre Fenster.

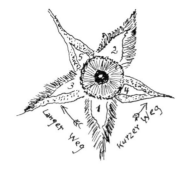

*Rosenkelch mit den fünf verschiedenen Kelchzipfeln:*

*2 x behaart (1 und 2)*
*1 x behaart (3)*
*2 x behaart (4 und 5)*

Das PENTAGRAMMA – der Drudenfluß, seit alten Zeiten das Symbol des Geheimnisvollen. Pentagramm oder Rose – beides wurde als geheimes Zeichen gleichgesetzt. Nun wissen wir die Erklärung.

*Knospenlage der Kelchzipfel der Rose:*

*1 und 2 (behaart) außen*
*3 (außen behaart) außen*
*und innen.*
*4 und 5 (unbehaart) innen.*
*Das Pentagramm verläuft beim „Kurzen Weg", zweimal im Kreis herumgehend, von 1 – 5 – 1, $^2/_5$-Stellung.*

Wir erkennen aber noch mehr – und alles deutet uns die Pflanze. Diese $^2/_5$-Stellung, die sich bei allen Dikodyledonen, den fünfblättrigen Pflanzen, ergibt, kehrt nicht nur in der Anordnung der Blätter, in der Knospenlage der Blüte, sondern auch in der Verteilung der Blätter um den Zweig wieder, so daß man in einer Spirale zweimal den Zweig umrunden muß, um zum sechsten Blatt zu gelangen. Dies steht dann genau über dem ersten. Wir kennen außer den Dikodyledonen noch die Einblattkeimer (Monokotylen) und wir finden außer der $^2/_5$-Stellung noch andere Verhältnisse unter den Pflanzen vor. Immer aber ist es eine streng ausgeglichene

111

Architektonik, nach der sie gestaltet sind. Die häufigsten lassen sich durch die Reihe:

$$\tfrac{1}{2}, \ \tfrac{1}{3}, \ \tfrac{2}{5}, \ \tfrac{3}{8}, \ \tfrac{5}{13}, \ \tfrac{8}{21}, \ \tfrac{13}{34}, \ \tfrac{21}{55},$$

ausdrücken, wobei der Zähler des Bruches stets die Zahl der Umgänge bezeichnet, die man, von Blatt zu Blatt fortschreitend, um den Stengel beschreiben muß, das wiederum über demjenigen steht, von dem man ausgegangen war. In dieser Reihe ist jeder Zähler und jeder Nenner gleich der Summe der beiden vorangegangenen Zähler oder Nenner und so kommt man über die Zahlenreihe: 1, 2, 3, 5, 8, 13, 21, 34, jene Zahlen, welche die Pflanzen beherrschen, fortschreitend immer mehr zu der Proportion des „Goldenen Schnittes", zum Verhältnis der einzelnen Glieder untereinander. Dies ist die Weisheit, die uns die Pflanze als göttliche Offenbarung vorzeiten schon vorlebte und die sie uns übergab als heiliges Vermächtnis.

Im Pentagramm offenbart sich nicht nur die Lehre der Pythagoräer, der Etrusker, der Druiden. Es bedeutet als symbolischen Niederschlag den Ausdruck der Unendlichkeit.

Ich habe bei der Betrachtung der Kieselsäure – Silizium – darauf hingewiesen: Tauchen wir unter in die Zeitalter des Keuper, Trias, Carbon und Jura, so finden wir dort eine Pflanzenwelt von gigantischer Formen- und Gestaltungskraft: die Pflanzenwelt der Silikate, von den Spheniphyllazeen und Kalamarien bis zu den Equisetazeen reichend – Schachtelhalm- und Schuppenbäume mit Zeichnungen und Formen, die in ihrer architektonischen Schönheit unübertroffen sind. Keine Menschenhand und kein Menschengeist – die Natur selbst schuf dies. Ihre Gesetze bauten dies auf – nach jenen Zahlen des Goldenen Schnittes, nach denen der Kreislauf des Kosmos, aber auch der Kreislauf unseres Lebens und unseres Blutes aufgebaut sind.

Zahl ist nichts Totes oder Erstarrtes, sondern Schwingung und Rhythmus. So, wie sie schon PYTHAGORAS sah: „Die Welt ist regiert durch Maß und Zahl."

So finden wir die Maßverhältnisse des Goldenen Schnittes nicht nur in den Bauwerken der Ägypter und denen der Griechen des Hellas. Wir finden sie in den mittelalterlichen Domen, in den Maßverhältnissen Leonardo DA VINCIS, Albrecht DÜRERS, Mathis NITHARDS (Matthias GRÜNEWALD) und noch in den herrlichen Barockbauten Balthasar NEUMANNS. Sie sind uns heute verlorengegangen, jene Geheimisse der alten mittelalterlichen Bauhütten, das Geheimnis des „fallenden Steines", mit dem sie ihre Dome bauten.

Der „Goldene Schnitt" bleibt als Naturgesetz bestehen, denn die ihm zugrunde liegenden Maßverhältnisse finden wir, wohin wir blicken. In den Planetenentfernungen und in ihren Umlaufzeiten, im Gefüge der Kristalle, im Aufbau der Harmonielehre der Musik und in der Aufeinanderfolge der Farben des Spektrums, in der Eigenart des pflanzlichen Wachstums, in den Zwischenräumen der Blatt- und Blütensätze und im Aufbau der

Zellgewebe ebenso wie in der Ebenmäßigkeit des Tier- und Menschen-leibes.

Der Goldene Schnitt bedeutet, daß sich seine größeren Teile zu den kleineren verhalten wie die größten Teile zum Ganzen.

Das ist die große Harmonie des Lebens, der wir eingeordnet sind, in der wir aber auch *unseren* Teil dazu beitragen müssen, um diese Gesetze der Harmonie zu erfüllen – *in* uns und *um* uns.

PYTHAGORAS hat nicht nur gesagt: „Die Welt wird regiert durch Maß und Zahl", sondern er sagte auch: „Alle Menschen sind Eigentum Gottes."

Ein Wesen, das wir Gott nennen, schenkte uns unser Leben. Wir haben es getreulich zu verwalten, bis wir es ihm einst wieder übergeben, um uns zu neuen Aufgaben bereitzuhalten.

# 9 Salizylsäure – Glykosid – Drogen

## 9.1 Weide, Wintergrün, Birkenblätter, Schlüsselblumen, Ulmspierstaude, Ringelblumen

An Teichen, Bachufern, am Flusse und auf feuchten Auen wachsen die Weiden. Erlen sind ihre liebste Nachbarschaft.

Oft und oft bin ich in meiner Kindheit an einer Gruppe alter Weidenbäume vorübergegangen. Wie eine Schicksalsgemeinschaft alter Männer standen sie am Bache. Mit krummen Rücken, etwas buckelig, schienen sie mehr oder weniger von Gicht, Rheuma und Podagra geplagt zu sein.

Wenn man abends, bei Mondenschein, am Bachufer entlang ging, meinte man, ihre Unterhaltung zu hören. Es wisperte und raunte und manchmal hatten die alten Gesellen auch Besuch. Dann nämlich, wenn die Nebel, im Mondlicht kreisend, ihren Reigen tanzten.

„Das sind die Elfen!", sagte man uns Kindern. „Und dort, unter den Wurzeln der Weiden und der Erlen, wohnt der Elfenkönig." Goethes „Erlkönig" fällt mir ein: „Wer reitet so spät durch Nacht und Wind . . .".

Von Andersen, dem Märchenerzähler, stammt die Mär vom Elfenkönig, der dort, am Erlenhügel, seine Feste feiert, um seine Töchter zu vermählen. Da kommt der alte Troll aus Norwegen zu Gast. Für seine Söhne will er die Schwiegertöchter auswählen. Am Ende wählt er für sich selber, nimmt die jüngste und schönste zur Braut und das Fest währt sieben mondhelle Nächte.

Uns Kindern waren diese Märchen wohlbekannt und so gingen wir des abends nur mit Gruseln, wenn auch mit wohlig-neugierigem, dort am Weidenhügel vorbei. Und manchmal meinten wir wirklich, die Elfen tanzen und winken zu sehen. Danach konnten wir vor Aufregung nicht einschlafen.

Solche Kindheitserinnerungen schwingen heute noch aus meiner frühesten Jugend herüber. Ich weiß noch gut, daß man des Glaubens war, diese alten Weidenmänner müßten doch etwas mit Gicht, Rheuma und Podagra zu tun haben. Aus Dachs- oder Schweinefett und getrockneter, gepulverter Weidenrinde bereitete man Salbe zum Einreiben und Weidenrindentee trank man. Das half bei Gicht und Gelenkentzündungen und schlug das Fieber nieder. Weidenkätzchentee dagegen diente den Frauen als schmerzstillendes Mittel bei Unterleibsbeschwerden. Dies alles war mehr oder weniger Signaturenlehre, aber – die Mittel halfen, wie sie schon seit Urväters Zeiten geholfen hatten.

Von Salizylsäure wußte man bei den Leuten vom Lande nichts. Aber eben über diese Salizylsäure kamen sich dann doch Volksweisheit und Wissenschaft näher.

Salix ist der botanische Gattungsname der Weidengewächse. Und – das Geschlecht der Weiden ist außerordentlich vielgestaltig. Zu ihm gehören die Silber-, Baum-, Gerber- oder auch weiße Weide genannte Salix alba,

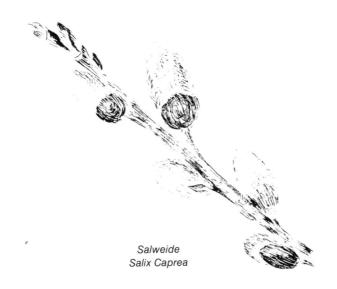

*Salweide*
*Salix Caprea*

die graue Weide – Salix cineria, die Bruchweide – Salix fragilis, die Purpurweide – Salix purpurea und vor allem die Korbweide – Salix viminalis. Damit ist die Familie der Weidenbäume noch lange nicht erschöpft. Denken wir nur an die Trauerweide, deren „wallend Haupthaar in Silberfluten taucht", die aus Kleinasien stammende Salix babylonica.

Aus den Rinden der Weiden gewinnt man den Wirkstoff Salicin, ein Glykosid, welches das Aglukon Saligenin enthält. Saligenin ist ein Salizylalkohol und gehört zur Gruppe der Phenolabkömmlinge. Es ist ein Derivat der Benzoesäure. Unter Einwirkung z. B. des Mundspeichels wird Saligenin zu Salizylsäure abgebaut. Ulmspierstaude – Spiraea ulmaria dagegen enthält neben Methylsalizylat reine Salizylsäure.

R.PIRIA gelang es 1838 erstmals, aus Weidenrinde Salizylsäure herzustellen. 1839 entdeckten LÖWIG und WEIDMANN in den Blüten der Spiraea ulmaria neben Methylsalizylat reine, also freie Salizylsäure. 1860 stellte H. KOLBE aus Steinkohlenteer – durch Behandlung von Phenolnatrium mit Kohlensäure – reine Salizylsäure künstlich her. Um die gleiche Zeit fast gelang C. F. GERHARDT die Herstellung von Acethylsalizylsäure, die bei Rheumatismus, Kopf- und Zahnweh, Ischias, Gelenkschmerzen und Erkältungen Verwendung fand. In Anlehnung an die Spiraea ulmaria nannte dann BAYER sein neues Präparat Aspirin. Damit hatte die Salizylsäure ihren weltweiten Siegeszug angetreten. Die Pflanzen jedoch, aus denen man sie zuerst gewann, gerieten langsam immer mehr in Vergessenheit.

Dabei sind es nicht wenige bekannte Heilkräuter, die sich durch ihren Gehalt an Salizylsäure bzw. Methylsalizylat auszeichnen. Ich nenne nur Weide, Ulmspierstaude, Ringelblume, Schlüsselblume, Feldstiefmütterchen, Veilchen, Frauenmantel und Silbermäntli, Schwarzpappel, Kamille,

Engelsüß, Brombeerblätter, bittere Kreuzblume, Wein- oder Gartenraute, Süßholz, Wiesenklee, Kürbiskerne und selbstverständlich das amerikanische Wintergrün – Gaultheria procubens. Letzteres gilt heute noch als Basis zur Bereitung des **echten** Wintergreen-Öles, das als Einreibmittel gegen Rheumatismus ein Begriff ist. Auch als Bestandteil unzähliger Einreibemittel wird es geschätzt, weil es rasch schmerzstillend wirkt. Nur wird auch hier in den meisten Fällen nicht mehr das echte Oleum Gaultheriae, sondern das künstliche Wintergrünöl, nämlich Methylsalizylsäureester, verwendet.

*Stiefmütterchen*
*Viola tricolor L.*

**Wintergrün – Pirola umbellata L.** – wächst auch bei uns. Verstreut, in trockenen, sandigen Kiefernwäldern, ein Kraut mit ledrigen Blättern und glöckchenförmig-flachen rosaroten Blüten, ist es eine Verwandte des Heidekrautes, so, wie ihre amerikanische Schwester auch. Wie Heidekraut und auch wie Bärentraubenblätter enthält Pirola umbellata Arbutin, Urson und Ericolin; außerdem einen Bitterstoff, Chimaphilin, in gelben, bei 114° schmelzenden, sublimierenden Nadeln.

Im vergangenen Jahrhundert gehörte Wintergrün zu den Heilpflanzen der offizinellen Medizin und wurde, wie Bärentraubenblätter, als wassertreibendes Mittel, als Harndesinfiziens und bei Diabetes mellitus verordnet.

Als Diureticum wirkt es innerhalb einer Viertelstunde (per os) und erhöht hierbei nicht nur die Wasserausscheidung als solche, sondern auch die Chlor- und Stickstoffausscheidung. Damit aber gleicht die Wirkung des deutschen Wintergrüns genau der jener Salizylsäurepflanzen, trotzdem in ihm, im Gegensatz zu seiner amerikanischen Namensschwester, keine Salizylsäure nachweisbar ist.

Arbutin, jenes Glykosid jedoch der Heidekrautgewächse, spaltet sich bekanntlich in Traubenzucker + Hydrochinon + Pyrogallol. Beide Stoffe sind Phenolabkömmlinge wie die Salizylsäure. Hydrochinon ist ein 2wertiges Phenol, Pyrogallol ein 3wertiges. Bei letzterem sind also statt zwei drei Wasserstoffatome am Benzolkern durch die O-H-Gruppe ersetzt.

Wissen wir, unter welchen Umständen in der Natur diese chemischen Umwandlungen vonstatten gehen, bei denen durch Austausch mit $CO_2$ hier Salizylsäure entstehen kann? Was wir der Natur bisher ablauschen und nachmachen konnten, ist und bleibt ja nur Stückwerk. Wir finden eine gewisse Analogie in einer weiteren Vertreterin der Heidelandschaft – der Birke – Betula alba und Betula verrucosa L.

Ebenso wie das amerikanische Wintergreen enthält auch die kanadische Zuckerbirke – Betula lenta L. – ein ätherisches Öl (0,23–0,6%), das einen Methylester der Salizylsäure enthält, während die heimischen Vertreterinnen der Birke diese Verbindungen, wie K. JOBST 1931 nachwies, nur in der Rinde enthalten.

Birkenrinde zeigt an Wirkstoffen Betulin, ein Phytosterin, das sich aus dem Sesquiterpenalkohol Betulol entwickelt, 4–15% Gerbstoffe, Salizylsäureverbindungen, Gallussäure, Glucose, Xylon, Pentosane, Metarabinose und ein ätherisches Öl auf Terpenbasis (0,052%).

Als Inhalts- bzw. Wirkstoffe der Birkenblätter wurden gefunden: Methylpentosane (Polysaccharide), Betulalbin, Betulin, Harz, Bitterstoffe, Gerbstoffe und solche der Pyrokatechingruppe, Farbstoffe, ätherisches Stearopten und vor allem Saponine.

Unschwer dürften auch in den Birkenblättern die Vorstufen der Salicine vorhanden sein. Wer wie ich mit Hunderten von Kilo an Birkenblättern zu tun hatte, spürt förmlich am Geruch Salizylsäureverbindungen heraus.

Noch interessanter aber wird es, wenn wir die Wirkungen der Salizylsäure mit denen der Birkenblätter vergleichen. Schon bei kleinen Mengen von Salizylsäure erfolgt eine deutliche und rasche Herabsetzung der Temperatur durch eine direkte Beeinflussung des Wärme-Zentrums und durch eine periphere Erweiterung der Gefäße. Hierbei wird zwar die Wärmeproduktion erhöht, da aber die Wärmeabgabe gesteigert wird, erfolgt – im ganzen gesehen – eine Temperatursenkung. Gleichzeitig wird der Purinstoffwechsel im Sinne einer vermehrten Harnsäureausscheidung bzw. -ausschwemmung gesteigert, die Gallensekretion wird angeregt. Das Nierenepithel wird in schonender Weise zur Diurese angeregt.

Beobachten wir die genannten Wirkungen und vergleichen wir sie mit denen der Birkenblätter, so erkennen wir unschwer, daß sich die Wirkungen der Salizylsäure und die der Birkenblätter, der Birkenknospen und des Birkensaftes in allen Teilen gleichen.

Auf den typischen Birkengeruch, der dem des Phenylum salizylicum (Salol) täuschend ähnelt, wies ich bereits hin. Salol gilt als ausgezeichnetes Harnantisepticum, namentlich bei ammoniakalischem, bakterienreichem Harn (chronische Cystitis). Der Gebrauch von Birkenblättern zeigt die gleichen, erfolgreichen Wirkungsergebnisse. Nur in einer weit schonenderen Form. Zweifellos weist diese Heilwirkung darauf hin, daß jene Salizylsäure-Verbindungen in der vorhandenen Betuloretinsäure einen analogen Faktor besitzen. Interessant ist hierbei, daß diese Wirkung durch Hinzufügen von Natrium bicarbonicum noch wesentlich gesteigert werden kann. Ebenfalls wieder ein Zeichen der Wirkungsgleichheit mit Salizylsäure und deren Natriumsalzen. Natrium salizylicum dient, außer bei rheumatischen Erkrankungen, besonders bei Gelenkrheumatismus. Weit besser aber wirken hier jene natürlichen Salizylsäure-Verbindungen, die wir in den genannten Heilpflanzen besitzen, da bei diesen die unangenehmen Nebenwirkungen und die „Kompaktwirkungen" der künstlichen Präparate wegfallen. Außerdem spielen bei der Heilpflanzen-Anwendung die diesen innewohnenden Nebenwirk- und Begleitstoffe zusätzlich eine wesentliche Rolle. Ich denke hier z. B. an die vielseitige Verwendungsmöglichkeit der Schlüsselblume, die ja außer Salizylsäureester noch Saponine sowie ätherisches Öl und die Glycoside der Primverose (sogenannte Primveroside) enthält – um nur die wichtigsten Inhaltsstoffe zu nennen.

Daher gelten Schlüsselblumen nicht nur als wichtiges Adjuvans bei allen Erkältungskrankheiten sowie bei Gicht und Rheumatismus, sondern vor allem als schmerzlinderndes Mittel z. B. bei halbseitigem Kopfschmerz, bei Migräne und bei Neuralgien (W. BOHN) und bei leichten Hirnkongestionen (Blutandrang zum Kopf). Auch die Homöopathie empfiehlt die Essenz der ganzen, frischen, blühenden Pflanze zur Anwendung bei Nierenaffektionen, Schwindelgefühlen, Migräne, Neuralgien, während K. KANT sie vor allem als anregend auf das Gehirn, schweiß- und harntreibend, beruhigend, schlaffördernd und schmerzlindernd bezeichnet. Was mir hierbei als besonders wichtig erscheint, ist die bei allen Salizylsäurepflanzen immer wieder betonte Bedeutung als Kopfschmerzmittel. Wir finden diese Hinweise bei der Weidenrinde, der eben angeführten Schlüsselblume, dem Stiefmütterchen, der Ulmspierstaude (Trigeminus-Neuralgie). Nur bewirken diese Heilpflanzen natürlich keine augenblickliche Schmerzstillung, dafür aber bei kurmäßigem Gebrauch eine Dauerheilung.

Denken wir doch einmal an eine Heilpflanze wie **Frauenmantel – Alchemilla vulgaris.**

Pfarrer JOHANN KÜNZLE, der berühmte Schweizer Pflanzen-Doktor, sagte von diesem Heilkraut – in der Schweiz als „Silbermäntli" bekannt: „Manche Kinder hätten noch ihre Mutter und mancher geschlagene Witwer noch seine Frau, wenn sie diese Gottesgabe gekannt hätten." Bei dem Wort „Frauenmantel" denkt man unwillkürlich an Frauentee. In der Tat führt auch hier wieder die Signatur zur wichtigsten Anwendung, denn Frauenmantel ist tatsächlich für Frauen ein nicht hoch genug einzuschätzendes Heilkraut. Es kräftigt die Nerven, hilft gegen Kopfweh in jeder Form, bei Benommenheit und nervöser Niedergeschlagenheit, und zwar wirkt Frauenmantel auf die großen und kleinen Beckenorgane der Frau und von dort aus über den gesamten weiblichen Organismus. Bei Menorrhagien soll der wohltätige Einfluß besonders ausgeprägt sein.

Bei den Wirkstoffen des Frauenmantels fallen neben Gerbstoff, Bitterstoffen und Saponinen vor allem Spuren von Salizylsäure, Lecithine sowie Linolsäure und weitere pflanzliche Öle und Fett auf.
Frauenmantel, Melisse und Kamille als Teemischung ist ein ideales Hausgetränk – nicht nur für Frauen. Es beruhigt die Nerven und ist ein ausgezeichnetes Schlafmittel.
Dieselbe Mischung in Verbindung mit Pfefferminze, Baldrian und Ringelblumen wirkt hervorragend bei Menstruationsbeschwerden und -schmerzen, vor allem, wenn diese Teemischung vier Tage vor Eintritt der Menses täglich zweimal getrunken wird. Man kann der Mischung noch etwas Dost – Origanum vulgare hinzufügen, der vor allem bei krampfartigen Unterleibsbeschwerden und bei Kopfschmerzen der Frau in den Wechseljahren zu empfehlen ist. Dost enthält als wichtigste Wirkstoffe Phenole, ätherische Öle sowie Gerb- und Bitterstoffe.

**Über Ulmspierstaude (Mädesüß, Wiesengeißbart) – Spiraea ulmaria** hatte ich schon mehrfach berichtet. In ihren Blüten wurde 1840 durch LÖWIG und WEIDAM erstmalig Salizylsäure nachgewiesen. Aus der frischen Wurzel isolierte M. BRIDEL pro Kilogramm 0,058, aus jener von Spiraea filipendula 0,297 Gramm eines Glykosides, das sich nach der Reinigung als Monotropin erwies. Tropine sind phagozytosefördernde, thermostabile Immunkörper, die in der Blutbahn wichtige Aufgaben zu erfüllen haben. Dem waren die Untersuchungen von PAGENSTECHER und ETTLING vorangegangen. Sie hatten 1835 durch Destillation der Blüten ein bei 18–20° vollständig erstarrtes Öl erhalten, das, schwerer als Wasser, sich aus zwei bis drei flüchtigen Stoffen zusammensetzte. Der eine davon war Salizylaldehyd. A. SCHNEEGANS und J. G. GEROCK stellten fest, daß es nicht nur dieses „Spiraeasäure" genannte Salizylaldehyd war, sondern außerdem noch Methylsalicylat-Salizylsäuremethylester und Spuren von Heliotropin und Vanillin. Die Blüten enthielten neben Methylsalizylat auch freie Salizylsäure, außerdem Zitronensäure und Gerbstoffe. Auf den Blausäure-Gehalt der Spiraea ulmaria wies ich schon an anderer Stelle hin. Ebenso aber auch auf den hohen Gehalt an Kieselsäure (10,05%).

Spierblüten gelten als wirksam vor allem bei Trigeminus-Neuralgie. Aber auch bei jeder anderen Form von Kopfschmerzen sollte man sie nehmen, bevor man zu anderen Mitteln greift. Schließlich sind ja aus ihnen alle Salizylsäure-Präparate hergeleitet worden. Vor allem die unter unzähligen Namen als Kopfweh-Tabletten herausgebrachte Acethylsalizylsäure.

Salizylsäure!
Was ist das eigentlich?
Ein Abkömmling der Benzoesäure. Und diese wieder ist ein Abkömmling des Benzols. Was ist Benzol?
August Kekulé von Stradonitz (1829–1896) war einer der Begründer der neuzeitlichen organischen Chemie.
In seinem Besitz befand sich, als Familienerbstück, ein Ring, eine Schlange darstellend, die sich in ihren Schwanz beißt. Diese Form der

Darstellung einer Schlange ist uralt.

Sie bedeutet seit Jahrtausenden das Zeichen der Ewigkeit, den Zusammenhang aller Dinge. Sie stellt gleichsam die Verwandtschaft der Stoffe, die Einheit in der Vielheit der Erscheinungen dar.

Die Alchemisten und Adepten führten dieses Symbol als ihr Zeichen. In seiner Mitte stand der griechische Buchstabe für das All-Eine: Omega.

Der geniale Forscher Kekulé, der das chemische Denken unserer Zeit in entscheidender Weise beeinflußte, war nicht nur ein exakter Wissenschaftler, sondern in visionärer Weise begabt, aus dem Unbewußten heraus zu schöpfen und dieses gleichsam geistig zu materialisieren.

Seine größte Tat, die Schaffung der dreidimensionalen Chemie, des ketten- und ringförmigen Aufbaues der Atomverbindungen, erstand als Vision, als Traum, aus dem Unbewußten vor seinem geistigen Auge. Erst mit dieser Entdeckung der Struktur chemischer Verbindungen erstand die Grundlage der modernen chemischen Wissenschaft.

August Kekulé erzählt darüber: ,,Während meines Aufenthaltes in Gent in Belgien bewohnte ich ein elegantes Junggesellenzimmer in der Hauptstraße. Mein Arbeitszimmer aber lag mit dem Blick in eine enge, finstere Seitengasse und hatte während der Tagesstunden kein Licht. Diese Dämmerung empfand ich aber nicht als Nachteil. Irgendwie war sie für meine Gedanken sogar wohltuend. Da saß ich nun und schrieb an meinem Lehrbuch. Mein Geist aber war bei anderen Dingen. Wohl kreiste alles um ungelöste chemische Probleme, aber wieder und wieder erschien vor meinem geistigen Auge der Ring mit der Schlange, die sich in den Schwanz beißt. Ich war in Halbschlaf verfallen. Wieder gaukelte der Ring vor meinen Augen. Diesmal aber ganz deutlich als Atome. Kleinere Gruppen hielten sich dabei bescheiden im Hintergrund. Mein geistiges Auge, durch wiederholte Gesichte ähnlicher Art geschärft, unterschied jetzt größere Gebilde von mannigfacher Gestaltung. Lange Reihen, vielfach dichter zusammengefügt. Alles in Bewegung, schlangenartig sich windend und drehend. Und siehe – was war das? Eine Schlange erfaßte den eigenen Schwanz und höhnisch wirbelte das Gebilde vor meinen Augen. Wie durch einen Blitzstrahl erwachte ich. Den Rest der Nacht verbrachte ich dann, um die Konsequenzen der Hypnose auszuarbeiten. Der Benzolring war geboren!''

Benzol, englisch: benzene, französisch: Benzène, mit der chemischen Formel $C_6H_6$ zeigt in seiner Entdeckung einen der wichtigsten Zweige der organischen, allerdings auch der anorganischen Chemie, auf.

Erstmals wurde er von FARADAY 1825 dargestellt. 1834 gab ihm LIEBIG den Namen. 1842 erfolgte die erste Darstellung aus Steinkohlenteer durch LEIGH und 1865 stellte KEKULÉ seine Sechserring-Benzolformel auf.

Benzolderivate sind Stoffe, die sich vom Benzol herleiten. Es werden hierbei ein oder mehrere H-Atome durch andere einwertige Elemente oder durch mehr oder weniger komplizierte, einwertige Radikale ersetzt. Außerdem können auch zwei oder mehr Benzolkerne zu größeren Komplexen zusammentreten.

## Benzol-Formel nach Kekulé

```
        H
        |
        C
      /   \
  H—C      C—H
    ‖       |          oder
    |       ‖          einfach
  H—C      C—H
      \   /
        C
        |
        H
```

Man kennt heute über 100000 Benzolderivate, sogenannte aromatische Verbindungen, die in einem besonderen Teilgebiet der organischen Chemie zusammengefaßt werden.

Zu ihnen gehören z. B. auch die Benzoesäuren, die wir in ihrer natürlichen Form, mit vanilleähnlichem Geruch, von vielen Pflanzen her kennen. Am besten von den Benzoeharzen selbst, aus Siam, dem heutigen Thailand, und aus Sumatra kommend. Zu ihnen gehören aber danach auch die Paraoxybenzoesäure, die Metaoxybenzoesäure und die Orthooxybenzoesäure.

Ortho-Oxybenzoesäure aber ist unsere Salizylsäure.

Oxybenzoesäuren sind Benzole, worin ein H-Atom durch Hydroxyl, ein anderes durch Karboxyl ersetzt wird.

Entsprechend den drei verschiedenen Stellungen, die diese zueinander einnehmen können, entstehen diese drei verschiedenen Säuren:

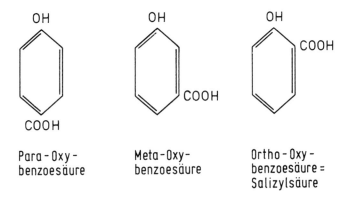

Para-Oxy-
benzoesäure

Meta-Oxy-
benzoesäure

Ortho-Oxy-
benzoesäure =
Salizylsäure

Zwei davon, nämlich die Para- und die Meta-Verbindungen, sind wenig aktive Substanzen.

Dagegen ist die dritte, die Ortho-Oxybenzoesäure, worin OH und COOH Nachbarn sind, sehr wirksam, in der Natur viel verbreitet, wenn auch oft nur in Vorstufen und als **Salizylsäure** eines der unersetzlichsten Mittel der Medizin.

Während nun Benzoeharz und Benzoesäure nur als schwaches Antiseptikum als Konservierungsmittel und in Form von Tinktura Benzoe als Expektorans bekannt ist, sieht man davon ab, daß es NOSTRADAMUS schon 1556 als Geheimmittel schätzte, ist die antiseptische Wirkung von Salizylsäure, Salizylsäure-Verbindungen und salizylsäurehaltigen Heilpflanzen unumstritten.

Salizylsäure besitzt bei örtlicher Anwendung eine leicht epithellösende, schmerzstillende und nicht unbeträchtlich antibakterielle Wirkung. Man kann sie also als ausgesprochen antiphlogistisch bezeichnen.

Ihre Resorption erfolgt sowohl von der intakten Haut aus als auch von den Schleimhäuten her ausreichend und ergiebig. Nach ihrer Aufnahme in den Kreislauf entfaltet sie besonders ausgesprochene Gefäßwirkungen, die wahrscheinlich nervös bedingt sind. Auf dem Boden der Gefäßwirkung ist auch ihre ausgesprochen schmerzlindernde Wirkung zu begreifen; eine Wirkung, die therapeutisch für alle schmerzhaften, entzündlichen Vorgänge in Anwendung gebracht werden kann.

Alle salizylsäurehaltigen Heilpflanzen, von der Weidenrinde angefangen über die Spierblüte, das Stiefmütterchen, das Veilchen, den Frauenmantel und die Schlüsselblume sind nicht ohne Grund als die natürlichen Kopfschmerzmittel zu bezeichnen. Das ist begreiflich, denn die Ursache von Kopfschmerzen ist so verschiedenartig, daß es langwieriger Beobachtungen, Befragungen und Untersuchungen bedarf, um sie zu ergründen. Ich wies vorher auf das Beispiel Frauenmantel hin. Die Pflanze fragt nicht, sondern erfaßt den Kernpunkt des Leidens in seiner Wesenheit und – sie heilt. Sie erfaßt, gleichgültig, ob es der Unterleib, der Magen, der Darm, die Leber oder die Galle ist, das Leiden an der Wurzel.

Ich weise nur darauf hin, daß Salizylsäure, ebenso wie ätherische Öle, als typisches Cholagogum bezeichnet wird und als Gallendesinfektionsmittel bei entzündlichen Veränderungen der Gallenblase (Cholecystitis) und der Gallenwege (Cholangitis) Verwendung findet. Wie viel mehr muß da erst ein Tee aus Spierblüten, Ringelblumen, Pfefferminze und Kamille wirken.

Das besondere Indikationsgebiet der Salizylsäure-Drogen ist der akute Gelenkrheumatismus geworden. Auch hier führe ich Weidenrinde, Schlüsselblumen, Stiefmütterchen, Ulmspierstaude und Gartenraute an. Darüber hinaus aber wird man jede Form entzündlicher oder schmerzhafter Gelenkveränderungen mit salizylsäurehaltigen Drogen behandeln können, da die Verminderung des Schmerzes ja eigentlich die Entzündungsbereitschaft zurückbildet und somit neben anderem die Gefahr einer Versteifung vermindert.

Intensiv ist auch der Einfluß auf die Schweißdrüsen, die nicht nur bei hoher Dosierung eintritt. Nicht ohne Grund werden alle oben genannten Kräuter immer wieder bei Grippe und fieberhaften Erkältungen empfohlen. Sie wirken hier besser und vor allem nachhaltiger und man vermeidet schädigende Nebenwirkungen, wie sie bei einem Zuviel von Salizylsäure leicht eintreten können; so z. B. Ohrensausen, Erbrechen, Schwindel, Dysphonie, erschwerte Atmung, Kurzatmigkeit und Rauschzustand.

Die Salizylsäure besitzt zweifelsfrei auch eine direkte Beeinflussung auf den Stoffwechsel. So konnte die Steigerung des Eiweißstoffwechsels durch eine 10–12%ige Erhöhung der Stickstoffwerte durch den Urin nachgewiesen werden. Auf die Sekretion der Galle wies ich bereits hin (POULSSON) und im Urin tritt eine Steigerung des Harnsäuregehaltes von 30–100% auf, wobei offenbar direkte Stoffwechselsteigerungen mit einer Steigerung der Sekretionstätigkeit der Nieren in Konkurrenz tritt.

Die Salizylsäure selbst wird in unveränderter Form im Urin ausgeschieden und wirkt hauptsächlich in ammoniakalisch riechendem Harn antiseptisch auf die Bakteriurie (Ausscheidung von Bakterien durch den Harn.)

Zum Indikationsgebiet der salizylsäurehaltigen Drogen gehören also zunächst einmal alle fieberhaften Krankheitsprozesse, vor allem solche mit gleichzeitig auftretenden schmerzhaften Gelenkerscheinungen (s. akuter Gelenkrheumatismus), Entzündung der Schleimhäute des Magens und des Darms, besonders bei schmerzhaften Tenesmen (schmerzhafter Stuhl- und Harnzwang) und entzündlich bedingte Koliken, Entzündungen der Haut und schließlich der Blasenkatarrh. Durch den Einfluß auf den Harnsäurestoffwechsel gehört auch die Behandlung der harnsauren Diathese zur direkten Heilanzeigenstellung.

Konstitutionell werden vor allem diejenigen Formen von Erkrankungen der Behandlung dieser Gruppe unterliegen, bei denen eine Erhöhung der Hauttätigkeit wünschenswert erscheint.

Es sei noch angeführt, daß aus der Gruppe der salizylsäurehaltigen Drogen das Feldstiefmütterchen – Viola tricolor – und das Veilchen – Viola odorata – von alters her bei der Behandlung von Hautkrankheiten sich einer großen Beliebtheit erfreuen. Hierbei spielen die antiparasitären, entzündungshemmenden und harnstofffördernden und -lösenden Eigenschaften der Salicine und deren Verbindungen eine besondere Rolle. Bei beiden Pflanzen ist allerdings auch an die Anwesenheit der von KROEBER nachgewiesenen Saponine zu denken.

Die Ringelblume – Calendula officinalis L., eine der Lieblingspflanzen SEBASTIAN KNEIPPs, enthält neben 0,43 mg/kg Salizylsäure ebenfalls Saponine. Sowohl WINTERSTEIN und STEIN (1931) als auch KOFLER und STEIDL (1932) konnten diese eindeutig nachweisen. Daneben werden als chemische Bestandteile der Calendula noch angeführt: der von KROEBER als Glykosid erkannte Bitterstoff „Calendulin" (19,13%), außerdem noch 0,02% ätherisches Öl, Gummi, Harz, Schleim, Albumin, Apfelsäure sowie ein roter Farbstoff als Cholesterinester der Laurin-, Myristin-, Palmitin-, Margarin- und Apfelsäure. Der Aschegehalt wird von CAESAR & LORETZ mit 9,5 bis 12,4% angegeben.

*Ringelblume*
*Calendula officinalis*

Von der wissenschaftlichen Medizin zu Unrecht vernachlässigt (KROE-BER), gelten Ringelblumen in der Naturheilkunde nicht nur als bedeuten-des Hautreinigungsmittel bei Hautkrankheiten und Geschwüren, sondern als ein ebenso wertvolles Wundheilmittel (Ringelblumensalbe und -tink-tur). Nach H. SCHILLING tritt sie in Wettbewerb mit Arnika und Johannis-kraut als Verbandsmittel bei bösartigen Geschwüren, Ekzemen, Brand-wunden, Quetschungen und sogar bei syphilitischen und krebsartigen Geschwüren und ist (Ringelblumentinktur) ein ausgezeichnetes Mittel bei Verletzungen, da sie Wundverschluß und Heilung ohne Entzündung und ohne Eiterung garantiert. Auch H. SCHULZ betonte, daß sie vor allem granulationsfördernd bei gerissenen und gequetschten Wunden wirkt.
Die Homöopathie stellt aus frischen, blühenden Pflanzen eine Essenz her, die sie vor allem bei entzündlichen Zuständen und Anschwellungen drüsi-ger Organe verwendet.
RIPPERGER führt LECLERC als Gewährsmann dafür an, daß die Ringel-blume nicht nur ein ausgezeichnetes granulationsförderndes Mittel zur Wundheilung darstellt. Er führt auch an, daß er beste Erfolge gehabt hat bei Staphylokokkenerkrankungen der Haut, bei Leuten, deren Gesicht wie mit einer dicken, gelben Kruste überzogen war. In ähnlicher Absicht soll die Ringelblume schon von der heiligen HILDEGARD von Bingen, also vor achthundert Jahren, gegen Impetigo (Eitergrind, Eiterflechte) der Kopf-haut empfohlen worden sein.
Anwendung und Verschreibung nach RIPPERGER: Zu Verbänden wird die Tinktura Calendulae empfohlen, und zwar in 1–3%iger Verdünnung mit Wasser. LECLERC läßt die Tinktur oder auch die Alkoholatur 1:10 ver-dünnen. Zu Salben Verwendung findet gelegentlich auch Calendulaex-trakt. Zweckmäßig dürfte die analog der UNNAschen Arnikasalbe mit Tinktur bereitete Salbe sein: Rp. Tinct. Calendulae 10,0
                    Eurecin anhydric. ad 50,0

Man kann natürlich anstelle von Eucerin auch Adeps suillus D.A. 7 nehmen. Nur ist dann die Haltbarkeit in Grenzen gesetzt.
Ein nur zu wenig beachtetes Anwendungsgebiet der Ringelblume ist die Gynaekologie. RIPPERGER schreibt hierüber: „In ihrer äußerlichen Anwendung der Arnika an die Seite gestellt, ist die Ringelblume auch als Emmenagogum nicht ohne Bedeutung. BOHN berichtet von ihr, daß sie Unregelmäßigkeiten der Monatsblutungen ordne. Auch KROEBER erwähnt, daß sie bei Menstruationsanomalien gute Dienste leistet und auch HENRI LECLERC, wohl der bekannteste französische Arzt und Heilpflanzenkenner, kam auf Grund häufiger Anwendungen, wie er selbst betonte, zu einer Bestätigung ihrer emmenagogen Wirksamkeit, die das Eintreten der Menstruation fördert und bei Dysmenorrhoe Schmerzen beseitigt. Namentlich angezeigt ist nach ihm ihre Anwendung bei nervösen und anämischen Personen.
Bei Verordnung von Ringelblumentinktur, eine Woche vor voraussichtlichem Eintritt der Menses, sah er diese sehr oft ihren normalen Verlauf nehmen und die sie begleitenden schmerzhaften Symptome wurden dabei weitgehend gemildert oder mitunter ganz vermieden. („Précis de Phytothérapie", Paris 1923)
Auch der Mitarbeiter LECLERCs, C. B. INVERNI, der sich in seinen Angaben vielfach auf die Mitteilungen LECLERCs stützt, bezeichnet die Droge als wertvolles Emmenagogum, außerdem aber auch als Stimulans und als Antispasmodicum und daneben als Antiemeticum (Mittel gegen Erbrechen).
Die Tagesgabe gab LECLERC wie folgt an: Tinctura Calendulae 2–4 g oder auch Extr. Calendulae 0,3–0,5 g. Zum Tee nimmt man 1 Eßlöffel Flor. Calendulae auf eine Tasse Wasser zum Aufguß.

## Weidenkätzchen

Es dürfte interessant sein, in diesem Zusammenhang auch darauf hinzuweisen, daß man die Weide – und in diesem Zusammenhang vor allem die Weidenkätzchen, schon seit DIOSKORIDES als Anaphrodisiacum bezeichnet.
Von deutscher Seite liegen hier bisher keinerlei Bestätigungen vor, sieht man von der volkstümlichen Anwendung bei schmerzhaften Beschwerden bei der Regel ab. H. LECLERC ist auch hier Gewährsmann für die Richtigkeit dieser Auffassung. Nach seinen Angaben scheinen der Weide sedative Eigenschaften zuzukommen, die möglicherweise eine gewisse Beziehung zur Genitalsphäre haben. Er schreibt auch, daß von amerikanischer Seite ähnliche Beobachtungen gemacht wurden, und zwar zur Behandlung der verschiedenen Formen sexueller Erregbarkeit, bei Gonnorrhöe, Spermatorrhöe, Pollutionen, Ovarialneuralgien usw.
LECLERC berichtet über Fälle von dysmenorrhoeischen Beschwerden, bei welchen die **Anwendung eines Fluidextraktes aus Weidenkätzchen** wirklichen Nutzen hatten und zwar: Milderung der in Ovar und Uterus ihren Sitz habenden Schmerzen und Verschwinden der davon abhängigen ner-

vösen Beschwerden. LECLERC verschrieb das Extrakt auch mit gutem Erfolg bei Schlaflosigkeit von Neurasthenikern.

C. B. INVERNI charakterisiert Weidenkätzchen (Extrakt) als ein kräftiges Sedativum der Genitalorgane für beide Geschlechter, und zwar derart, daß es Bromkali zu ersetzen vermag. L. RENON hat diese Mittel oft bei ausgesprochenen Angstzuständen eingesetzt und dabei gute Erfolge erzielt. Dabei verhält es sich gleichzeitig wie ein Tonikum, ist daher für nervöse Personen besonders bekömmlich. Dosis: Vor dem Schlafengehen 1–2 Kaffeelöffel, evtl. eine Stunde später nochmals zu wiederholen, falls die Beschwerden trotzdem fortbestehen.

Ich führe diese interessanten Hinweise über Weidenkätzchen und ihre Verwendung in der Heilkunde schon deshalb an, weil mir diese Tatsachen aus meiner Heimat von Jugend auf vertraut sind. Es ist daher wohl wert, sie auch bei uns einmal nachzuprüfen.

# 10 Senföl-Glykosid-Drogen – Pflanzliche Antibiotika

## 10.1 Einführung

„Im Reiche der Pflanzen werden die Federn
gespannt, die das Uhrwerk des Lebens treiben."

Dr. med. M. Bircher-Benner

Die Forschungen der Wissenschaft auf allen Gebieten haben in den letzten Jahrzehnten zu Ergebnissen geführt, die weit über das hinausgehen, was kühne Träumer noch zu Beginn unseres Jahrhunderts zu hoffen wagten.

Wir vermochten nicht nur auf den Gebieten der Physik, der Chemie und der Astronomie sowie in allen damit zusammenhängenden technischen Verfahren und Einrichtungen Kenntnisse zu gewinnen, die ein völlig neues Weltbild schufen, sondern wir konnten mit Hilfe dieser Kenntnisse und Erkenntnisse auch auf dem Gebiete der Medizin Einsichten gewinnen, die uns in die Lage versetzen, über Gesundheit und Krankheit des menschlichen Organismus mehr denn je zu erfahren.

Was in früheren Zeiten empirisch, aufgrund alter Erfahrung verordnet und empfohlen wurde, fand in oft überraschender Weise seine wissenschaftliche Bestätigung.

Trotzdem nehmen die Krankheiten nicht nur ihren Fortgang, sondern sie verheeren in steigendem Maße den Gesundheitszustand der Menschheit und ihnen zugesellen sich immer neue Krankheiten, denen wir machtlos ausgesetzt scheinen. Denken wir nur z. B. an die seit 1917 (damals als Influenza – Spanische Krankheit) auftretende Grippe, die uns mit konstanter Regelmäßigkeit jedes Jahr wieder und immer wieder in neuer Variation aufsucht.

Was nützt es uns, wenn in oft sensationeller Form von neuen, angeblich unfehlbaren Mitteln und Methoden gegen bestimmte Krankheiten und Seuchen berichtet wird, um hinterher festzustellen, daß auch diese neuen Verfahren nur suchend und tastend die Probleme am Rand streifen, ohne sie zu lösen.

Es scheint, daß wir eher zu einer noch größeren Zersplitterung gekommen sind und als ob über allem, gewiß notwendigen, Spezialistentum letzteres mehr Selbstzweck als Mittel zum Zweck geworden ist. Das Problem der Krankheit ist nicht zu erfassen, wenn man Krankheit nicht als eine Äußerung des gesamten menschlichen Organismus, bestehend aus Körper, Seele und Geist, zu betrachten vermag und wenn man den Menschen nicht als Eigenwesen, sondern als Teil des ganzen kosmischen Geschehens sieht.

Von diesem Wege aber sind wir in gefährlichem Maße abgewichen. Es ist, als ob das Mikroskop mit seinem auf kleinsten Raum gerichteten Blickfeld und seinem Vermögen, eben dieses Kleinste in Riesendimensionen zu vergrößern, uns der Fähigkeit beraubt hat, über diesen kleinsten Raum hinaus- und hinwegzusehen und zu denken.

Die Virusforschung zeigt uns, als Endglied oder als neuen Anfang der Bakteriologie, eine ungeheure wimmelnde Masse von Eiweißmolekülen, die als Lebewesen unseren Organismus erschüttern und ihm den Todesstoß zu versetzen vermögen. Aber – wissen wir, ob wir mit der Kenntnis von jenen Wesen der Kleinstlebewelt dem Erkennen der Krankheiten auch nur einen Schritt näher gekommen sind? Wo bleibt die Auswertung der Erkenntnis, daß die menschlichen Körperzellen in der Lage sind, bei jeder Virusattacke einen eigenen Abwehrstoff zu bilden, der sich diesen Feinden der Körperzellen als Barriere entgegenstellt? Es darf doch nicht Aufgabe sein, diesen Abwehrstoff zu isolieren, sondern man sollte doch lieber versuchen, dem Organismus zu helfen, diesen Abwehrstoff in solcher Menge zu produzieren, daß er in jedem Falle der Krankheit Herr wird. Ich komme damit zur wichtigsten Frage:

Was wissen wir überhaupt Näheres über das Problem „Krankheit"?

J. LÖBEL sagte einmal: „Der Unterschied im Wissen zwischen dem Leibarzt HAMMURABIS von Babylon und den Ärzten der Goethezeit ist kaum der Rede wert! Denn durch viele Tausende von Jahren wußten wir so gut wie nichts. Erst im 19. Jahrhundert, vom Standpunkt des Weltgeschehens also erst seit gestern, erfuhr man, daß es Magensaft gibt. Erst seit einer halben Stunde kennt man Infektion und Desinfektion. Daß man seelische Leiden ebenso exakt behandeln kann wie einen Knochenbruch, weiß man erst seit fünf Minuten."

Dieser Satz auf die Leistungen unserer Zeit wäre nicht unberechtigt, hätte man ernsthaft vermocht, aus den gegebenen Tatsachen die notwendigen Schlußfolgerungen zu ziehen.

Taten wir das? Oder – besser gesagt, taten wir dies nicht allzu einseitig?

Gewiß sind wir auf den Gebieten der Bakteriologie und der Virusforschung ein gewaltiges Stück vorwärtgekommen, aber jedes neue Auftauchen z. B. der Grippe zeigt sie uns in einem anderen Gewand und in neuen Variationen und stellt uns daher vor neue Probleme.

Dagegen wissen wir, daß zum Beispiel die Giftwirkung der Bakterien in vielen Fällen durch die Einnahme von Heilkräutern verhindert wird. So z. B. durch das Allicin, einen Wirkstoff des Knoblauchs, der einige Bakterienarten schon dann tötet, wenn er in Konzentrationen von 0,000 008 v. H., also in einem Verhältnis von 1 : 125 000 vorhanden ist. Mit einer 200fach tödlichen Menge typhusähnlich wirkender Bakterien infizierte Mäuse, die mit **Knoblauchsaft** behandelt wurden, erfuhren eine beachtliche Verlängerung ihrer Lebensdauer. Bei geringeren Dosierungen mit den tödlichen Toxinen zeigte die desinfizierende Kraft des Knoblauchs Heilungserscheinungen von beachtlichem Ausmaß.

Die in Kreuzblütlern vorhandenen kräftigen Antibiotika verhindern das Wachstum von Schimmel noch in einem Verdünnungsverhältnis von 1 : 100 000 bis 1 : 1 000 000 (A. I. VIRTANEN).

Bei Versuchen mit weiteren Heilpflanzen, die als bakterizid bekannt sind, ergab sich, daß zum Beispiel Juniperus communis 20mal stärker keimtötend auf Staphylokokken wirkte als Alkohol und im Vergleich zu Alkohol immer noch wesentlich stärker war als dieser, z. B. bei Kolibazillen, die bekanntlich von allen Bakterienkeimen die größte Resistenz aufweisen.

Bei der Prüfung der Widerstandskraft der Pflanze gegen Fäulnis und Schimmelbildung zeigte sich, daß bei Arnika montana, Betula alba, Chamomilla vulgaris, Equisetum arvensis, Inula helenium und selbstverständlich auch bei Juniperus communis keinerlei Schimmelbildung auftrat. Wir wissen z. B., daß Kamillen als Hochleistungselemente des Bodens gelten. Wir wissen, daß ein kurzes Bad von Pflanzen in Kamillenlösung das Wachstum dieser Pflanzen fördert und daß die Wirkung der Kamille noch in einer Verdünnung von 1 : 125 Milliarden – homöopathisch ist das D 11 – nachweisbar ist.

Wann endlich macht sich die Wissenschaft einmal diese Tatsache zunutze, denn in die Praxis übertragen, bedeutet dies, daß Auszüge dieser Pflanzen die Resistenz von Bakterien mehr oder weniger schädigen müssen. Die Erfolge bei der Anwendung dieser Pflanzen am Krankenbett bezeugen die Richtigkeit dieser Tatsache.

Schon WINTERNITZ schrieb über seine Versuche mit Birkenblättertee als Diuretikum: „– der Eiweißgehalt des Urins, die corpusculären Elemente im Urin – Epithelien, Zylinder – werden spärlicher und verschwinden endlich mit dem Eiweiß zusammen völlig."

Noch beachtlicher ist der Bericht von E. STARKENSTEIN (1930) über seine Versuche mit Kamillen, Faulbaumrinde und Rhabarberwurzel: „. . . So wurden Erkrankungen wie Fleckfieber, selbst Typhus, nach der Zufuhr solcher Heilpflanzen schlagartig gebessert, **obgleich z. B. der Typhuserreger noch in unverminderter Stärke vorhanden war.**" STARKENSTEINs Folgerung: „Dieses Ereignis läßt sich nur dahingehend deuten, daß **die Widerstandskräfte des erkrankten Organismus** durch die Zufuhr solcher Heilstoffe wie ätherische Öle, Kieselsäure, Stärke und Pflanzenglykoside **eine mittelbare Steigerung erfahren haben.**"

Damit ist eine der bedeutendsten Fragen der Heilkunde überhaupt angeschnitten.

Auf zwei Wegen können wir einer Krankheit begegnen. Einmal, indem wir ihre Erreger vernichten, zum anderen, indem wir die Widerstandskraft des Organismus stärken.

Der erstere Weg wird in weitem Maße von der modernen Chemotherapie beschritten, angefangen beim Diptherieserum, bei der vorbeugenden Schluckimpfung gegen die spinale Kinderlähmung, mit der – das wollen wir nicht verkennen – gute Erfolge erzielt wurden, über die heute bereits obsoleten Sulfonamide bis zu den Penicillinen und den anderen Antibiotika. Gewiß – es ist damit unendlich viel Segensreiches geschaffen worden. In akuten, schweren Fällen bilden sie oft die einzige Hilfe gegen sicheren Tod.

Wir dürfen nie verkennen, daß bei dieser „Vernichtungsaktion" in vielen Fällen auch wesentliche Funktionsäußerungen des Lebens mit lahmgelegt werden. Es ist z. B. langwierig und schwer, die von einer Penicillinkur vernichtete gesunde Bakterienflora des Darmes wieder aufzubauen.

Zudem erinnert mich eine Penicillinkur immer an die Benutzung einer Bergbahn, die uns hilft, mühelos einige tausend Meter Höhenunterschied zu überwinden, um uns dann dem Herz- und Kreislaufkollaps auszusetzen. Ganz abgesehen von der Veränderung der Blutzusammensetzung. Der Bergwanderer spürt von alledem kaum etwas. Bei ihm hilft sich der Körper durch gesunde Anstrengung selbst. Ich meine also, man sollte, von schwersten Fällen abgesehen, dem Körper in Krankheitsfällen viel mehr Gelegenheit geben, sich selbst zu helfen.

PARACELSUS sagte einmal – und dieser Satz hat noch heute seine volle Gültigkeit: „So eine Krankheit im Leib ist, so müssen alle gesunden Glieder wider sie fechten, nicht nur eines allein, sondern alle." Es ist ja nicht nur die „Überlegenheit des Ganzen über den einzelnen Teil" (BRAUCHLE), sondern die Erkenntnis, daß nicht vom kranken als dem an sich geschwächten und widerstandsuntüchtigen Teil des Organismus die Heilung erreicht werden kann, sondern daß vom ganzen Organismus die notwendigen Gesundungskräfte mobilisiert werden müssen.

Und da komme ich wieder auf die oben angeführten Sätze von STARKENSTEIN zurück, denn bei der richtigen Anwendung der Phytotherapie liegen die Dinge ganz anders. Ihr liegen mehrfache Wirkungsprinzipien zugrunde. Einmal das der Zufuhr lebensnotwendiger Stoffe wie Mineralstoffe, Spurenelemente, Vitamine und pflanzliche Hormone, zum anderen das der Umstimmung der Stoffwechselvorgänge, der funktionellen Leistungsverbesserung, des Anreizes. Wobei die **Reizwirkung** immer um so stärker in Erscheinung tritt, je geringer, dafür aber um so stetiger die **Reizleistung** ist. Das heißt: je schwächer die Dosis, desto besser die Wirkung. So bin ich z. B. der Ansicht, daß bei der Anwendung der Kamille, eine unserer bekanntesten Heilpflanzen, gewöhnlich immer zu viel genommen wird. Eine Messerspitze voll für eine Tasse Tee genügt vollauf. Bei der Anwendung der Arnika wird meist sogar noch mehr gesündigt.

Eine Anschauungsweise fällt bei der Anwendung von Heilkräutern von vornherein aus – die der Zellular- oder Lokalpathologie, denn die Pflanze wendet sich in ihren Auswirkungen an den Organismus als Ganzheit. Heilpflanzenanwendung ist immer eine Ganzheitsanwendung. Es ist also zwecklos, in der Erkenntnis der Bedeutung eines Pflanzenwirkstoffes nun eben diesen Wirkstoff allein zur Anwendung bringen zu wollen oder etwa ihn auf Grund der Kenntnis seiner Strukturformel und seines Aufbaues künstlich herstellen zu wollen, um so von der Pflanze unabhängig zu sein. SABATINI sagte einmal treffend: „Was man in den Pflanzen als ‚Ballaststoffe' gegenüber dem wertvollen Aktivprinzip angesehen hatte, betrachtet man neuestens auf Grund beweisender Untersuchungen als integrierenden, nicht herauslösbaren Bestandteil natürlicher Komplexität, die der konstruktiven Eigenart der Arzneipflanzen entspricht. Der Chemiker, der sich des wirksamen Prinzips als einer reinen, definierten konstanten Substanz bemächtigen wollte, befände sich in der Lage eines Kindes, das auf der Suche nach dem Ursprung der wohlgeordneten Bewegung eines schönen mechanischen Spielzeuges, dieses zerbrochen hat, um schließlich nur die Feder in der Hand zu halten, mit der allein es unmöglich ist, die Wirkungen des ganzen Spielzeuges hervorzubringen."

W. RIPPERGER formuliert das so: „Eine noch so genaue Kenntnis aller Inhaltsstoffe einer Droge im einzelnen sagt wenig über die Wirkung der Droge, wenn sie in ihrer Ganzheit als natürliches Kombinationsprodukt dieser Stoffe zur Anwendung gelangt. Denn wir wissen nicht, welche Rolle in der resultierenden Wirkung die einzelnen Stoffe spielen, nicht, ob und wieweit sie als Summanten, Faktoren oder Exponenten auftreten, noch, wie sonst sie an der Endwirkung beteiligt sind. Ja, wir sind nicht einmal sicher, ob nicht und wieweit dieser oder jener für ganz unwirksam gehaltene Begleit- oder Ballaststoff in diese Rechnung einbezogen werden muß."

Trotzdem ist die Frage berechtigt: „Was bewirkt und wie wirkt die Heilpflanze?"

Ihre Beantwortung ist auch für den Fachmann nicht einfach, denn, wenn wir auch über den Chemismus der Pflanze in vieler Hinsicht gut unterrichtet sind, so wissen wir doch über das Wesen der Pflanze selbst, über ihre vielseitigen Wechselbeziehungen zum Menschen noch viel zu wenig. Dies dürfte wohl auch der Grund dafür sein, daß sie in der Verordnung durch die exakte wissenschaftliche Medizin immer wieder zu kurz kommt. „Exakt verordnen" kann man eben nach den Begriffen der Schulmedizin nur einen chemotherapeutisch genau dosierbaren Stoff, von dem sowohl die Minimal- als auch die Maximaldosis bekannt sind. Aber selbst diese Begriffe sind relativ, denn was *nicht* bekannt ist, ist die Labilität des menschlichen Organismus, die Reaktion des einzelnen auf das Medikament, die ja wiederum abhängig ist von Einflüssen körperlicher, seelischer und geistiger Natur. Und nicht nur das, denn Umwelt, Witterungseinflüsse und andere äußerliche Einwirkungen spielen eine ebenso wesentliche Rolle.

Mensch und Pflanze sind beides unwägbare Faktoren. Ihr Verhältnis zueinander besteht aus Erbmasse, Umwelt und ihren Beziehungen zum kosmischen Geschehen. Nur aus dieser Sicht heraus kann man die Verordnung von Heilpflanzen ausrichten.

Lassen Sie mich dies einmal am Beispiel Kamille erläutern, denn hier tritt dies sehr augenfällig zutage.

Ich will hierbei nur auf eine typische Wirkung der Kamille eingehen, nämlich auf die Kamille als Nervenmittel. Wir kennen ihre Wirkung der Beeinflussung der Nerven über deren Leitungssystem. Hier setzen wir sie ein, wenn z. B. Baldrian versagt. Aber **wann** versagt Baldrian und **wann** braucht man Kamille?

Hier muß ich Ihnen die „seelische Struktur" dieser beiden Pflanzen vor Augen führen.

Unser Baldrian hat im Laufe dieses Jahrhunderts eine Wandlung erfahren. Das liegt aber nicht am Baldrian, sondern an uns selbst. Baldrian galt durch die Jahrtausende hindurch als Frauenkraut und als bewährtes

Entkrampfungsmittel. Die Serben nennen es Odoljan und in einem bekannten serbischen Volkslied, dem Vila-Lied, heißt es wörtlich: „Wüßte jede Frau, was Odoljankraut ist, sie würde es immer sammeln, in den Gürtel nähen und bei sich tragen; dieses kostbare Kraut zu vernachlässigen, warnt die Vila." – Tatsächlich trugen ja auch unsere Frauen noch um die Jahrhundertwende ihr Fläschchen mit Baldriantropfen im Pompadour.

*Baldrian*
*Valeriana officinalis*

Das hat sich grundlegend gewandelt.

Jene stille, in sich gekehrte Pflanze, die in früheren Zeiten so viel Ruhe ausstrahlte, genügt uns heute in vielen Fällen nicht mehr. Die Zeit mit ihrer Hektik und ihren chronischen Verkrampfungen ist es, die den Baldrian überfordert. Anders ist es bei der Kamille, jenem fröhlichen Sonnenkind, dessen Frohsinn gleichsam ansteckend wirkt und daher gerade den Verkrampfungen unserer Zeit entgegentritt. Wo also Baldrian nicht hilft, nimmt man Kamille gegen nervöse Erscheinungen, Schlaflosigkeit und innere Unruhe.

Grundsätzlich gilt:

Bei Erregungen, Spannungen,
Verkrampfungen
aus freudigem Anlaß:
**Valeriana**

Große Unruhe und Furchtsamkeit, Aufgeregtheit von Geist und Gemüt, zittrige Aufgeregtheit, auch vor Freude, Examenserregungen, Lampenfieber – (Valeriana oder Pulsatilla D 4) Schlaflosigkeit, vor allem langes Wachliegen vorm Einschlafen, oft nächtliches Aufwachen, jedoch ohne inneren Ärger und Verkrampfungen.

Bei Erregungen, Spannungen,
Verkrampfungen
aus Ärger:
**Chamonilla**

Explosionsnaturen, Examenserregungen mit Verkrampfungen, Verkrampfungen **nach** dem Examen, Gang zum Finanzamt,
Kleinkinder, die strampeln und schreien, bösartig werden, Trotzköpfe,
seelische und organische Affekte aus Ärger,
Schlaflosigkeit aus Ärger und innerer Verkrampfung.

*Echte Kamille*
*Matricaria chamomilla L.*

Wir sehen an diesem Beispiel, was wohl schon jedem in der Praxis aufgefallen ist, wie wichtig es ist, sich einmal mit der Pflanze selbst, dann aber auch mit dem Menschen, dem sie dienen soll, zu befassen.
Hier muß zwangsläufig die Schulmedizin versagen.
Nun aber zur Wirkung der Senföl-Glykoside. Nach allen wissenschaftlichen Erkenntnissen der vergangenen Jahrzehnte gehören sie zu den Antibiotika.
Wenn man von Antibiotika spricht, denkt man unwillkürlich an Stoffe wie Penicillin, Streptomycin, Chloromycetin oder an die Tetracycline Aureomycin und Terramycin.

Schon PASTEUR und JOUBERT hatten festgestellt, daß gewisse Mikroorganismen Stoffe produzieren, die das normale Wachstum anderer Mikroorganismen verhindern können.

Das Wort ANTIBIOSE wurde bereits im Jahre 1879 als Gegenbegriff zu dem Begriff SYMBIOSE geprägt. Aus diesem Wort ANTIBIOSE entstand in unserem Jahrhundert das unglückliche Wortgepräge ANTIBIOTIKUM.

FREUDENREICH war es, der 1879 entdeckte, daß der Bazillus pyocyaneus ein Stoffwechselprodukt absondert, welches das Wachstum der Erreger z. B. von Typhus und Cholera hemmt bzw. verhindert. Diese sogenannte Pyocyanase wurde von EMMERICH und LÖW bei Milzbrand und Diphterie beschränkt verwendet, erlangte aber nie besondere Bedeutung. Da trat 1928/29 Alexander FLEMING auf den Plan. Die Entdeckung des Penicillins ist ihm allein – und dem berühmten Zufall – zu danken, wenn auch ein ganzes Forscherteam bis 1944 brauchte, um dieses erste Penicillin nutzbringend herauszubringen. Alexander FLEMING wurde in den Adelsstand erhoben und erhielt 1945 für seine Entdeckung den Nobelpreis. 1958 war es dann ein anderer Nobelpreisträger, nämlich Prof. Dr. A. I. VIRTANEN, Helsinki, der seine Forschungsergebnisse über pflanzliche Antibiotika bekanntgab. Parallel zu ihm war Prof. Dr. H. WINTER, Köln, zu gleichen Ergebnissen gekommen, nur hatte er das Hauptgewicht seiner Forschungen auf die Bedeutung solcher Substanzen in vivo, also für die menschlichen bzw. tierischen Organismen gelegt, während es VIRTANEN vor allem um die landwirtschaftliche Nutzung ging.

In jedem Falle waren die Ergebnisse sensationell. Ich will hier gar nicht auf die Entdeckung der Antibiotika in Roggen, Weizen, Mais und den verschiedenen Kleearten eingehen, mit deren Hilfe sich die Pflanzen gegen schädliche Pilze und Bakterien schützen, die ihre Existenz bedrohen. Jedenfalls sind es in allen Fällen Benzoxalone, welche die für jene Pflanzen typischen Pilzkrankheiten hemmen und damit eine Resistenz in den Pflanzen hervorrufen. Auch die in Kartoffelblättern aufgefundene Chlorogensäure hat die gleiche Bedeutung. Aus ihr entstehen Chinone, die gegen die Kartoffelpest (Phytophtora) wirken. In der Möhre finden wir verschiedenartige aromatische Säuren mit stark antimikrobiellen Eigenschaften, die Benzoesäure, p-Oxybenzoesäure, Vanillinsäure, Gallussäure, Ferulasäure, Kaffeesäure und Chlorogensäure. All diese aromatischen Stoffe gehören zu den Phenolcarbonsäuren, aus denen die Pflanze wiederum durch enzymatische Spaltung Chinone bildet, die wegen ihrer antifungalen und antibakteriellen Wirkung für die Pflanze von größtem Nutzen sind. Sie sind es aber nicht nur für die Pflanze, sondern auch für den Menschen. Wir ersehen daraus, daß die Möhre nicht nur wegen ihres hohen Vitamingehaltes für uns so wertvoll ist. Da ist aber noch etwas: Alle in der Möhre aufgefundenen antibiotischen Substanzen sind uns als Inhaltsstoffe sehr vieler Heilpflanzen bekannt. Es scheint schon bald so, als ob wir den Begriff: Wirkstoffe und Ballaststoffe einer Revision unterziehen müssen, denn – **was** Wirkstoff und **was** Ballaststoff ist, wird mit diesen Tatsachen nahezu auf den Kopf gestellt. Übrig bleibt immer wieder die Pflanze als Ganzes.

Der Knoblauch war schon seit Jahrtausenden eine bekannte Heilpflanze. Die Struktur seiner aktiven Substanz Allicin und dessen enzymatische Spaltung wurde bereits 1940 aufgeklärt. Nunmehr fand man neue Substanzen, sowohl im Knoblauch als auch in der Zwiebel (Allium cepa). In der letzteren befinden sich S-Methyl- und S-Propylcysteinsulfoxyd. Beides sind Muttersubstanzen für stark antimikrobielle Körper, die in ihrem Aufbau dem im Knoblauch gefundenen Allicin entsprechen. Jetzt ist es auch verständlich, daß man jenen besondersartigen Schwefelverbindungen, wie sie in den verschiedenen Allium-Arten, aber auch in den Kreuzblütlern wie Brassica nigra – schwarzer Senf –, dem Meerrettich, dem Löffelkraut, dem Hederich usw. vorkommen, schon immer größte Aufmerksamkeit widmete. Diese Pflanzen sind ja nicht nur Küchenpflanzen, sondern als Heilpflanzen besonders wichtig und wirksam. Auch die Brunnenkresse zählt zu den Kreuzblütlern. Prof. Dr. H. WINTER, Köln, hatte sich schon seit Jahrzehnten besonders der Untersuchung der Wirkung der Kressen angenommen. Er kam dabei u. a. zu der Feststellung, daß schon 20 g dieser Vegetabilien im Harn eine mehrere Stunden anhaltende, viele pathogene Keime bekämpfende Eigenschaft hervorrufen.

Einen Wirkstoff, der sich in fast allen der genannten Kreuzblütler und Allium-Arten befindet, habe ich bisher noch gar nicht erwähnt. Gerade ihm kommt als Antibakterium größte Bedeutung zu. Es ist HSCN-Rhodanwasserstoffsäure, deren Bedeutung als Antibiotikum gar nicht hoch genug eingeschätzt werden kann. Wir finden sie frei und in Verbindungen im Senf, im Meerrettich, im Hederich, im Lauch (Porree) und in den Kressearten. Auch im Knoblauch und in der Gartenzwiebel ist sie enthalten.

Die Rhodanide sind nicht nur bekannt für ihre besonders bakterizide Eigenschaft. Sie fördern außerdem die Wundheilung, beheben Entzündungen und sind schmerzstillend und leicht narkotisierend. Außerdem kommt ihnen ein blutdrucksenkender Effekt zu. Sie verhalten sich also ähnlich wie die bereits besprochenen Amygdaline bzw. Cyanwasserstoffverbindungen.

Bei dem Verfolgen der durch pflanzliche Heilmittel ausgelösten Wirkungen auf den Organismus haben wir in der Reihenfolge des Ablaufes zunächst einmal die Wirkungen zu betrachten, die am Ort der Zufuhr, also z. B. auf der Haut oder den Schleimhäuten, ausgelöst werden. Die sekretorischen, die exkretorischen und die inkretorischen Funktionen in Verbindung mit Veränderungen der Zirkulations-Ereignisse sowie der Tonus des Gewebes unterstehen dem Einfluß einer Fülle verschiedenartiger Arzneimittel, unter denen besonders solche mit einem Gehalt an ätherischen Ölen hervorragen. Unter und mit ihnen sind es speziell die Senföl-glykoside, welche in Form von Rubefazientien (Rötungen) und Vesikantien (Bläschenbildung) auf der Haut örtliche Entzündungen verschiedenen Grades und verschiedener Intensität hervorrufen, die sowohl mit Rücksicht auf örtliche Krankheitsprozesse als auch – und dies ist besonders zu beachten – im Rahmen einer allgemeinen Umstimmungsbehandlung oft von ausschlaggebender Bedeutung sein können.

Innerlich liegt die Wirkung dieser Heilpflanzen (als „erwärmende" Heilkräuter) in der gleichen Richtung auf den Verdauungsapparat. Wir kennen sie und ihre Auswirkungen, gleich, ob beim Senf, beim Meerrettich, beim Rettich, bei der Zwiebel und beim Knoblauch.

Wir müssen uns jedoch immer davor hüten, die Dosierungen zu überziehen, da sonst aus einem wohltuenden „Anreiz" eine gefährliche Überreizung entsteht.

Dies sind die durch die Behandlung mit Senföldrogen ausgelösten „Mechanischen Vorgänge". Sind schon ihre Auswirkungen beachtlich, so dürfen wir dabei nicht verkennen, daß diesen Mechanismen jene Vorgänge gegenüberstehen, die durch die Aufnahme einzelner oder mehrerer Inhaltsstoffe der Drogen in das Blut oder in den Gewebssaft erfolgen. Wir wissen über das Ausmaß der so ausgelösten Beeinflussung, über den Charakter der hierbei auftretenden Veränderungen nur wenig, aber das Wenige ist schon interessant genug. Ich weise an dieser Stelle nochmals auf das bereits erwähnte Experiment hin, das STARKENSTEIN berichtete, nämlich, daß nach Aufnahme geringer Mengen z. T. sehr verschiedener Substanzen, wie ätherischer Öle, Kieselsäure, Faulbaumrinde, Rhabarberwurzel und Kamillenblüte, Fleckfieber und Typhus schlagartig gebessert wurden. Dabei handelte es sich keineswegs um eine ätiotrope (auf die Krankheit gerichtete) Therapie, denn es konnten nach Eintritt der subjektiven Besserung, die in Heilung überging, die Typhusbazillen noch in unverminderter Stärke im Blut nachgewiesen werden. Hier hatte also die Reaktionslage des Organismus den krankmachenden Schädigungen gegenüber eine grundsätzliche Änderung erfahren. Wieviel mehr können wir in solchen Fällen erreichen, wenn wir zu der umstimmenden Therapie, mit deren Hilfe wir eine Steigerung der Immunkraft des Körpers erreichen, noch die einer direkten Bekämpfung der Fremdstoffe mit pflanzlichen Antibiotika hinzurechnen.

Wenn wir also die Gesamtwirkung der Senföl-Glykosid-Drogen betrachten, dürfen wir sie nicht nur im Sinne einer Reiztherapie verstehen, denn zu dieser treten vor allem noch die sehr beachtenswerte Desinfektions- und Heilungskraft, eine Beeinflussung des Blutdruckes im Sinne einer Regulierung, dazu die wundheilende, die entzündungswidrige und eine gewisse schmerzstillende Wirkung.

Senföldrogen sind zunächst einmal als darmwirksam zu bezeichnen. Die verhältnismäßig starke Reizwirkung verläuft bei kurzer Dauer und mittlerer Konzentration als Stechen und Brennen mit intensiver Rötung. Die so erzeugte Hyperaemie überträgt sich reflektorisch, auf dem Wege über die Headschen Zonen, auf die in Korrelationen (Wechselbeziehung) stehenden Innenorgane und sichert, in Verbindung mit dem allgemeinen Umstimmungseffekt solcher Eingriffe (KÖNIGER), diesen Stoffen den Charakter von Derivantien (ableitenden Mitteln).

Die innerliche Verabreichung **kleinster** Gaben wirkt zum Teil reflektorisch anregend auf die Sekretion der Speicheldrüsen, des Magensaftes und darüber hinaus sogar auf die Sekretion des Dünndarmes. Sie steigert den Appetit und fördert damit zugleich, zum Teil recht ausgesprochen, die Resorption von seiten der Magen- und Darmschleimhaut (FLAMM-KROE-BER). Daher gehören Verdauungsstörungen mit mangelhafter Schleimhautdurchblutung, Bildung von Gasen, Aufstoßen und Meteorismus zu ihren eigentlichen Indikationsgebieten. FLAMM-KROEBER schreiben: „Begünstigt wird die Wirkung auf diese Darmzustände zweifelsfrei durch die desinfizierende Kraft der in diesen Pflanzen vorhandenen Wirkstoffkomplexe. Es ist selbstverständlich, daß die mit jenen Grundformen der Störung einhergehenden Veränderungen der Darmentleerung normalisiert werden. Dies gilt beim Knoblauch vor allem für die Fäulnis-Dyspepsie."
Wie stark die desinfizierende Kraft der Allylsenföle ist, geht schon aus den vorher genannten Beispielen hervor. Der Wirkstoff „Allicin" des Knoblauches hemmt schon in einer Verdünnung von 1 : 125 000 das Wachstum von grampositiven und gramnegativen Bakterien (besonders Staphylokokken, Streptokokken und Typhusbakterien). Er ist also ein Antibiotikum von beachtlichem Ausmaße, dabei natürlich nicht der einzige Wirkstoff des Knoblauches. Maßgebliche Fachleute weisen daher auch immer wieder darauf hin, daß nur die Anwendung der Gesamtpflanze erfolgversprechend ist.
Zur Gruppe der Senföl-Glykosid-Drogen zählen vor allem:
Senf (schwarzer und gelber), Meerrettich, Löffelkraut, Hederich, Lauch (Porree), Rettich, Knoblauch, Zwiebel, Bärlauch, Kresse (Brunnenkresse, Kapuzinerkresse usw.).

## 10.2 Knoblauch, Bärenlauch, Zwiebel

Zwei Pflanzen-Familien sind es, die uns unsere Senföl-Gykosid-Drogen bescheren. Es sind dies die Familie der Liliengewächse (Liliaceen) und die der Kreuzblütler (Cruciferen).
In meinem ersten Beitrag über diese Wirkstoffe hatte ich vor allem klarzumachen versucht, welche bedeutende Rolle diese Wirkstoffe als pflanzliche Antibiotika spielen.
Diese Aufgabe haben sie für die Pflanze und den Menschen gemeinsam. Für die Pflanze selbst und für ihre Bodenbiologie jedoch spielen sie als sogenannte Blastokoline eine noch viel wesentlichere Rolle. Blastokoline sind Pflanzenstoffe, die das Ausschlagen und Auskeimen von Samen, Pollenkörpern, Knospen und dgl. verhindern, das Längenwachstum von Wurzeln verlangsamen und natürlich das Wachstum von Staphylokokken und tierischem Gewebe einschränken, ja, sogar verhindern können. Sie sind also die Antagonisten der Auxine, der Pflanzenwuchsstoffe. Das Kapitel der pflanzlichen Wuchs- und Antiwuchsstoffe ist wohl eines der erregendsten Kapitel der Mikrobiologie. Zeigt es uns doch, wie weise es die Natur eingerichtet hat, die Pflanzen, ihr Wachstum, ihre Reifung und

ihre Aufgaben der Fortpflanzung nach Standort, Jahreszeit und Umwelt auszurichten. Würden wir Menschen uns mehr nach diesen biologischen Gegebenheiten richten, anstatt mit Chemie und Technik systematisch unseren Boden zu verseuchen und zu vernichten, wäre uns viel geholfen. Die biologische Anbauweise (Demeter usw.) beweist es uns immer wieder, daß es möglich ist. Nur steht sie leider immer noch auf verlorenem Posten, trotzdem es schon Zeiten gab, in der sich staatliche Stellen, wie in Bayern, dafür einsetzten.

Ich kann mich an dieser Stelle leider nicht näher damit befassen. Nur soviel sei gesagt, daß zu den genannten Blastokolinen neben Senfölen auch ungesättigte Laktone, Cumarin, Parascorbinsäure und auch Blausäure zählen. Ich könnte noch eine ganze Reihe weiterer Stoffe aufführen, möchte es jedoch bei diesen Beispielen belassen. Cumarin, das wir aus Gräsern und aus dem Waldmeister kennen, hebt die Wirkung des Wuchsstoffes Hetarauxin auf. Apfelkerne enthalten in einem dünnen Häutchen, das den Keimling umgibt, Spuren von Blausäure, welche die Atmung und das vorzeitige Auskeimen verhindern.

Eine spezielle gleichlaufende Wirkung sowohl der Wuchs- als auch der Antiwuchsstoffe auf den tierischen und menschlichen Körper wurde bisher noch nicht nachgewiesen. Damit ist jedoch noch lange nicht gesagt, daß eine solche nicht vorhanden ist. Ich erinnere hierbei daran, daß immer wieder behauptet wird, daß man mit Knoblauchkuren gegen Krebs Erfolge erzielen konnte. Nachdem wir wissen, daß sowohl die Senföl-Glykoside als auch die Rhodanwasserstoffsäure zu den Blastokolinen zählen, ist die Möglichkeit einer Einwirkung dieser Hemmstoffe auf Krebszellen gar nicht so abwegig.

Ein pflanzlicher Wirkstoff zeigt dies deutlich: Colchicin.

Colchicin ($C_{22}H_{25}O_6N$), das Alkaloid der Herbstzeitlose, ein Phenantrenderivat von außerordentlicher Giftigkeit (20 mg = 5 Herbstzeitlosensamen können unter Umständen einen erwachsenen Menschen töten), stört die Reduktionsteilung in den pflanzlichen Geschlechtszellen. Diese zellteilungshemmende Wirkung hat man in bestimmten Fällen schon dazu benutzt, um Krebswucherungen zu heilen. Wenn auch der Wirkungsmechanismus außerordentlich kompliziert ist, so wollte ich an diesem Beispiel nur aufzeigen, wieviel ungenutztes und unaufgeschlossenes Feld im Kapitel „Heilpflanzen" noch vor uns liegt.

Ich halte Knoblauch auf jeden Fall für ein wichtiges Hilfs- und Vorbeugungsmittel gegen Krebs. Mit dieser Meinung stehe ich schon seit langem nicht allein da. Schon 1931 berichtete LAKHOVSKY in seinem Buche: „Das Geheimnis des Lebens": „... Ich habe mich mit Universitäten und Gelehrten aller Länder in Verbindung gesetzt. Aufgrund der erhaltenen Auskünfte konnte ich feststellen, daß der Krebs in all jenen Ländern unbekannt ist, deren Bevölkerung einen täglichen großen Konsum von rohen Zwiebeln und Knoblauch hat, selbst dort, wo die geologische Beschaffenheit des Bodens der Entwicklung des Krebses günstig ist." Prof. STOINAOFF, Chirurg der Universität Sofia, bestätigte ihm dies an

Hand einer Statistik für Bulgarien, Rumänien und das damalige Serbien, und zwar insbesondere für Knoblauch.

A. LORAND schrieb in Med. Klinik 1934/S. 1030: „Im Zusammenhang hiermit dürfte es wohl mehr als ein Zufall sein, daß in den Ländern, in denen nach Statistik der Krebs am seltensten vorkommt, so in China und Serbien, viel Knoblauch gegessen wird, ebenso auch in der Provence, wie ich dies von dort praktizierenden Ärzten, so von Dr. PRAT, Nizza, hörte."

W. CASPARI schrieb 1936 in der Zeitschrift für Krebsforschung/Nr. 43, S. 255, über seine von ihm beobachtete wachstumshemmende Wirkung auf Geschwülste bei der Anwendung von Knoblauch. Seine Versuche stellte er mit Mäusen an, die er vor der Transplantation von Tumoren prophylaktisch mit Knoblauch fütterte und später dann zu Heilzwecken damit weiterbehandelte. Er konnte auch eine Immunitätssteigerung bei den Versuchtstieren damit erreichen. Zu seinen Versuchen verwendete er frischen Knoblauch, Knoblauchsaft und Allylsenföl. Das **isolierte Öl** zeigte sich auch hier als Versager. Ähnliche Versuche wurden außerdem mit Erfolg durchgeführt von MAKOWSKI (Zeitschr. f. Immunitätsforschung 1936/S. 423) und von KÖNIGSFELD und PRAUSNITZ. Von letzterem bereits 1913 (Deutsche med. Wochenschr. 1913 Nr. 39). Schon sie bezeichneten Allylthioharnstoff (Thiosinamin), Allylmalonsäure, Allylamin, Allylacetat, Allylsulfocyanat. Diallylsulfid u. a. als die entwicklungshemmenden Wirkungsfaktoren. All diese Wirkstoffe finden wir in den Senföl-Glykosid-Drogen.

Eigenartigerweise ist von diesen wissenschaftlichen Daten nirgends mehr, wenn auch nur als Denkanstoß, die Rede. Warum eigentlich? Hat man nicht schon lange eingesehen, daß man dem Krebs mit Schneiden und Bestrahlen nicht Herr wird? Hat man nicht mit den Ganzheitsmethoden der Naturheilkunde schon beachtliche Erfolge in der Krebsbekämpfung erzielt? Wann endlich geht man einmal daran, hier ebensolche Versuchsreihen anzulegen, wie dies schon auf anderen Gebieten mit Erfolg geschehen ist?

### KNOBLAUCH – Allium Sativum

zählt zur Familie der Liliengewächse, der Liliaceen. Seine Heimat liegt zweifellos in den Steppen Innerasiens. Zusammen mit der Zwiebel wanderte er von dort nach Ägypten und verbreitete sich von da aus nach Westen und Norden. Dies allerdings schon vor Jahrtausenden, denn schon unsere Vorfahren kannten den Knoblauch als Speise, als Gewürz und als Heilmittel. Sie kannten allerdings nicht nur den Knoblauch, denn außer ihm gab und gibt es noch eine ganze Reihe weiterer Laucharten in Wald und Feld. Ich denke dabei nur z. B. an die Siegwurz, den Allermannsharnisch (Allium Victorialis L.), als Radix Viktorialis rotunda et longa noch vor gar nicht allzu langer Zeit in jeder Apotheke erhältlich. Heute ist dieses Heilkraut vergessen. Für PARACELSUS war Siegwurz ein Mysterium. Er sagte von ihr: „Also die Siegwurz hat Geflecht um sich, wie ein Panzer. Das ist auch ein magisch Zeichen und Bedeutung, daß sie behüt für Waffen wie ein Panzer." Hieronymus BRAUNSCHWEIG berichtet, daß die Kriegsleute (des 15. Jahrhunderts) den Allermannsharnisch wie ein Amulett am Halse trugen, um sich hieb-, stich- und kugelfest zu machen. Natürlich verwendete man Siegwurz auch gegen Anfechtungen der Hexen, Unholde und bösen Geister, trug sie eingenäht bei sich und hängte sie in den Sennhütten gegen den Zauber an die Decke.

*Knoblauch*
*Allium sativum*

Eine typische Waldpflanze ist auch der Bärenlauch – **Allium Ursinum L.**, der vom Wild als beliebte Beikost betrachtet wird. Auch von ihm findet man heute kaum noch Zubereitungen in den Apotheken, wohl aber in der Homöopathie. In der freien Natur schlägt einem schon von weitem von einer verblühten Bärenlauchpflanze ein abscheulicher Geruch entgegen. Trotzdem war bis noch vor kurzem der Bärenlauch so beliebt, weil man ihm nachsagte, er übertreffe den echten Knoblauch ganz wesentlich in seiner Wirkung. Man fürchtete sogar, wie KROEBER schrieb, um seine Ausrottung.
Eine Anzahl von Laucharten finden wir auch auf Äckern und Feldern. So Allium viniale L., Allium sphaerocephalum L. und Allium rotundum. Sie sind oft recht unerwünschte Unkräuter, weil sie dem aus dem Getreide bereiteten Mehl einen üblen Knoblauchgeschmack geben können.
Wir sehen – Lauch ist bei uns keine unbekannte Pflanze und man braucht nicht erst nach Südeuropa oder nach Asien zu gehen, um sie zu suchen. Es wundert mich immer, wenn alle Berichte über Knoblauch mit den Sätzen beginnen: ,,Schon vor 5000 Jahren im alten Ägypten . . .". Schaut man nämlich einmal in der Edda nach, so findet man dort Lauch als die erste und vornehmste aller Pflanzen bezeichnet.

*Bärenlauch*
*Allium ursinum L.*

Im Lied der **Sigrdrifa** heißt es: „Die Füllung segne, vor Gefahr dich zu schützen – und lege Lauch in den Trank." Und in der **Völuspa,** dem altgermanischen Schöpfungsgedicht: „Sonne und Süden schien auf die Felsen und dem Grunde entgrünte grüner Lauch." Lauch war das Symbol des Heldentums. Man schrieb ihm kriegerischen Mut und erregende Eigenschaften zu. Gudrun klagte: „So war mein Sigurd bei Giukis Söhnen, wo hoch aus Halmen edles Lauch sich hebt." Und als Helgi, der Huntingstöter, geboren wurde, heißt es in dem ihm gewidmeten Lied: „Der König selber ging aus dem Schlachtenlärm, dem jungen Edling edlen Lauch zu bringen."
Auch die Griechen der Antike fütterten ihre Kampfhähne mit Knoblauch, um sie streitsüchtig zu machen und in den **„Rittern"** des Aristophanes heißt es: „Ein Knoblauch-Frühstück mache hitziger dich zum Streit." In den **„Acharnern"** klagt Dikäopolis, daß ihm seine Feinde den eisernen Bestand seiner Knoblauch-Säckchen genommen hätten.
Das deutsche Wort „Lauch" = althochdeutsch „luhan" (schließen) ist indogermanischen Ursprungs, während das Wort „Knoblauch" auf das althochdeutsche „clofolauh", von „clobo" = spalten, zurückgeht. Nun aber zum Knoblauch selbst. Er taucht schon in den bekanntesten medizinischen Schriften der alten Inder, der Ayur-Veda des Charaka und Susrutas (ca. 1600 v. Chr.) auf. Auch in dem berühmten Bower-Manuskript (Aschoff: Janus, Arch. int. pour l'Histoire de la medicine 1900) finden wir nicht nur einen Hymnus auf den Knoblauch, sondern auch die ersten Zubereitungsvorschriften, u. a. für einen Liebestrank, also für ein Aphrodi-

141

siakum. Mit diesen Handschriften der altindischen Sage konkurrieren im Altertum die Nachrichten aus dem Lande der Pharaonen aus jener über 4000 Jahre zurückliegenden Zeit. Es sind Gräberfunde und Darstellungen in Gräbern sowie Aufzeichnungen wie der so berühmt gewordene Papyros Ebers, in dem Knoblauch an zweiundzwanzig Stellen medizinisch erwähnt wird. Schon damals diente er als Darmdesinfiziens und „um die ungesunden Dünste, die sich im Körper ansammeln und die zu den mannigfaltigsten Krankheiten Anlaß geben, zu entfernen."

Von den Ägyptern haben die Juden anläßlich der Ägyptischen Knechtschaft den Knoblauchgenuß übernommen, wenn sie ihn nicht schon längst vorher gekannt hatten, denn schon dem weisen König Salomo schreibt man die Abfassung eines Kräuterbuches zu und die Propheten Esra und Nehemia sollen über die Wirkungen gewisser Drogen sehr gut Bescheid gewußt haben. Über Knoblauch lesen wir im Buch Moses IV, Kap. XI/5: „Wir gedenken der Fische, die wir in Ägypten umsonst aßen, der Melonen, des Lauches, der Zwiebeln und des Knoblauches." Im Talmud finden wir Knoblauch unter der Bezeichnung „Shum" mehrmals erwähnt.

In China deckt sich seine dortige Bezeichnung „Suan" mit einem chinesischen Schriftzeichen. Seine Anwendung kann man dort bis zum Pen-tsao-kang-mu (um 2700 v. Chr.) zurückverfolgen. In diesem ersten bekannten chinesischen Kräuterbuch sind über tausend Heilkräuter und ihre Anwendung beschrieben.

Zum Schluß erwähne ich noch Odysseus, der mit „Moly", nämlich mit Allium, die Zauberkraft der Circe brach. Man könnte über dieses Thema allein ein Buch schreiben und es wäre bestimmt nicht langweilig. Sagen und Märchen, Glaube und Aberglaube stehen durch die Jahrtausende hindurch neben heute noch gültigen Rezepten dicht beieinander und zeigen uns, daß – von Urzeiten an bis heute – wahre Heilkunde immer wieder aus gleicher Quelle schöpft.

So galten Knoblauch und auch die Zwiebel von den Chinesen über die Ägypter bis zu den Hippokratikern als Nierenmittel und wir finden in zeitgenössischen Aufzeichnungen des 16. Jahrhunderts den Vermerk, daß Dr. Martin Luther, der an Blasensteinen litt, mit Knoblauch behandelt wurde.

Die Juden aus der Zeit Moses verwendeten Knoblauch u. a. als Wurmmittel. Dasselbe finden wir angegeben in dem Hauptwerk des GALENUS: „De simplicium medicamentorum temperamentibus et facultatibus" und dieser wiederum hatte seine Kräuterkenntnisse zum größten Teil von DIOSKORIDES und PLINIUS entlehnt.

Wohl kaum eine Pflanze wurde so eingehend untersucht wie der Knoblauch und doch geben seine Inhaltsstoffe dem Pharmakologen auch heute noch Rätsel auf.

Die rein chemische Zusammensetzung nach KÖNIG und PEYER lautet: Wasser (Frischpflanze) 64,6%, Kohlenhydrate 26,23%, Stickstoffsubstanz 6,76%, Fett 0,06%, Rohfaser 0,77%, Asche (Mineralstoffe) 1,44%, Phosphorsäure 0,452%, organ. geb. Schwefel 0,165%, Spuren von Zucker.

Von den pharmakologisch wirksamen Bestandteilen zu nennen ist vor allem das zu etwa 0,005 bis 0,009% in der ganzen Pflanze vorhandene ätherische Öl. Es entsteht neben Fruktose aus dem primär anwesenden schwefelhaltigen Glykosid „Alliin" durch Einwirkung des Enzyms „Allisin". Zum Teil soll es auch frei in der Pflanze vorkommen. Für seine Zusammensetzung werden angegeben (KROEBER): etwa 6% Allylpropyldisulfid, 60% Allyldisulfid (Träger des spezifischen Geruches), 20% Allyltrisulfid sowie geringe Mengen von Allyltetrasulfid.

Alliin wird durch das Ferment Allisin (Allinase) in Allicin verwandelt. Alliin ist ein S-Allyl-Cystin-Sulfoxyd, also eine Aminosäure mit der Formel: $C_3H_5$-S(O)-$CH_2$-CH($NH_2$)-COOH. Neuerdings stellte man fest, daß es sich hierbei um eine Cyclo-Form des Alliins handelt (ringförmige Bindung der Atome, wie man sie bei vielen aromatischen Verbindungen findet).

Alliin geht also bei der fermentativen Spaltung unter Abspaltung von Fruktose in Allicin über. Dieses Allicin zählt zu den spezifischen antibakteriellen Wirkstoffen. Seine Formel: $C_3H_5$-S(O)-$SC_3H_5$. Interessant ist hier das Fehlen von N = Stickstoff, das in Alliin noch vorhanden war. Allicin wurde 1944 von CAVALLITO und BAILEY entdeckt. Die Konstitution der Formel ermittelten 1947 die Schweizer STOLL und SEEBECK (MARTIUS/Dtsch. Apoth.-Ztg. 1951 S. 722/23 und STOLL und SEEBECK/Helv. Chim. Acta 1948 S. 189).

In allen wissenschaftlichen Abhandlungen lesen wir immer wieder, daß den Biokatalysatoren (Fermente, Hormone, Vitamine) ein wesentlicher, ja sogar überragender Anteil an der Gesamtwirkung zukomme (PEYER, GLASER, DROBNIK, LEHMANN, BONEM). An Fermenten, die nachgewiesen sind, nenne ich: Allinase, Rhodanase, Peroxydase, Tyrosinase. An Sexualhormonen sind vor allem Tokokinine zu vermerken. Ich nenne hier als Gewährsleute: GLASER (Scienta pharm. 1937/I), WEITZEL (Fortschr. d. Medizin 1936 Nr. 19) und INSU-SUN (Archiv f. experiment. Pathologie u. Pharmakologie Bd. 170 S. 455). Alle wiesen sowohl das Vorhandensein von Sexualhormonen als auch ihren Einfluß auf die Sexualsphäre in eindrucksvollen Tierexperimenten nach. Hier sehen wir eine Parallele zu der seit Jahrtausenden geübten Verwendung als Aphrodisiakum.

An Vitaminen fand man im Knoblauch außer Vitamin C (**nur** in frischem Knoblauch) Vitamin A in Provitaminform, Vitamin $B_1$, $B_2$ und Nikotinsäureamid.

An Kohlenhydraten sind vor allem die Zuckerarten Inulin und Fruktose zu nennen. Beide zählen zu den für den Diabetiker so wichtigen linksdrehenden Polysacchariden.

Ebenso wie in allen anderen Drogen dieser Wirkstoffgruppe findet sich auch im Knoblauch als integrierender Bestandteil Rhodanwasserstoffsäure. An Mineralstoffen sind vor allem Kieselsäure, Kalziumverbindungen und das Spurenelement Jod zu nennen.

Die als wesentlicher Bestandteil des Knoblauches aufgeführte Phytinsäure ist ein Ester der Hexaphosphorsäure des Meso-Inosits ($C_6H_6$-($OPO_3H_2)_6$.

Man zählt Inosit bzw. seine Verbindungen zu den B-Vitaminen und zu den Co-Wuchsstoffen (Auxinen) und mißt ihm eine besondere Bedeutung auch im menschlichen Stoffwechsel zu.

PER LALAND und ODD-HAVREVOLD (Hoppe-Seylers Zeitschr. 1933) fanden im Knoblauch einen weißen, kristallinischen Stoff (Schmelzpunkt 174°), der schwefelfrei war und die charakteristischen Alkaloidfällungen und Farbreaktionen auswies. Dieses Alkaloid zeigte insulinartige, blutzuckersenkende Wirkung; allerdings **nicht** im isolierten Zustand, sondern nur in Verbindung mit Schwefel, dem typischen Bestandteil des Knoblauchs. Seine Anwendung bei Diabetes ist also berechtigt. Auf diese Tatsache machte schon MADAUS aufmerksam. MAHLER und PASTERNY (Med. Klinik 1924/Nr. 11) wiesen ebenfalls auf eine harnzuckersenkende Wirkung des Knoblauches hin.

Zwei Mittel wurden nach alten Pestbüchern und nach Berichten aus den bis in unser Jahrhundert reichenden Cholera-Epidemien immer wieder als wirksam bezeichnet: Wacholderbeeren und Knoblauch. Daß hiermit wirkliche Erfolge erzielt wurden, steht außer Zweifel. W. KRETSCHMER schreibt hierüber: (M. m. W. 40/35 ref. n. Pro medico) „Die Beeinflussung der Darmflora im Sinne einer Rechtsverschiebung, d. h. einer Stärkung der Kolivegetation, bedeutet eine Unterstützung der obligaten Darmflora im Kampfe mit exogen eingeführten pathogenen Bakterien, Ruhr-, Typhus-, Paratyphus- und Cholerakeimen." MARCOVICI, PRIBRAM und SCHMIDT wiesen schon während des 1. Weltkrieges auf die Widerstandsfähigkeit der knoblauchessenden Völker gegen Ruhr und auch gegen Cholera asiatica hin. Zu gleichen Resultaten kamen TILGER, der den Knoblauch als ausgezeichnetes Enteriticum bezeichnet, ferner LEBINSKI, FRANKE, SCHUBERT, ERBACH, SIMON und AUST. Letzterer schildert einen Selbstversuch bei Ruhr. Nachzulesen ist dies in: D. prakt. Arzt 1926/H. 23, M. m. W. 1929/H. 76, Klin. Wochenschr. 1927/S. 2119, Med. Klinik 1932/S. 86, Therapie d. Gegenw. 1936/I, Med. Welt 1931/I, M. m. W. 1928/S. 87, Archiv f. Verdauungskrankh. 1937/62/22.

BONEM, der mit Erfolgen bei Blutstühlen aufwartet, schildert seine Ergebnisse in „Fortschritte d. Therapie" 1927/12/434 und in der Deutschen med. Wochenschrift 1928,54/1253.

Ich habe diese Tatsachen bewußt so ausführlich geschildert, weil sie beweisen, daß es keineswegs falsch ist, den Knoblauch als eines unserer besten Hilfsmittel gegen Grippe zu bezeichnen, besonders, wenn er in Verbindung mit Wacholderbeeren als Vorbeugungsmittel gebraucht wird. Ich jedenfalls habe damit seit Jahrzehnten die besten Erfahrungen gemacht. Dabei könnte ich noch viel mehr Gewährsleute für die Richtigkeit dieser These anführen. So z. B. RIPPERGER, der wiederum auf MICHEL, LANGE und GRANICH zurückgreift (RIPPERGER/Grundlagen zur prakt. Pflanzenheilkunde.)

Der wichtigste Angriffspunkt des Knoblauchs ist zunächst einmal der Darm. Hierbei ist die bakterizide Wirkung auf dessen Flora sowohl eine direkte als auch eine indirekte. Die indirekte wird durch eine Umstimmung oder Heilung der Darmschleimhaut und deren Drüsen erzielt. Dadurch wird diese befähigt, die normale Symbiose mit der Coligruppe wieder herzustellen und abnorme Keime auszuscheiden. Diese Änderung der Darmflora, die den normalen Colibakterien ihr Übergewicht sichert, hat zur Folge, daß der Körper eigene Aktivstoffe bildet, die den Kampf mit den körperfeindlichen Stoffen erfolgreich aufzunehmen imstande sind. Andererseits aber greifen die Wirkstoffe des Knoblauchs selbst aktiv in den Kampf ein.

Wie dies geschieht, zeigen uns die Versuche von LEHMANN, DOMBRAY und VLAICOVITSCH in Versuchen mit pathogenen Keimen. LEHMANN benutzte hierzu den Proteusbazillus, der als besonders resistent bekannt ist. Er gibt als niedrigste entwicklungshemmende Konzentration an: Preßsaft 1 : 100, entsprechend einer Ölkonzentration 1 : 50 000 und stellt am selben Stamm Sublimat mit 1 : 5000 und Phenol mit 1 : 400 zum Vergleich. Dies zeigt eindrucksvoll die außergewöhnliche Wirksamkeit des Knoblauchs gegenüber den bekanntesten Desinficiens.

Nun ist es interessant, zu wissen, daß bereits ROBERT KOCH bei Versuchen mit Milzbrandsporen feststellte, daß Spuren von verdunstendem Senföl und von Allylalkohol die Entwicklung von Milzbrandsporen in Nährbouillon verhinderten. KOLLE und LAUBENHEIMER sowie VOLLMAR kamen zu ähnlichen Ergebnissen. Sie brachten die Kulturen von Staphylococcus aureus nicht mit der Knoblauchsubstanz in direkte Berührung, sondern ließen diese in 5 ccm Abstand in einem Agarröhrchen in kleinster Menge einwirken. Nach 24stündigem Bebrüten zeigte sich die Agarsäule in einer 5 mm dicken Schicht frei von Staphylokokken-Bakterien.

Von MAYERHOFER (Arch. Kinderheilkunde 1934/S. 106) und S. FLAMM (Hippokrates 1935 S. 867) wird vor der Anwendung großer Gaben von Knoblauch (mehr als eine Zehe auf ½ bis 1 Liter Einlaufflüssigkeit) gewarnt, da sonst Darmentzündungen und schwere Formen von Dysenterie mit Geschwürbildung auftreten können, also das Gegenteil von dem, bei dem man Knoblauch normalerweise verwendet. Das erinnert mich an ein Erlebnis aus dem Jahre 1945, in dem ich mich als Kriegsgefangener mit Zehntausenden von Kameraden im Gefangenenlager von Rimini befand. Wir lagen auf einem Knoblauchfeld. Die Folgen merkte ich erst, als ein Teil meiner Kameraden wegen Dysenterieerscheinungen ins Lazarett kam. Sie hatten aus Hunger Knoblauch aus dem Boden gegraben und gegessen. Die Folgen waren mehr als unangenehm. Bei der Beliebtheit des Knoblauch als Volksheilmittel kann man nicht oft genug darauf hinweisen, was ein Zuviel für unangenehme Folgen haben kann.

Bei normaler Anwendung bezeichnet MARKOVICI Knoblauch als von überaus günstigem Einfluß bei chronischer und akuter Dysenterie sowie bei chronischem Darmkatarrh mit schleimig-blutigen Stühlen. Nach E. ROOS besitzt Knoblauch, für dessen Gebrauch akute, subakute, chronische und infektiöse Darmkatarrhe, Diarrhöen, Magen- und Darmkatarrhe mit und ohne Diarrhoe, Ruhr, Koliken, Unruhe des Darmes u. a. m. indiziert sind, eine darmberuhigende, diarrhoestillende, die Darmflora von pathologischen und abnormen Beimengungen reinigende sowie eine anti-dyspeptische Wirkung. Die darmberuhigende Wirkung gleicht jener von Narkotikas, jedoch ohne Nebenerscheinungen. Der beruhigende Einfluß, selbst auf schon lange bestehende Diarrhöen, tritt oft sehr rasch ein. Gleichzeitig werden Schmerzen, Koliken oder andere Beschwerden dabei beseitigt, und zwar ohne daß Stuhlverstopfung eintritt (M. m. W. 1925/Nr. 72, S. 1637).

Allen klinischen Beurteilungen des Knoblauches ist die Herausstellung dreier verschiedener Wirkungen gemeinsam: darmberuhigend, diarrhoe-stillend und antidyspeptisch. In diesem Sinne macht auch die Homöopa-thie vom Knoblauch Gebrauch.

Nach F. A. LEHMANN, der sich sehr eingehend mit der Pharmakologie des Knoblauches befaßte (Naunyn-Schmiedebergs Archiv f. exp. Pathologie u. Pharmakologie 1930/Bd. 147), geht dessen fäulnisverzögernde, die Ent-wicklung mancher Bakterien hemmende, gewisse Würmer abtötende und die Schleimhäute reizende Wirkung auf das schwefelhaltige ätherische Öl zurück. Es wird vom Darm rasch aufgenommen, jedoch zum kleineren Teil nach wenigen Minuten durch die Lungen wieder ausgeatmet. Der größere Teil jedoch geht eine Bindung mit den roten Blutkörperchen ein, und zwar dergestalt, daß sich bereits bei einer Ölkonzentration von 1 : 1 000 000 im Preßsaft Methämoglobin bildet. Nicht nur das von LEHMANN angeführte ätherische Öl zeigt diese Wirkung. Daß hier noch andere Komponenten mitsprechen, ersehen wir aus der Tatsache, daß der Preßsaft selbst um ein Vielfaches stärker wirkte als das ätherische Öl allein.

W. KRETSCHMER (M. m. W. 1935/Nr. 82/S. 1613) beobachtete bei der Sektion eines Knoblauchessers, daß der Knoblauchgeruch sich vor allem in der Gallenflüssigkeit angereichert hatte. Dort war er viel stärker zu beobachten als im Magen, im Dünndarm und in der Leber. Demzufolge stellt er die Wirkung des Knoblauchs folgendermaßen dar: Er hat eine ausgesprochen cholagoge Wirkung, denn er wird vom Magen über die Leber der Galle zugeführt und verursacht eine Anregung der Gallenab-sonderung. Durch Ausscheidung durch die Galle findet eine Anreicherung in der Gallenblase statt. Mit der Anregung der Gallensekretion wird ver-mutlich auch die Absonderung der übrigen Verdauungsfermente vermehrt und dadurch eine kräftige Spaltung und Verdauung der Ingesta (des Speisebreis) herbeigeführt. Durch die Gallenabsonderung und die übrigen Magen- und Darmfermente wird die Bakterienflora des Dünndarmes weit-gehend beeinflußt.

Nach LOEPER und DEBRAY erniedrigt Knoblauch den arteriellen Druck und vergrößert das Pulsvolumen. Die Erniedrigung des Blutdruckes machte sich dabei um so stärker bemerkbar, je höher der Druck war. Die Vergrößerung des Pulsvolumens ist eine noch konstantere Erscheinung als die Druckerniedrigung. Das Charakteristikum der Wirkung ist das langsame physiologische Absinken des Blutüberdruckes, das ohne Be-schwerden erfolgt, besser vertragen wird und vor allem länger anhält als die Wirkungen chemischer Substanzen (J. SEITZ). Damit erfahren Herzarbeit und Blutkreislauf eine wesentliche Erleichterung.

Auch diese Wirkung ist zum großen Teil auf die Einwirkung auf den Verdauungstraktus, wie sie oben beschrieben ist, zurückzuführen, denn neben dem vasodilatorischen Effekt, z. B. durch Rhodanverbindungen, durch die bessere Sauerstoffausnutzung, durch die anwesenden Fermente – Knoblauch zählt zu den Peroxydasepflanzen – sind es auch hier die Herabsetzung der intestinalen Autointestination, also der Eingeweideschädigung durch Eigengifte, Meteorismus, übermäßige Gärungserscheinungen, Überwuchern der **schädlichen** Koliflora im Beschwerdebild der Arteriosklerose, autoxische und rein mechanische Vorgänge durch Hochdrängung des Zwerchfelles (ROEMHELDsches Syndrom).

LOEPER und POUILLARD zeigten auf, daß durch Gaben von 20–30 Tropfen einer aus Knoblauch bereiteten Tinktur eine anhaltende, blutdrucksenkende Wirkung erzielt werden konnte. Dasselbe erreichten LOEPER, de SÊZE und GUILLON (RIPPERGER). Zustande kommen soll nach LOEPER diese Wirkung durch VASODILATION der kleinen Arterien und Kapillaren. Sie erstreckt sich auf Fälle allgemeiner Hypertonie, Aortenhochdruck, arteriellen Hochdruck und auf solche, die von Nierensklerose begleitet sind. Außerdem scheint nach dem Genannten diese Medikation den Herzrhythmus und die Kontraktilität (Zusammenziehung des Herzmuskels) günstig zu beeinflussen und eine Stärkung der Herzenergie und eine Pulsverlangsamung hervorzurufen. Nach Tierversuchen an der Universität Bengasi senkt Knoblauchsaft den Cholesterinspiegel. DANYDOW kam aufgrund von 35 behandelten Fällen zu dem Schluß, daß die Arteriosklerose zwar nicht geheilt werden kann, daß jedoch das Allgemeinbefinden durchweg gut beeinflußt werde und in jedem Falle durch die Behandlung mit Knoblauch die lästigen Beschwerden schon nach kurzer Zeit verschwanden. Auch LEVINGER konnte durchweg die Beobachtung machen, daß der Blutdruck unter der Einwirkung von Knoblauch ständig zurückging und sich vor allem das Allgemeinbefinden der Kranken in einem Maße besserte, daß die Beschwerden des hohen Blutdrucks fast gänzlich sistierten.

Ich habe nur einen Bruchteil der mir zur Verfügung stehenden Unterlagen ausgewertet, glaube aber, damit all jene Erfahrungen bestätigt zu haben, die jeder schon in seiner eigenen Praxis machen konnte. Fest steht, daß die Gefäße besonders der Beine, des Augenhintergrundes und auch des Hirns erweitert werden. Damit, also mit der besseren Durchblutung, fallen Beschwerden wie Schwindel, ängstlich-depressive Verstimmungen, Kopfdruck, Beklemmungen und andere subjektive Beschwerden, die das Erscheinungsbild des Arteriosklerotikers prägen, fort.

Die Verwendung von Knoblauch als Expektorans ist zwar volkstümlich, kann jedoch durch andere Kräuterkombinationen wesentlich besser ersetzt werden. Trotzdem bleibt zu vermerken, daß die krampflösende Wirkung auch das leichtere Aushusten bei Bronchitiden und vor allem bei Alterslungenblähung ermöglicht. Die expektorierende Wirkung bei Bronchiektasien und Lungenemphysem-Stasen geht zurück auf die lokal beruhigende und lösende Wirkung des in den Alveolen aufgespeicherten Öles aufgrund der Wiederherstellung der Funktion der entzündeten Zellen (KROEBER). KROEBER weist auch darauf hin, daß der verhältnismäßig reiche Anteil an Kieselsäure sich hier günstig auf Blutbild und Lunge auswirkt.

LECLERC bezeichnet insbesondere die torpiden Formen chronischer Bronchitiden und Lungentuberkulose mit schleimig-eitrigem Bronchialfluß als das Anwendungsgebiet des Knoblauches. Dabei stellte er außer der Wirkung auf die Expektoration Abfall der Temperatur und Besserung des Allgemeinbefindens fest.

Als Kontraindikation bezeichnet er akute Erscheinungen von Blutandrang, charakterisiert durch Husten mit blutigem Auswurf, trockenen Husten und starker Übertemperatur.

Auf den Einfluß auf den Milzbrandbazillus wies ich schon hin. Es liegen jedoch auch Berichte vor (W. C. MINCHIN in Marshall WM. Mc. Duffie), die dem Knoblauch sogar eine Art spezifischer Wirkung auf den Kochschen Tuberkelbazillus beimessen. Bei 1082 Tuberkulosefällen am Metropolitan-Hospital in New York wurden versuchsweise 56 Personen modernen Behandlungsmethoden unterworfen. Dabei zeigte von den pflanzlichen Mitteln Knoblauch die besten Ergebnisse.

Damit möchte ich das Kapitel „Knoblauch" schließen, ohne noch auf weitere mögliche Anwendungsgebiete einzugehen.

Auch andere Fragen stehen noch offen. So z. B. die der außergewöhnlichen Bindungskraft des Knoblauchöles an das Blut bzw. den Blutfarbstoff, das Hämoglobin. Die angeführten Versuche von LEHMANN zeigen, daß der Blutfarbstoff gegen Knoblauchöl sehr empfindlich ist und mit diesem bereits bei einer Ölkonzentration von 1 : 1 000 000 im Preßsaft Methämoglobin (Hämiglobin) bildet. Man kann diese Versuche leicht selbst durchführen, indem man auf ein winziges Scheibchen Knoblauch etwas frisches Blut träufelt. Es färbt sich auf der Schnittfläche sofort schokoladenbraun. Aus zweiwertigem Eisen im Hämoglobin ist dreiwertiges Eisen (Hämiglobin) geworden. LEHMANN deutet diesen Vorgang als Entgiftung und verweist auf die sehr beachtliche Wirkung auf niedere Lebewesen. Was spielt sich hier ab? Bilden sich hier Antigene, also Stoffe, die zusammen mit den Antikörpern eine unschädliche Bindung eingehen, so, wie dies bei der Wirkung gesunder Kolibakterien der Fall ist? Wirkt die Umbildung der Blutkörperchen bakteriostatisch, also das Wachstum der Bakterien hemmend, oder bilden sich im Blut Bakteriolysine, also Blutbestandteile, welche die Auflösung der Bakterien bewirken?

Und die wichtigste Frage – sie stellt sich nach diesen Erkenntnissen zwangsläufig: Wie hoch darf die Dosierung sein, damit sich die Heilwirkung nicht ins Gegenteil kehrt? Ich betone jedenfalls immer wieder, daß man, selbst bei der Einnahme eines Pflanzenpreßsaftes, lieber weniger als zuviel einnehmen sollte. Wichtig ist vor allem die **regelmäßige** Einnahme.

## BÄRENLAUCH – Allium Ursinum L.

wurde bereits erwähnt. Seine charakteristischen Bestandteile sind 0,007% ätherisches Öl mit dem Hauptbestandteil Vinylsulfid. Es ähnelt in seiner chemischen Zusammensetzung dem in allen Allium-Arten vorhandenen Glykosid, dem Cycloalliin, einer ringförmigen, schwefelhaltigen Aminosäure. Ebenso das daneben noch gefundene Vinylpolysulfid. Allium ursinum enthält ferner noch Spuren eines Merkaptans (ein vom Schwefelwasserstoff abgeleiteter Thioalkohol) und ein unbeständiges odorophores (geruchserzeugendes) Aldehyd. Dies alles sind jene Stoffe, welche dem Bärenlauch jenen penetranten Geruch verleihen. Sie sind aber auch gleichzeitig die typischen Wirkstoffe.

Fermente, Mineralstoffe und Vitamine gleichen denen des Knoblauches. Auch der Jodanteil fehlt nicht, richtet sich jedoch nach dem Jodanteil des Bodens.

J. SEITZ bezeichnet die Wirkung des Bärenlauches als günstig bei Magen- und Darmkatarrhen mit Durchfällen und Verstopfung, ferner bei Arterienverkalkung und bei Lungenblähung mit Bronchitis. Nach H. SCHULZ ist Bärenlauch ein ausgezeichnetes Blutreinigungsmittel und wird von ihm vor allem gegen chronische Hautausschläge empfohlen.

Ich wies bereits daraufhin, daß sich alle Heilanzeigen mit denen des Knoblauches decken und kann dies daher nur noch einmal wiederholen. J. SEITZ, H. SCHULZ und V. BEHR sind, zusammen mit L. KROEBER, der Auffassung, daß die Wirkung des wildwachsenden Bärenlauches der des Knoblauches überlegen ist, weil Bärenlauch noch alle Urbestandteile der Lauchkomponenten enthält. Das soll natürlich nicht die erwiesenen Heilanzeigen des Knoblauchs schmälern, sondern nur auf die des Bärenlauches eindrucksvoll hinweisen. So viel mir bekannt ist, stellt die Homöopathie aus der Frischpflanze des Allium ursinum eine Urtinktur her.

## ZWIEBEL – Allium Cepa

Wenn wir als Kinder erkältet waren, gab es Zwiebelsaft mit Honig. Das half bestimmt. Bei „Würmern", ganz gleich, ob es Maden- oder Spülwürmer waren, wurde als erstes ein Einlauf mit lauwarmem Wasser und Zwiebelsaft gemacht. Gegen Husten und Heiserkeit gab's Zwiebelbonbons. Sie gibt es heute noch auf den Dulten und auf den süddeutschen Christkindlmärkten.

Daß die nur aus Wasser, in Butter gerösteten Zwiebeln und ein wenig Salz bestehende „Zwiebelsuppe", die man besonders in Süddeutschland kennt – und die ich nur jedem empfehlen kann –, nicht nur ein schmackhaftes Essen, sondern auch gesundheitlich sehr wertvoll ist, erfuhr ich erst viel später. Sie ist nicht nur „Krankenkost" bei Grippe und Erkältungskrankheiten. Man empfiehlt sie vor allem bei allgemeiner Unpäßlichkeit und bei Magen- und Darmbeschwerden.

Die Wirkstoffe der Gartenzwiebel gleichen wiederum denen des Knoblauchs. Es sind dies vor allem S-Methyl- und S-Propylcystein-Sulfoxyd, also jene Muttersubstanzen, aus denen sich Allicin bildet, sowie Cycloalliin. Aus ihnen entstehen enzymatisch jene stark antimikrobiellen Substanzen, die ich bereits unter „Knoblauch" eingehend erläuterte. Auch Rhodanwasserstoff-Verbindungen fehlen in der Zwiebel ebensowenig wie Fermente, Vitamine und Mineralstoffe. An letzterem vor allem Kalzium, Jod in Spuren, je nach Bodenbeschaffenheit. Ferner sind zu nennen: Pflanzensäuren, vor allem Zitronensäure, und Zuckerarten, wie Insulin und Fruktose, wie auch Pektine.

Zwiebel
*Allium cepa*

Die bakterizide Wirkung des Zwiebelsaftes wurde, ebenso wie dies bei Knoblauch geschah, schon vielfach untersucht. So haben sie CUBONI und MORIONDI am Meerschweinchen-Test nachgewiesen und dabei – in Dosen von 0,1 ccm subkutan injiziert – die Ausdehnung tuberkulöser Herde verhindern können.

Die Volksheilkunde kennt Zwiebelsaft vor allem als auswurffördernd und schleimlösend, also zur Linderung von Bronchialkatarrh, starkem Husten und Heiserkeit.

Mehr wie beim Knoblauch tritt bei der Zwiebel die Verwendung als Diuretikum hervor. W. BOHN, der sonst hinsichtlich der Wirkungen von Zwiebel und Knoblauch kaum Unterschiede kennt, macht besonders darauf aufmerksam, daß der Einfluß der Zwiebel auf die Nieren sehr beachtlich ist, ja, daß er sogar Nierengrieß damit vertrieben und Nierensteine damit aufgelöst habe. Die besonderen Erfahrungen, die LECLERC mit Zwiebelsaft als Diuretikum machte, seien ebenfalls an dieser Stelle erwähnt. Diese Anwendungsart ist übrigens Jahrtausende alt. Wir finden sie schon bei DIOSKORIDES und PLINIUS d. Ä. PLINIUS rühmte vor allem ihre Wirksamkeit gegen Wassersucht. Der französische Arzt Dr. CHRUCHET referierte da übrigens eine Krankengeschichte, nach der ein Koch nach täglichem Genuß von 15 bis 20 Zwiebeln innerhalb eines Monats von seiner Wassersucht geheilt war. Ich möchte ja diese Roßkur nicht gerade empfehlen, aber sie entspricht den Tatsachen. Sie ist nachzulesen in RIPPERGERs „Grundlagen zur praktischen Pflanzenheilkunde". Dort berichtet auch MONGOUR über einen Fall von cirrhose hépatique biveineuse, bei welchem nach vergeblicher Behandlung mit anderen Mitteln eine dreitägige Zwiebelkur eine reiche Polyurie hervorrief, gefolgt von einem Rückgang der Ascites (Bauchwassersucht) und des Ödems der unteren Gliedmaßen.

LECLERC meint, daß die aufgezeigten Wirkungen, besonders, was die Ascites betrifft, weniger von der Menge der heilenden Prinzipien abhängig sind als von deren glücklicher Anordnung in der Pflanze. Dem kann ich nur immer wieder beistimmen.

Als letzten Fall führe ich DALCHÉ an. Er konnte bei seinen Beobachtungen feststellen, daß eine Zwiebelkur eine Diurese hervorrufen könne, bei welcher bis zu 3 Liter Flüssigkeit abgehen.

Daß die Zwiebel ein Darmregulans erster Ordnung ist und vor allem bei akuter Stuhlverstopfung recht gute Dienste tut, ist allgemein bekannt.

Ebenso wie beim Knoblauch finden wir auch bei der Zwiebel eine blutzuckersenkende Wirkung. Diese ist auf die von J. B. COLLIP 1923 aus ihr – und noch einer ganzen Reihe von Pflanzen – gewonnene Glukokinine zurückzuführen. Tatsächlich ist die insulinidentische Wirkung nicht nur von COLLIP gefunden, sondern von anderen Wissenschaftlern, wie von JANOT und von LAURIN, 1930 bei tierexperimentellen Nachprüfungen nachgewiesen worden.

## 10.3 Schwarzer Senf, Meerrettich, Löffelkraut, gemeiner Wegsenf, Brunnenkresse, Rettich.

Den Gattungsnamen Kreuzblütler kennt wohl jeder, der sich auch nur ein wenig mit Botanik beschäftigt hat. Nur wenige aber wissen, daß diese Pflanzenfamilie so ausgedehnt und verschiedenartig ist. Zu ihr gehören die besonders in Böhmen und Mähren sowie in Niederösterreich bekannte trauernde Nachtviole ebenso wie die gemeine Viole – Hesperis tristis und H. matronalis. Zu ihr gehören aber ebenso der Goldlack – Cheiranthus und die Levkoje – Matthiola. Ihr rechnet man aber genau so das Hirtentäschel – Capsella bursa pastoris medic. an, das in Pfarrer Kneipp einen großen Lobredner als Frauenkraut fand, und zu ihr zählt auch die feinblättrige Rauke – Descurainae Sophia Webb., die vom Frühsommer bis zum Spätherbst an Wegrändern blüht und die zur Zeit des Paracelsus in dem Rufe stand, das beste Mittel zu sein, um Wunden und Geschwüre zu heilen. Sophia heißt Weisheit und „Weisheit der Chirurgen", nämlich Sophia Chirurgorum, nannte man sie damals. LOBELIUS sagte: „Mit diesem Kraut versprechen die Paracelsiker, jedes Geschwüre aus dem Grunde zu heilen." Das Wort RAUKE entstammt wahrscheinlich dem Worte ERUCA – Senf. Zu dieser Unterfamilie der Kreuzblütler gehört sie auch. Heute kennt sie kaum noch jemand. Schade darum! Es ist so viel von unserem alten Volkswissen verlorengegangen. Wer kennt heute noch die von CONRAD von MEGENBERG gepriesenen gelben Blüten des gelben Eisenkrautes – Sisymbrium officinals Scop., das uns heute als gemeiner Wegsenf bekannt ist – nicht zu verwechseln mit dem rötlich-lila blühenden Eisenkraut – Verbena officinalis, der berühmten Zauberpflanze der Druiden. Sie gehört den Lippenblütlern zu. Dieser gemeine Wegsenf enthält im Ursprungszustand alle Heil- und Wirkstoffe des Anbausenfes, und er diente in alten Zeiten den gleichen Zwecken wie der schwarze und der gelbe Senf heute – nur, es beachtet ihn kaum noch jemand.

*Senf (schwarzer)*
*Brassica nigra*

Zu den Kreuzblütlern gehört die große Familie der Kressengewächse, angefangen bei der Brunnenkresse, die uns wohl am bekanntesten ist, oder bei der Schutt- oder Stinkkresse über die Gartenkresse – Lepidium sativum, die gras- und die graublättrige Kresse bis zur Feldkresse – Lepidium campestris und dem Steinkraut oder der Steinkresse, womit noch gar nicht alle Arten der Kresse genannt sind. Übrigens zählte der bekannte Botaniker FRIES auch den Rettich zum Geschlecht der Kressen.
Als Ölfrucht baute man in früheren Zeiten den Leindotter – Camelina sativa – an. Auch diese Pflanze ist heute so gut wie vergessen. Ebenso eine andere Pflanze aus der Familie der Kreuzblütler, die bis noch vor einem guten Jahrhundert eine sehr große Rolle spielte – der Färberwaid – Isatis tinctoria. Unsere Vorfahren unterwarfen das Kraut, zu Haufen getürmt, einem Gärungsprozeß, formten Kugeln daraus und benutzten diese zum Blaufärben, ebenso wie dies die Chinesen mit dem bei ihnen beheimateten Isatis indigotica taten. Indigo ergab beides. Friedlieb Ferdinand RUNGE, ein Berliner Chemiker, entdeckte Anfang vorigen Jahrhunderts das Anilin, und A. v. BAYER stellte 1880 künstliches Indigo aus Azo- und Schwefelfarbstoffen her. Damit war ein uralter Gewerbezweig zum Tode verurteilt.

Nicht vergessen aber sind die geschichtlichen Tatsachen, die sich um das Färberprodukt aus dem Färberwaid ranken. Von Julius CÄSAR, PLINIUS und HERODIAN nämlich wissen wir, daß die Bewohner Britanniens sich zur Zeit der Römer mit Waid den Leib blau färbten und daher in der Schlacht „ganz schrecklich aussahen". PLINIUS erzählt sogar, daß sich auch die Frauen und die Töchter der Britannier für gewisse feierliche Handlungen blau bemalten und HERODIAN schreibt, daß die Britannier sich nicht nur blau bemalten, sondern außerdem noch mit Bildern wilder Tiere die Brust tätowierten. MARTIAL nannte sie daher des öfteren die „Blauen" oder die „Bemalten". Pikti bedeutet „die Bemalten" und Skoti „die Dunklen". Die Namen Pikten oder Briten und Schotten stammen allem Anschein nach von diesen Bezeichnungen. Erst Elisabeth I., Königin von England, untersagte in ihrem Reich den Anbau von Waid. Angeblich war ihr der Geruch unerträglich. Übrigens gibt es Sprachforscher, die die Bezeichnungen vitrum und glastum, in denen man unschwer sowohl das lateinische Wort „vitrum" und das deutsche „Glas" erkennt, auf die mit Waid erzielte Farbe zurückführen. War es doch kein reines Blau, sondern oft mehr ein Blaugrün, so, wie es der Farbe des Butzen- und Flaschenglases entsprach. So machen Pflanzen Geschichte und es ist immer wieder interessant, wenn man sich mit diesen scheinbar am Rande liegenden Tatsachen befaßt.

Zu den Kreuzblütlern gehören auch das Löffelkraut, der Meerrettich und die große Untergruppe der BRASSICA-Arten, vom Senf über den Hederich bis zu unseren Kohlarten und den Rübengewächsen.

Damit ist diese große Pflanzenfamilie natürlich nur in großen Zügen umrissen. Ihre Vielfalt jedoch ist damit gekennzeichnet – und sie ist erstaunlich.

Welch ein Unterschied zwischen dem Raps – Brassica napus, den wir als Ölfrucht, wenn auch mit senfartigem Geschmack, kennen, und dem Blumenkohl oder Kohlrabi oder gar den berühmten „Teltower Rübchen". Sie gehören alle zu einer Familie.

Nun aber zu den aus dieser Familie stammenden wichtigsten Heilkräutern im einzelnen.

## SENF, SCHWARZER – Brassica Nigra

Der Same der schwarzen Senfpflanze enthält fettes Senföl mit den Fettsäuren: (v. H.) 50 Eruca-, 24,5 Ölsäure, 19,5 Linolsäure, 2 Linolen- und 2 Lignocerinsäure; außerdem noch Spuren von Stearin- und Arachinsäure.

Als Glykosid findet sich im Senfsamen Sinigrin. Das *unzerlegte* Glykosid wirkt nicht reizend. Wenn man Senfsamen kaut, bemerkt man anfangs nur den Geschmack des fetten Öles, wovon die Samen mehr als 90% enthalten. Erst nach etwa einer halben Minute, wenn die enzymatische Spaltung begonnen hat, setzt ein starkes Brennen im Munde ein.

Das Glykosid Sinigrin ist ein myronsaures Kalium, das durch die ebenfalls anwesende Myrosinase gespalten wird in: d-Glykose, saures Kaliumsulfat und ätherisches Senföl (Allylsenföl), nämlich Isosulfocyanallyl mit der Formel: $C_3H_5NCS$. Außer dem Enzym Myrosinase finden wir an Enzymen noch Saccharose, Amylase, Maltase, Emulsin, ferner Anaerooxydase, Peroxydase.

Das *Alkaloid* „Sinapin" ist ein Cholinester der Sinapinsäure, die wir außerdem noch in freier Form (Dimethylpyrogallolacrylsäure) vorfinden; dazu noch Calciummmalat, Phytinsäure, Pentosane und Pectin. Im ätherischen Senföl, das in der Pflanze von 0,3 bis 1,3% vorhanden ist, findet sich bis zu über 90% Isothiocyanallyl (Allylsenföl), daneben etwas Allylcyanid und Schwefelkohlenstoff ($CS_2$), eventuell noch etwas Propenylsenföl und Rhodanallyl.

Die Zusammenfassung der Wirkstoffe zeigt uns, daß wir es hier mit einem sehr stark wirksamen Mittel zu tun haben, und zwar sowohl äußerlich als auch innerlich. Dies gilt vor allem für den **Schwarzen** Senf. Dies trifft aber auch zu auf die so beliebte Verwendung von Senf als Gewürz als auch auf den Tafelsenf, den Mostrich. Dieser ist übrigens nicht erst eine Errungenschaft unserer Zeit. Schon die alten Griechen und Römer hatten die gleichen Rezepte dafür wie wir. Als Sinape finden wir Senf im Capitulare Karls des Großen (975).

„Deine Nahrungsmittel sollen Heilmittel und deine Heilmittel Nahrungsmittel sein." – Aber selbst hier kommt es auf das Fingerspitzengefühl und auf die Dosierung an.

Das ätherische Senföl wirkt am raschesten von allen hautreizenden Mitteln und erzeugt fast augenblicklich Röte und stechende Schmerzen, bald darauf stärkste Hyperämie und ein intensives Brennen, als ob „geschmolzenes Blei auf der Haut ruhe" (POULSSON). Senfpflaster sind daher nur mit Vorsicht und nicht auf zu großen Flächen anzuwenden. Die Kur ist sonst oft schlimmer als die Krankheit.

Am besten verwendet man Senfteig. Frisches Senfmehl verrührt man mit lauwarmem Wasser zu einem dicken Brei, streicht diesen auf Leinwand und legt diese auf die durch feuchte Gaze geschützte Haut. Dort ruft der Verband zuerst ein Prickeln, dann ein Brennen hervor. Wenn sich dann die Haut rötet, muß der Verband abgenommen werden, denn dann hat er seine Schuldigkeit getan.

Diese Teil-Umschläge bzw. -Verbände tun sehr gute Dienste bei Hals- und Brust-Katarrh, bei Rheumatismus, Ischias, Gelenkschmerzen, vor allem bei akuten Entzündungen in den Gelenken, an den Nerven, bei Rippenfellentzündungen und -reizungen, Lungenentzündung, heftiger Bronchitis und anderen fieberhaften Krankheitszuständen, die mit Atemnot und der Gefahr einer Kreislaufschwäche einhergehen (ECKSTEIN-FLAMM).

Zur Bereitung eines Fußbades nimmt man etwa 100 g Senf, zu einem Vollbad 150-500 g, je nach Wassermenge (¼ Std. mit etwa ½ bis 2 l Wasser kalt stehenlassen, dann dem Badewasser zusetzen). **Wichtig:** Heißes Wasser (über 60°) macht das Ferment unwirksam! Damit natürlich auch die Wirkung. Man kann auch den Senfsamen in einem Leinensäckchen dem Badewasser zusetzen. Warme Senfbäder sind die mildere Form der

Anwendung. Gelbe Senfkörner sind in der Wirkung wesentlich milder als schwarze.

Senfbäder haben zunächst einmal eine wohltuende Wirkung bei Blutandrang zum Kopf und bei beginnendem Fieber. POULSSON weist besonders auf ihre Anwendung bei Kapillärbronchitis und bei Bronchopneumonie, vor allem der Kinder, hin. Außerdem dienen sie bei allen bereits unter Auflagen und Umschlägen genannten Leiden. Empfohlen werden sie außerdem bei Herzschwäche, Schwindel, Ohnmacht und Brustbeklemmungen. Für Frauen werden sie empfohlen bei unterdrückter Periode. Nur muß man dabei immer daran denken, daß die Unterleibsorgane der Frau besonders empfindlich auf solche stark reizenden Mittel reagieren.

ADAMO LONICERO (1679) sagte einmal: „Wer alle morgen zwei Senfkörner schluckt, ist sicher vor dem Schlag." Er sagte außerdem: „Senfkörner machen ein gutes Gedächtnis und reinigen das Gehirn." Er empfahl als weiser Arzt *zwei* Senfkörner. Heute werden sie in manchen Gebrauchsanweisungen löffelvollweise zur inneren Einnahme empfohlen. Ich bin der Auffassung, das ist entschieden des Guten zuviel. Wenn man sie mit Maßen nimmt, kann man damit seine chronischen Kopfschmerzen loswerden. Im Magen und Darm räumen sie gründlich auf. Hier ist Pfarrer KNEIPP ihr wärmster Befürworter. Sie sind daher bei Magen- und Darmblähungen, Völlegefühl, Appetitlosigkeit und bei träger Stuhlentleerung (KROEBER) zu empfehlen.

Wer Senf sparsam und richtig anwendet, kann mit diesem Volksheilmittel erstaunlich viel Schmerzen lindern. Nicht nur das, denn bei der Einnahme von Senfkörnern – dies gilt übrigens für alle „erwärmenden" Heilkräuter wie Meerrettich, Rettich, Zwiebel usw. – äußert sich die Wirkung auf den Verdauungsapparat vor allem in einer Steigerung der Durchblutung der Darmschleimhäute und in einer gründlichen Desinfektion des gesamten Verdauungstraktes. Das führt zuerst einmal zu einer Normalisierung der Darmbakterienflora und damit zu einer Steigerung der eigenen Abwehrkräfte und eröffnet damit den heilerischen Auswirkungen ein weites Feld. Auch müssen wir an die gefürchteten Fokalinfektionen denken, die in einer Reihe von Fällen im Darm ihren Ausgangspunkt haben.

## MEERRETTICH – Cochlearia Armoracia

*Kren* nennt man den Meerrettich im süddeutschen Raum und hier finden wir auch heute noch die aus dem Fränkischen kommenden Kren-Weiber, die von Haus zu Haus ziehen wie in alten Zeiten, um ihren Kren, eben den Meerrettich, und daneben sämtliche Gewürzkräuter zu verkaufen. Sie sind heute noch wie eh und je überall gern gesehen. Selbst in einer Großstadt wie in München sind sie aus dem Stadtbild nicht wegzudenken.

Wir finden in diesem beliebten Küchengewürz bzw. -gemüse die gleichen wirksamen Stoffe wie im Senfsamen, nur in einer ganz anderen Wirkstoff- und damit auch Geschmackszusammensetzung.

Hauptwirkstoff ist auch hier das Glykosid Sinigrin, das wir schon vom Senf her kennen. Auch hier entsteht unter dem Einfluß des Enzyms

Myrosin Senföl (Allylsenföl). Dann aber finden wir Saccharose, Asparagin, Glutamin, Arginin, Alloxusbasen, Galaktose und Arabinose liefernde Kohlenhydrate; ferner Oxydase, Pentosane, organischen Schwefel, Peroxydase und natürlich Rhodanwasserstoff. In den etwa 10% Aschenbestandteilen finden sich neben u. a. 12,7% $SO_2$ bis zu 30% Schwefel- und ebensoviel Kaliumverbindungen. Der hohe Gehalt an Kalium-, vor allem aber an Schwefelverbindungen und organischem Schwefel, fällt geradezu auf, und man denkt unwillkürlich an die dominierende Stellung von Sulfur in der Homöopathie, denn Sulfur gehört mit Recht zu den großen unentbehrlichen Polychresten und ist gleichsam Zentralmittel des homöopathischen Arzneimittelschatzes. Seine Wirkung auf das Haut- und Schleimhautsystem ist hinreichend bekannt; ebenso seine zentrale Stellung bei der Blut- und Säfteentmischung.

Meerrettich ist also beileibe nicht nur ein Küchenkraut. Es ist erstaunlich, daß diese Heilpflanze nur volkstümlich anerkannt ist, denn seine Wirkung erstreckt sich auf außerordentlich viele Lebensbereiche. Ich weiß aus Erfahrung, daß die Heilmittelindustrie sich – und das mit Recht – in vielen Fällen seine Heilwirkung als Geheimmittel zunutze macht.

Da fällt zunächst einmal auf, daß die französische Literatur (PIC und BONNAMOUR) Meerrettich, zusammen mit Brunnenkresse, Knoblauch, schwarzem und gelbem Senf, zu den sogenannten antiscorbutisch wirksamen Drogen zählt. Vinum antiscorbutique ebenso wie Sirop antiscorbutique (Sirop de raifort composé – Codex 1908) enthalten neben Extrakten aus Brunnenkresse auch solche aus Meerrettich. Allerdings müssen wir uns darüber im klaren sein, daß es hier vor allem der hohe Vitamin-C-Gehalt ist, der für die Wirksamkeit spricht. Also sind hier, neben der gerade in den Wintermonaten so wertvollen Verwendung von Frischgemüse, Pflanzensäfte am wirksamsten. Hierzu zählt übrigens auch das vor allem im Norden heute noch als Gemüsepflanze und Salatwürze dienende **Löffelkraut (Cochlearia offinalis),** das ja auch den Namen Skorbutkraut trägt. Als Heilkraut gilt Löffelkraut vor allem gegen Rheumatismus und als Diureticum (H. SCHULZ). KROEBER empfiehlt es außerdem als verdauungsfördernd, magenstärkend, schweißtreibend, schleimlösend und gallesekretionsfördernd. Soviel vorerst über Cochlearia officinalis. Nun aber zurück zu seinem Verwandten – dem Meerrettich.

Wer schon selbst einmal Meerrettich gerieben hat, weiß, in welch starkem Maße dies auf die Tränendrüsen wirkt. Es gilt also für Meerrettich in noch stärkerem Maße, was ich bereits bei Senfsamen betonte: **sparsame Anwendung.**

Nach BOHN wirkt er kräftig auf die Urinausscheidung und den Blutumlauf. Im Übermaß genommen, kann er zu Nierenblutungen Anlaß geben. Meerrettich wirkt erregend auf die Blutgefäße und ist ein probates Mittel bei der harnsauren Blutentmischung, gegen Gicht, Rheumatismus und gegen Harnsteine. Denken wir daran, was ich über seinen Kalium- und Schwefelgehalt sagte, wird uns dies ohne weiteres klar, und wir können in

156

diesem Sinne sein Anwendungsgebiet noch wesentlich erweitern. **Kontraindikationen sind allerdings Durchfälle und Nachtschweiße** (H. SCHULZ). LECLERC sieht als dominierend die schleimhautreizende und die die allgemeine Ernährung beeinflussende Wirkung an. Dasselbe sagen ECKSTEIN-FLAMM, die den Meerrettich bei mangelhafter Produktion von Magensaft, Blähsucht und trägem Stuhlgang empfehlen. Ich bin sogar der Auffassung, daß dem Meerrettich, ebenso wie ja auch dem Rettich, eine beachtliche Wirkung auf den Gallenfluß zukommt. Im übrigen gilt bezüglich der Breitenwirkung beim Meerrettich dasselbe, was ich bereits beim Senf sagte. Vielleicht sogar in noch höherem Maße.

Die frisch geriebene Wurzel, als Brei aufgelegt, hat vielseitige Heilwirkungen. Empfohlen wird sie vor allem bei rheumatischen Zahnschmerzen, Magenkrämpfen, Blutandrang zum Kopf, Nervenentzündungen, Neuralgien. Ferner bei Rückenschmerzen, Lähmungen, Schwindel-, Ohnmachts- und Erstickungsanfällen.

Meerrettich-Umschläge fördern die Hautdurchblutung und sind daher bestens geeignet bei Rheuma, Gicht und Ischias. Anita Backhaus weist in ihrem Buche: „Heilen ohne Spritzen und Pillen" darauf hin, daß sie in ihrer Praxis mit der Heilmethode, durch Hautreizmittel innere Krankheiten zur Ausscheidung zu bringen, sehr wertvolle Ergebnisse erzielen konnte und erwähnt dabei, neben geriebenem Knoblauch, vor allem auch die Anwendung von geriebenem Meerrettich.

In der Kosmetik verwendet man übrigens diese Auflagen gegen Warzen, Sommersprossen und Leberflecke, ebenso wie man lokale Meerrettich-Bäder gegen Frostbeulen empfiehlt. Auch hier nenne ich noch einmal den mittelalterlichen und doch so modernen Arzt ADAMO LONICERO, der den jungen Damen Meerrettichsaft als Schlankheitsmittel empfiehlt. Er sagt: „Meerrettichsaft ist die beste Arznei fürs Abnehmen."

PIC und BONNAMOUR empfehlen Meerrettichsaft als Stimulans und Eupepticum in der Kinderheilkunde sowie als gichtwidrig und als Diureticum. Als Diureticum nennt ihn auch KROEBER und alle Gewährsleute (ECKSTEIN, FLAMM, KROEBER, LECLERC) weisen vor allem auf seine Verwendung als schleimverflüssigendes und hustenreizmilderndes Mittel hin. Hier deckt sich seine Anwendung mit der von Senf, Knoblauch und vor allem der Zwiebel. Dabei wird ausdrücklich noch auf seine gute Wirkung nicht nur bei einfachen Katarrhen der oberen Luftwege hingewiesen, sondern vor allem auf seine Wirkung bei asthmatischen Zuständen, bei Husten der Tuberkulösen und – interessanterweise – nicht nur bei Stoffwechselstörungen wie Gicht, Ischias und Rheumatismus, sondern auch bei Zuckerkrankheit. Auch hier stimmt also der Hinweis mit dem bei Zwiebel und Knoblauch überein, denn auch beim Meerrettich finden wir blutzuckersenkende Glukokinine.

Die Homöopathie stellt aus der frischen Meerrettichwurzel eine hellbraune, zwiebelähnlich riechende und schmeckende Essenz her (KROEBER).

## LÖFFELKRAUT – Cochlearia officinalis L.

erwähnte ich bereits kurz. Löffel- oder Skorbutkraut ist als typische Salzpflanze vor allem im Norden, so auch in Nord- und Nordwestdeutschland im Küstengebiet als Strandpflanze beheimatet. Von den Seefahrern seit Jahrhunderten neben Sauerkraut als Skorbutpflanze ungemein geschätzt, wurde es durch sie in alle Weltteile verbreitet und gelangte durch diese Wertschätzung auch als offizinell in die amtlichen Arzneibücher. Heute allerdings heißt sie nur mehr „offizinalis". Wie so viele Pflanzen hat auch das Skorbutkraut für die offizielle Medizin seine Bedeutung verloren. Dagegen erfreut es sich in der Volksheilkunde nach wie vor großer Beliebtheit.

Als schwefelhaltiges Glykosid enthält Löffelkraut Glycocochlearin, das bei der enzymatischen Spaltung mit Myrosin ein sekundäres d-Butylsenföl liefert. Ferner finden wir d-Limonen, Gerbstoff, harzartige Stoffe ätherisches Löffelkraut, etwa 94% Butylsenföl, etwas Benzylsenföl, Limonen und Raphanol. Der Mineralstoffgehalt liegt mit 20% auf einer beachtlichen Höhe. Neben Silicium handelt es sich in der Hauptsache um Kalium- und Kalziumverbindungen.

Sein kresseähnlicher Geschmack machte Löffelkraut von jeher zu einer beliebten Gemüsepflanze, die auf norddeutschen Wochenmärkten noch heute feilgeboten wird. Man aß und ißt sie mit Genuß, so wie Schnittlauch zum Butterbrot oder als Beimischung zu Kartoffelsalat und außerdem noch mit Essig oder Zitronensaft und Öl oder mit einer feinen Marinade als Salat.

So wird wiederum Nahrung zum Heilmittel und da ist Löffelkraut außerordentlich vielseitig. Gilt es doch als verdauungsfördernd, magenstärkend, gallensekretionsfördernd, schweiß- und harntreibend, desinfizierend, blutreinigend und blutstillend. Stockungen im Pfortadersystem und in der Leber werden beseitigt, die Abscheidung der Galle wird verbessert und die Galleabsonderung gefördert. Auch der Magen- und Darmkanal werden günstig beeinflußt. Hier wird vor allem die Schleimlösung erleichtert.

Man wußte in früheren Zeiten noch nichts vom Vitamin C. Um so interessanter ist es, daß Löffelkraut nicht nur bei den Seeleuten hoch geschätzt war, sondern daß es mit seinen weißen und violetten Blüten z. B. in M. B. VALENTINUS Kräuterbuch von 1719 steht: „Es muß aber das Kraut frisch seyn; das dürre hat keine Kräfte." Damals empfahl man es gegen Zahnfleischleiden, Mundgeschwüre, Lockerwerden der Zähne, Zahnfleisch- und Nasenbluten und natürlich auch gegen Zahnschmerzen. Unschwer erkennen wir daraus alle Anzeichen von Skorbut.

Das frische Kraut und der aus ihm hergestellte Saft dienen nach KROEBER nachhaltig bei Untätigkeit der Nieren, Blasenverschleimung, Grießbildung im Harn und in den Nieren, Rheumatismus, Gicht, Wassersucht; ferner bei Entzündungen der Harnröhrenschleimhaut, bei Weißfluß, Unterleibsstockungen, vor allem bei Stockungen im Pfortadersystem, aber ebenso bei Verschleimung der Luftwege, bei Hautausschlägen und bei Hämorrhoiden. Damit allerdings ist das Anwendungsgebiet keineswegs erschöpft, denn auch bei allen typischen Erkrankungen der Atmungsorgane wird es ebenso mit Erfolg angewendet wie alle bisher genannten Senföldrogen. Da es auch als Herzmittel empfohlen wird (Digitalis-ähnliche Wirkung), ist fast anzunehmen, daß es, ebenso wie der Hederich oder der Wegsenf, noch ein besonderes, herzwirksames Glykosid enthält.

**GEMEINER WEGSENF – Sisymbrium officinale (L) Scop.,**

den ich eingangs schon als „gelbes Eisenkraut" bezeichnete, hat eine Reihe von Verwandten, mit denen er gern, sogar von Kennern, verwechselt wird.

Es ist eine 30–60 cm hohe, ästige Pflanze mit schrotsägeförmig fiedergeteilten Blättern und straff emporsteigenden, häufig violettblau angelaufenen Stengeln. Die langen, dünnen Fruchtähren tragen nur an der Spitze ein paar kleine gelbe Senfblüten. Sie bleiben rutenförmig und die deutlich vierkantig oder undeutlich achtkantigen Schoten schmiegen sich dicht an den Stengel. Es ließe sich über diese Pflanze, die schon im Altertum als Heilpflanze galt, noch vieles sagen. Der alte griechische Name ERYSIMUM, die Rettende, den der Botaniker LINNE dieser Pflanze gab, erinnert daran. Er erinnert aber auch an den Namen ERYSISCEPTRON, das rettende Zepter, den die Alten dem EISENKRAUT gaben, und auf die Ähnlichkeit mit dem allerdings rötlich bis lilafarben blühenden Eisenkraut wies ich ja bereits hin.

Warum ich diese Pflanze so ausführlich beschreibe? Weil sie immer wieder mit anderen Senfarten, so z. B. mit dem Hederich – Raphanus Raphanistrum L. und dem Ackersenf, der verwildert auf Feldern wächst – Sinapis arvensis L. –, verwechselt wird. Auch der goldlackartige Wegsenf mit seiner kleinblütigen, duftlosen, aber im Wuchs und in der Beblätterung dem echten Goldlack ähnlichen Pflanze – ihre lateinische Bezeichnung ist ERYSIMUM CHEIRANTHOIDES L. – gehört dazu.

Der gemeine Wegsenf hat auch noch den Namen Knoblauchhedderich. In Frankreich führt er den Namen „Herbe au chantré", weil er bei akutem Kehlkopfkatarrh sehr gute Dienste tut.

Er enthält im wesentlichen die gleichen Wirkstoffe, wie wir sie schon beim schwarzen Senf und beim Knoblauch finden konnten, nämlich Rhodanwasserstoff, Senfölglykosid und das dazugehörige Ferment Myrosin. Außerdem aber ein herzwirksames Glykosid mit ausgesprochener Digitaliswirkung. Dieses Heilkraut spielte im Altertum und bis ins späte Mittelalter hinein eine bedeutende Rolle. Heute sind noch nicht einmal ihre Inhaltsstoffe mehr genauestens bekannt, weil der Anbausenf die wildwachsenden Kräuter ebenso verdrängt hat wie der Anbauknoblauch den Bärenlauch und die weiteren wildwachsenden Lauchgewächse.

Nur in Frankreich kennt man seine Bedeutung noch. LECLERC, SAINTIGNON und BRISSEMORET berichten übereinstimmend über die auf Grund langer Erfahrungen gemachten guten Ergebnisse bei der Behandlung von Kranken, die von Berufs wegen ihr Sprachorgan sehr anstrengen müssen, wie Prediger, Schauspieler, Lehrer und Redner. Mit diesem einfachen

Mittel konnte man diesen wirkliche Erleichterung verschaffen, und zwar Verminderung der Heiserkeit, Milderung der schmerzhaften Symptome, der Trockenheit und der Entzündung des Halses. Nach BRISSEMORET ruft das in der Pflanze enthaltene Senfölglykosid in Verbindung mit den außerdem vorhandenen Rhodanwasserstoffen und wahrscheinlich auch in Verbindung mit dem herzberuhigenden Glykosid durch seinen Kontakt mit der Schleimhaut die Mund- und Pharynxsekretion und auf Grund der Nachbarschaft oder reflektorisch auch die der Larynx und der Bronchien hervor.

Auch KROEBER weist darauf hin, daß wir in Sisymbrium ein unschädliches, aber sicher wirkendes Mittel bei akutem und chronischem Kehlkopfkatarrh, bei Heiserkeit, Stimmlosigkeit, Husten, Asthma, Brustverschleimung, Lungenkatarrh, wie überhaupt bei Hals- und Brustleiden besitzen.

Als wassertreibendes Mittel wird es vor allem gegen Blasenleiden und Nierensteine empfohlen.

RIPPERGER schreibt: „Da das Trocknen die Pflanze einen großen Teil ihrer Wirksamkeit verlieren läßt, empfiehlt LECLERC, der frischen Pflanze, und zwar der zur Zeit der Fruchtbildung (Juli–August) geernteten, den Vorzug zu geben. Wo sich das nicht ermöglichen läßt, ist die Pflanze sorgfältig vor Luft und Feuchtigkeit zu schützen." Soweit Ripperger. Das, was er hier empfiehlt, gilt für *alle* Senföl-Glykosid-Pflanzen, gleich, ob für die aus der Familie der Liliaceen oder für jene aus der Familie der Cruciferen. Haltbare Säfte oder Pflanzenauszüge oder Essenzen lassen sich aus allen diesen Pflanzen herstellen.

Da trotzdem über Wegsenf keine weiteren Heilanzeigen vorliegen, bin ich der Auffassung, daß er dem angebauten schwarzen Senf in jeder Hinsicht nicht nur gleichwertig, sondern vielleicht sogar noch überlegen ist. Aber – wer macht sich schon heute noch die Mühe, eine vergessene Heilpflanze zu sammeln, geschweige denn, sie auf ihre Wirkstoffe und Heilwirkungen hin zu untersuchen – trotz der Bezeichnung „officinalis".

### BRUNNENKRESSE – Nasturtium officinale R. Brown

wächst vor allem in kalten, fließenden Gewässern. Sie entfaltet im Sommer ihre weißen Blüten und erfreut uns mit dem frischen Grün ihrer leierförmig gefiederten Blätter ebenso im tiefsten Winter. Mit ihr steht uns also auch in den vitaminarmen Monaten eine Salatpflanze zur Verfügung, deren Wert gar nicht hoch genug eingeschätzt werden kann. Wie der römische Geschichtsschreiber VARRO berichtet, stammt der Name Nasturtium von nasus – die Nase drehen – und torquere – reizen. Besser kann man eine Pflanze gar nicht charakterisieren, denn der Geschmack und auch der Geruch beim Zerkleinern reizt die Nase ebenso empfindlich wie der schon beschriebene Meerrettich oder Kren. PARACELSUS verdanken wir eine treffende signatura dieser Pflanze. Er sagt: „Wo sie im Brunnen und an Bächen wächst, zieht sie alles Faule, Üble an sich und verarbeitet es geheimnisvoll zu Leben, ohne sich zu schaden. So kann sie auch im Körper wirken, denn dort zieht sie alles Faulige an sich und hilft dem Körper, es auszuscheiden." Im Mittelalter waren es besonders die Franzosen, die eine sehr hohe Meinung von der Brunnenkresse hatten. Sie gaben ihr den Namen „Santé du corps" – Gesundheit des Körpers. Da klingt der deutsche Name profan dagegen, denn er entspringt dem lateinischen „crescere" – wachsen, wegen ihres schnellen Wachstums. Andere glauben, er stamme von dem althochdeutschen Wort „kras oder gras", das soviel wie Speise bedeutet, denn schon in alten Zeiten wurde die Brunnenkresse als Gemüse und Salat geschätzt. Im Hessischen ist Brunnenkresse Bestandteil der „Grünen Sauce" und man kann sie dort überall, auch in den Großstädten wie Frankfurt und Darmstadt, auf den Wochenmärkten zu allen Jahreszeiten kaufen. Was ich über Löffelkraut als Beimischung und als Salat sagte, gilt genauso für die Brunnenkresse. Ich selbst hatte sie auf meinen Vortragsreisen vor allem als Beimischung zu Quark mit Leinöl empfohlen. Die in den meisten Gemüsegeschäften und Lebensmittelhandlungen angebotene Brunnenkresse ist zwar Anbauware, der echten jedoch mindestens ebenbürtig.

Wichtig ist auch hier die Verwendung von Frischpflanzen, da alle Wirkbestandteile beim Trocknen schwinden.

Die frische Pflanze enthält zunächst wiederum ein Senfölglykosid Glykonasturtiin als Kaliumsalz, das sehr leicht zersetzlich ist. Beim Zerfall (durch das gleichfalls anwesende Ferment Myrosin) liefert es neben Traubenzucker ätherisches Öl zu etwa 0,066% mit dem Hauptbestandteil Phenylaethylsenföl und Kaliumbisulfat. Als weitere Bestandteile gelten: Raphanolid-Raphanol, Rhodanwasserstoff, Diastase, Kohlenwasserstoffe, Spuren von Arsen sowie reichlich Vitamin A und C, dagegen wenig Vitamin D (KROEBER, RIPPERGER). Zu erwähnen bleibt nach KROEBER noch der hohe Gehalt an Salpeter (Kaliumnitrat), der für die therapeutische Wirkung sicher nicht belanglos ist. Wesentlich ist auch der hohe Eisengehalt der Pflanze. Nach den Ergebnissen von CHATIN kann die Pflanze sich in eisenhaltigen Gewässern so mit Eisen beladen, daß ihr Fe-Gehalt das Sechsfache des üblicherweise in fast allen Pflanzen zu findenden Gehaltes ausmachen kann.

Auch das Jodvorkommen in Brunnenkresse wird jedenfalls im direkten Zusammenhang mit der verschiedenen Zusammensetzung der verschiedenen Wässer stehen und vor allem von den landschaftlichen Verhältnissen abhängen. Nur so ist es zu verstehen, daß z. B. KROEBER bei seinen Untersuchungen kein Jod fand, während andere Gewährsleute wie GADAMER, PIC, BONNAMOUR, MULLER und CHATIN gerade auf den beachtlich hohen Jodgehalt hinweisen. So fanden MULLER und CHATIN im Bündel (etwa 250 g) Brunnenkresse 1–3 mg Jod. WHEELWRIGHT gibt in dem 1934 erschienenen „Physick Garden" ebenfalls an, Spuren von Jod gefunden zu haben. H. SCHWARZ (Heil- und Gewürzpflanzen, Bd. XVI, L. 1/2, vom 30. 7. 34) betont ebenfalls den beachtlichen Jodgehalt der Pflanze, und nach seinen Angaben ergab die Jodbestimmung vom Markte in Bern 448 Gamma (1 g Gamma oder Mikrogramm = ein Millionstel Gramm). Die Wichtigkeit gerade dieses Spurenelementes Jod kann man nicht in ein paar Zeilen abtun. Ich werde daher diesem Lebensstoff meinen nächsten Beitrag widmen.

Der aus einer Mischung von Brunnenkresse, Löwenzahn, Bachbunge, Wegwarte und Boretsch gepreßte Saft galt in früheren Zeiten als „Blutreinigungskur" und wurde besonders bei Rheumatismus, aber auch bei hartnäckigen Hautausschlägen (Ekzemen) als heilkräftig gepriesen. Auch LECLERC weist darauf hin, daß Brunnenkresse besonders bei Pruritus vulvae und Ekzem von heilsamem Einfluß ist. Daß die frische Pflanze gegen Avitaminosen empfohlen wird, liegt auf der Hand. Ich glaube, annehmen zu dürfen, daß sie nicht nur, wie allgemein betont wird, ein bedeutendes Antidyskraticum ist (RIPPERGER), sondern daß sie auch als blutbildend und bluterneuernd angesprochen werden muß. Man beachte vor allem den hohen Fe-Gehalt, den Gehalt an Arsen und den beachtlichen Gehalt an Vitamin A, C und D. Der Vitamin- und der Jodgehalt weisen auch darauf hin, daß die Brunnenkresse bei der Behandlung von Schilddrüsenunterfunktion und dem daraus resultierenden Kropf eine wertvolle Hilfe sein kann. W. BOHN wies jedenfalls darauf hin, daß die frisch gegessene Pflanze bei monatelangem Gebrauch ein gutes Mittel gegen Anschwellungen der Kropfdrüse ist.

Noch etwas ist am Rande hierzu zu bemerken. Ebenso wie Knoblauch, Zwiebel und Löffelkraut wird auch die Brunnenkresse zu jenen Pflanzen gezählt, die immer wieder gegen Diabetes empfohlen werden. LECLERC, CONSTANTIN PAUL, C. BOCCACIO INVERNI geben jedenfalls an, daß durch die Einnahme von Brunnenkressensaft der Harnzucker deutlich gesenkt wird.

Seb. KNEIPP empfahl die Brunnenkresse Lungenkranken und Blutarmen.

RIPPERGER schreibt: „Ähnlich wie der Knoblauchsaft wird auch der frische Saft der Brunnenkresse gebraucht bei chronischem Bronchialkatarrh und gegen Schwindsucht. Jedenfalls behauptet LECLERC auf Grund dieser Zusammenhänge (Parallele zu dem, was an anderer Stelle über die Anwendung bei Tuberkulose gesagt wurde) günstige Einflüsse des ätherischen Öles auf die Sekrete des Respirationstraktus. Auch will er häufig Vorteile gesehen haben beim Gebrauch frischen Kressensaftes bei chronischer Bronchitis mit reichlich schleimig-eitriger Sekretion, besonders bei Kindern. Dasselbe sagte schon 1577 Hieronymus BOCK: „Cressen mit Honig und Wein gesotten / nüchtern und abends getrunken / zertheilen die zähen Schleim / den Husten und die Keichen."

KROEBER umschreibt die Wirkung des Saftes der Brunnenkresse als „anregend, harntreibend, katarrhwidrig, abführend, magenstärkend und insbesondere als blutreinigend".

Wie Knoblauch wird auch Brunnenkresse als Anthelminticum bezeichnet.

Nur gilt für die Brunnenkresse dasselbe, was ich bereits bei allen anderen Senföl-Drogen sagte: Es darf bei der Anwendung und auch beim Gebrauch als Gemüsepflanze nicht vergessen werden, daß sie mit Maßen genossen wird. Ein Zuviel kann zu einer Reizung der Blasenschleimhaut führen und empfindliche Menschen reagieren oft nach dem Genuß der rohen Pflanze (aber nur nach einem Zuviel) mit schmerzhaften Blasenbeschwerden. Als typisches Emenagogum wirkt Brunnenkresse nicht nur auf die glattmuskeligen Organe, sondern vor allem auch auf die Geschlechtsorgane der Frau und führt hier zu Kongestionen. Darum sei vor einem Genuß bei Schwangerschaft gewarnt.

## RETTICH – Raphanus sativus L.

zählt ebenfalls zu den Kreuzblütlern. Aber – welcher Unterschied in der jahrtausendealten Beurteilung! Der unscheinbare Hederich und der vornehme Rettich als gleiche Brüder! Nicht etwa nur deshalb, weil ein fachmännisch geschnittener und gut gesalzener Radi zur bayerischen Nationalspeise zählt. Nein! Die Hochachtung vor dem Rettich ist viel älter. Im Tempel zu Delphi erfuhr er schon eine besondere Auszeichnung. Die Priester nämlich hielten ihn für das beste Gemüse. Es war daher üblich, dem Gotte Apoll einen Rettich aus Gold, eine Runkelrübe aus Silber und eine gemeine Rübe aus Blei als Opfer darzubringen. Ja – man muß noch weiter zurückgehen, um die Wertschätzung des Rettichs gewürdigt zu finden. Seine Abbildungen befanden sich, ebenso wie die des Knoblauchs, schon an den Wänden der Grabkammern und Tempel des alten Ägyptens aus den Jahren 2000 bis 1788 vor Christi. Von Herodot, dem „Vater der Geschichte" (490 bis 425 v. Chr.), der als Grieche Asien und Ägypten bereiste, wissen wir, daß beim Bau der Cheops-Pyramide (2551 v. Chr.) neben Zwiebeln und Knoblauch auch ungeheure Mengen von Rettich an die Arbeiter als Speise verabreicht wurden. Nicht weniger als 16 000 Silber-Talente wurden hierfür ausgegeben.

Schon DIOSKORIDES und PLINIUS berichten uns zu Beginn unserer Zeitrechnung von der Verwendung des Rettichs mit Salz und Essig als Speise und schon sie kannten die Anwendung des mit Zucker eingekochten Rettichsaftes als Hustenmittel.

Auch beim Rettich stoßen wir wieder auf die gleichen Inhaltsstoffe: Rhodanwasserstoff, organischer Schwefel, ein durch enzymatische Spaltung eines Glykosides entstehendes ätherisches Öl und Senföl (Allyl- und Butylsenföl).

Pfarrer KNEIPP sagte einmal vom Rettich: „Lungenkrankheit kann sogar durch Rettichsaft geheilt werden, wenn die Lunge nicht schon Löcher hat." Das erste Rezept Sebastian KNEIPPs ist noch vorhanden. Es war auf eine Jungfrau Columba Haas im Pfarrdorfe Boos ausgestellt und enthielt, neben den ausführlich beschriebenen Wasseranwendungen, den Zusatz: „Rettichsaft am Morgen und am Abend." KNEIPP mußte damals für dieses Rezept an den Landrichter zu Bobenhausen zwei Gulden Strafe zahlen „wegen Gewerbebeeinträchtigung und Schädigung". Damals wußte er ja noch nicht, daß es verboten ist, kranken Menschen zu helfen. (Nachzulesen in Eugen ORTNER „Ein Mann kuriert Europa", Ehrenwirth-Verlag, München.)

Rettichsaft, vor allem der aus schwarzem Rettich, wird vor allem empfohlen als schleim- und krampflösend, als auswurffördernd und gilt damit als geeignetes Mittel gegen Keuchhusten und sonstige krampfartige Husten-anfälle bei gleichzeitiger Verminderung der Auswurfmenge und bei zä-hem und trockenem Katarrh.

Ragnar BERG war es vor allem, der auf den besonders hohen Basenüber-schuß des Rettichs hingewiesen hatte, und wir finden (ECKSTEIN/ FLAMM) vor allem ärztliche Lobredner, die auf seine beachtenswerte Wirkung, nicht nur auf Magen und Darm, **sondern vor allem bei Gallen-steinen, Gallenblasenentzündung, Gelbsucht, Gallebrechen,** auch bei hartnäckigem Durchfall, hinweisen. Es fehlt allerdings auch nicht der Hinweis, daß ausgesprochene Blutüberfüllung in den Verdauungsorganen sowie akute entzündliche Reizung des Nierensystems zur Vorsicht mah-nen. Also auch hier heißt es: „Jede gute Gabe kann im Überfluß zum Gift werden."

Daß man Rettichsaft gegen Gicht, Rheumatismus, Ischias, Milzerkrankun-gen, Nieren- und Blasengrieß sowie gegen chronische Reizungen der Nieren und der Blase empfiehlt, hat er mit allen anderen bisher bespro-chenen Senföl-Drogen gemeinsam.

An oberster Stelle jedoch steht die medizinische Anwendung des Rettich-saftes als Gallemittel. H. SCHULZ führt ihn, im Verein mit Ärzten, die seine erfolgreiche Anwendung bezeugten, als kurmäßiges Mittel gegen Choleli-thiasis an. W. BOHN betont vor allem seine gute Wirkung gegen Gallen-steine. ECKSTEIN und FLAMM ebenso wie MÜLLER betonen die starke cholagoge Wirkung des schwarzen Rettichsaftes. E. MEYER gab ihn mit Erfolg bei katarrhalischem Ikterus, Cholangitiden und Cholezystiden.

Übrigens gilt auch der Rettichsaft, ebenso wie dies beim Meerrettichsaft der Fall war, als Schönheitsmittel und vor allem gegen Sommersprossen.

# 11 Jod – ein Element des Lebens

,,Je tiefer man in die Materie eindringt,
desto mehr entmaterialisiert sie sich.''

Die KROPFHEILENDE SPITZKLETTE (XANTHIUM STRUMARIUM L.) trägt
ihre Bedeutung für die Schilddrüse schon in ihrem Namen. Und zwar
sowohl in ihrem Volksnamen als auch in ihrer botanischen Bezeichnung.
Es ist aber bisher noch niemand auf die Idee gekommen, sie auf ihre
Wirkstoffe hin zu untersuchen. Sicher würde sich hierbei eine besonders
hohe Jodaufnahmefähigkeit, wie bei allen Klettenarten, herausstellen.
Die Klettengewächse zählen zur großen Familie der Disteln. Einige davon
sind uns recht gut gekannt. So die ARCTIUM LAPPA L., die gemeine
Klette, die Pfarrer Kneipp so empfahl, oder CNICUS BENEDIKTUS, das
Kardobenediktenkraut, als Bitterstoffpflanze wohlbekannt, mit seinem reichen Gehalt an Kalium, Calcium und vor allem Magnesium, und natürlich
die herrlichen Silbersonnen der Bergwiesen, die CARLINA ACAULIS L.,
die Wetter- oder Silberdistel. Sie alle haben ihren festen Stammplatz in
der Volksheilkunde und in der Homöopathie. Kaum jemand jedoch weiß,
daß sie zu den jodspeichernden Pflanzen zählen. Noch eine Pflanze
gehört dazu: die bärenklauartige KREBS- oder ESELDISTEL (ONOPOR-
DON ACANTHIUM L.), eine auffallende Erscheinung unter den Distelge-
wächsen. Sie wird bis zu zwei Meter hoch. Mit ihren rötlich-violetten
Blüten schmückt sie oft altes Mauerwerk, Trümmer, Schutthaufen und
Burgruinen und findet sich so überall dort, wo Menschen wohnen und
wohnten. Sie soll, wie der Name schon sagt, und zwar Wurzel und Kraut,
innerlich und äußerlich gebraucht, in früheren Zeiten als das beste Mittel
gegen Krebs gegolten haben. Heute besagt dies nur noch der botanische
Name. Auch sie zählt zu den jodspeichernden Pflanzen, ebenso wie ihre
Verwandte, die Artischocke (CYNARA CARDUNCULUS), die wir nicht nur
als bedeutendes Lebermittel, sondern auch als Gemüse schätzen.

GALENUS empfahl in seinem „De simplicium medikamentorum" die Asche von Seegras und Schwämmen zur Heilung von Asthma bronchiale, ohne freilich etwas von der heilenden Kraft des Jodes gewußt zu haben. Auch die Ärzte der im Mittelalter so berühmten Schule von Salerno (9. bis 12. Jahrhundert), so unter BERTHARIUS im „Marcellus empiricus" und bei DESIDERIUS im „Duodecim graduus", kannten die Wirkungen der „Drogen des Meeres" und bedienten sich ihrer als Heilmittel.

Das an den Meeresküsten der Mittelmeerländer wachsende „Seegras des Poseidon" (POSIDONIA CAULINI) bildet von den Resten seiner abgestorbenen Blätter seltsame Kugeln, „Meerbälle" genannt (PILAE MARINAE), die von den Wellen an Land getragen werden. Die Asche derselben verwendete man als Heilmittel, nicht nur gegen Asthma, sondern auch gegen Kropf.

Seegras enthält 60 bis 350 mg Jod im Kilo Asche. Laminaria digitata sogar 4 bis 6 Gramm.

Im Meerwasser lebende Tiere speichern Jod in Mengen von 7000 bis 20 000 000 y, also bis zu 20 Gramm im Kilo.

Sucht man in phytotherapeutischen Lehrbüchern nach dem Spurenelement Jod als Bestandteil von Heilpflanzen, wird man die Feststellung machen, daß die Angaben darüber sehr dürftig sind. Dabei dürfte dem Jod eine therapeutische Wirkung als Komplexwirkung nicht abzusprechen sein.

Der Grund hierfür liegt in der Natur des Jodes. Es ist wohl überall gegenwärtig, nicht aber überall erfaßbar, denn die in einer Pflanze enthaltene Menge an Jod hängt einmal vom Jodgehalt des Bodens, zum anderen vom Gehalt der Luft an Jod ab. Dieser aber ist in Meeresnähe wesentlich höher als über den deutschen Mittelgebirgen und noch geringer im gesamten alpenländischen Raum.

Daher sind alle Angaben vom Jodgehalt der Pflanzen mit diesem Vorbehalt zu betrachten. Sie sind, je nach Landschaft und damit je nach dem Bodengehalt, verschieden.

Festgestellt hat man nur, daß es eine Reihe von Pflanzen gibt, die sich durch eine große Aufnahmefähigkeit für Jod auszeichnen, die man also als jodhungrig bezeichnen kann, während in anderen Pflanzen Jod nicht nachgewiesen werden konnte. Man vermutet allerdings, daß es – in homöopathischen Dosen – trotzdem vorhanden ist, denn – **jede** Pflanze braucht Jod, ebenso wie jedes Tier und jeder Mensch. Jod ist der Motor des Stoffwechsels und ohne Stoffwechsel gibt es kein Leben.

Die antisklerotische Wirkung des Knoblauches ist nicht zuletzt auch auf den Gehalt an Jod zurückzuführen. Knoblauch zählt zu den jodhungrigen Pflanzen.

WINTER und WILLEKE, Köln, entdeckten 1952 in der Kapuzinerkresse hochwirksame, leicht flüchtige antibiotische Substanzen, und zwar nicht nur in Tropaeolum majus, sondern in vielen Kressearten, so in Lepidium sativum und in Nasturtium officinale. Sie stellten fest, daß schon 20 g dieser Vegetabilien im Harn eine mehrere Stunden anhaltende, viele pathogene Keime bekämpfende Eigenschaft hervorrufen, und zwar umfaßt der antibiotische Wirkungskomplex sowohl grampositive als auch gramnegative Bakterien. Hinzu kommt die Erhöhung der unspezifischen Reizkörperwirkung, welche die Abwehrreaktion des Körpers zu steigern vermag. Der vorhandene antibiotische Wirkstoffkomplex besteht aber nicht etwa nur aus dem Senföl (das allein wirkungslos ist), sondern er umfaßt ebenso die Rhodanwasserstoffverbindungen und das Jod. HSCN und Jod stehen hierbei in inniger wirkstoffergänzender Wechselbeziehung. Beide Stoffe töten Pilze und Bakterien, fördern die Wundheilung, wirken schmerzlindernd und betäubend, wobei das Jod noch verantwortlich ist für den Erregungszustand und für die Mobilisierung des Drüsengeschehens.

Wir wissen aus neuesten bodenbiologischen Forschungen, daß die Wurzelausscheidungen von Brunnenkresse und Bachbunge so stark wirksam sind, daß sie das Wasser der Bäche freihalten von Fäule und von Algen. Das hatte PARACELSUS schon vor über vierhundert Jahren erkannt, als er schrieb: „Wo sie in Brunnen und Bächen wachse, ziehe sie alles Faulige, Üble an sich und verarbeite es geheimnisvoll zu Leben, ohne sich selbst zu schaden. So könne sie auch im Körper wirken: alles Faulige an sich zu ziehen und auszuscheiden."

Die Wirkung des Jodes in unseren Heilpflanzen vollzieht sich unmerklich. Wir können sein Vorhandensein oft erst nachvollziehen, wenn wir die Auswirkungen überschauen.

BOURCET züchtete, wie v. LINSTOW in seinem Buche: „Die natürliche Anreicherung von Mineralstoffen in Pflanzen" aufzeigte, auf einem Boden, der in 100 kg einen Gehalt von 0,83 mg Jod aufwies, einige Pflanzen und untersuchte dann deren Mineralstoffgehalt. Er fand dabei: Jodgehalt in einem Kilogramm Asche:

| | |
|---|---|
| Allium porrum | 0,12 mg |
| Allium cepa | 0,38 mg |
| Allium sativa | 0,94 mg |
| Cucurbita | 0,017 mg |
| Spinacea oleacea | 0,021 mg |

Nehmen wir den Vergleich von Brunnenkresse, den ich in meinem vorigen Beitrag anführte, nach den Angaben von FELLENBERG mit einem Jodgehalt von 0,448 mg (oder 488 Gamma) im Kilogramm und vergleichen diese Zahlen mit Fucus vesiculosus – Blasentang, jener Meerespflanze, die bis zu 19 g im Kilogramm an Jod enthalten kann, dann ersieht man hieraus deutlich den Unterschied zwischen dem Jodgehalt von Land- und Meerespflanzen. Der Jodgehalt des rohen Dorschlebertrans beträgt 3,370 mg im Liter. Man sagt allgemein, mit 100 g Kabeljau kann man den Tagesbedarf des Menschen an Jod (0,1 bis 0,2 mg) decken. 200 g Schellfisch sollen genügend Jod für zehn Tage enthalten. Natürlich sind dies Faustregeln. Aber sie beweisen die Tatsache, daß im Meer lebende Pflanzen und Tiere wesentlich mehr Jod aufweisen als Landpflanzen und Landtiere.

Trotzdem gibt es Pflanzen, die man als jodspeichernd bezeichnen kann. Einige davon nannte ich bereits. Zu ihnen zählen außerdem alle Senföl-Glykosid-Drogen und die zu den Brassica zählenden Kohlarten und natürlich die Kresse-Gewächse. Dann aber zum Beispiel: Isländisch Moos, Bachbunge, Bitterklee, Kamillen, Lindenblüten, Baldrianwurzeln, Eschenblätter und von den Lebensmitteln vor allem die Kartoffel, alle Getreidesorten, Kopfsalat, Spinat, Artischocken und vom Obst vor allem Äpfel.

Der Jodbedarf wird im allgemeinen durch die Nahrung gedeckt. Es sei denn, es handele sich um erklärte Jodmangelgebiete. Auf den Begriff „Jodmangel" komme ich später noch zu sprechen.

Wie ich bereits betonte: Der Jodgehalt unserer Heilpflanzen ist so minimal, daß er als Wirkstoff für uns therapeutisch kaum eine Rolle spielt. Diese spielt er jedoch sicher in der Gesamtwirkung der Pflanzen, oft vielleicht sogar als das Zünglein an der Waage.

Wenn wir dem Begriff „Jod" in uns näher kommen wollen, müssen wir ganz andere Wege gehen. Mit Formeln, chemischen Begriffen und mit pharmakologischen Wirkungen kommen wir dem wahren Charakter dieses Spurenelementes nicht näher, denn kein Element deutet uns so den geistigen Charakter der Materie wie gerade das Jod. Irgendwie spüren wir, daß es mit unserem geistigen Sein in enger Beziehung steht – mehr wie jedes andere Element, spürbarer jedenfalls, und daß es in der Lage ist, unseren Charakter nach der einen oder der anderen Seite hin zu prägen.

Gewiß – wir spüren dies auch irgendwie vom Silizium, vom Eisen, vom Magnesium, aber keiner dieser Stoffe beeindruckt uns beim Nachdenken so wie das Jod. Es rührt uns an wie eine Nachricht aus einer anderen Welt, einer Welt, in der wir wohl zu Hause sind, in der wir uns aber zur Zeit unseres Erdendaseins *noch* nicht befinden. Je tiefer man in die Materie eindringt, desto mehr entmaterialisiert sie sich. *Das* wird uns beim Jod am ehesten bewußt.

Befassen wir uns doch einmal mit den Grundbegriffen der Charakterkunde. Sie spielt gerade für uns Naturheilkundige eine wesentliche Rolle, denn ohne die Deutung des Charakters eines Patienten ist seine Behandlung schlechthin unmöglich. Dies trifft nicht nur für den Homöopathen zu.

Der griechische Philosoph und Naturwissenschaftler THEOPHRASTUS, der eigentlich TYRTAMOS hieß, war ein Schüler des ARISTOTELES, des Lehrers ALEXANDER des GROSSEN.

THEOPHRASTUS lebte von 372 bis 287 vor CHRISTI. Berühmt wurde er durch seine wissenschaftliche Pflanzenheilkunde, in der er 500 Heilpflanzen genauestens beschrieb und mit dieser Beschreibung Vorbild für Jahrhunderte wurde. Ebenso berühmt aber wurde er durch seine, von seinem Meister ARISTOTELES stark beeinflußte „CHARAKTERLEHRE". Diese stammte in ihren Ursprüngen von HIPPOKRATES und fand später bei GALENUS ebenso ihren Niederschlag.

Diese lehrte, daß es vier Temperamente gäbe. Diese seien abhängig von den vier Kardinalsäften, deren richtige Mischung die menschliche Gesundheit bedinge. Als Kardinalsäfte wurden Blut, Schleim, gelbe und schwarze Galle angesehen. Die Temperamentsäußerungen wurden mit dem Körperbau und dem Säftestrom in Verbindung gebracht. Man unterschied (und unterscheidet noch heute):

**Sanguiniker** (Blut), dazu zählen die Gemütsmenschen, Lebhafte, Temperamentvolle, aber auch Leichtblütige und Sprunghafte;

**Phlegmatiker** (Schleim), das sind Gleichgültige, aber auch Gleichmütige, zähe, träge, bedächtige Naturen, aber auch die Kaltblütigen;

**Choleriker** (gelbe Galle), die heftigen Willensmenschen, die Aufgeregten, die schnell und leidenschaftlich reagieren, die leicht aufbrausen;

**Melancholiker** (schwarze Galle), die Schwermütigen, die Trübsinnigen, Naturen, die erschütterungsfähig, aber wiederum auch schwärmerisch, dabei aber verbissen im Handeln sein können.

Soweit die CHARAKTERLEHRE des THEOPHRASTUS.

Im gewissen Sinne gilt dieses Schema noch heute. Es zieht sich wie ein roter Faden sowohl durch die Lehren von FREUD und ADLER als auch durch die Typenlehre von KRETSCHMER, denn seine Einteilung in Zyklothyme und Schizothyme geht in ihren Unterteilungen auf das gleiche hinaus. Selbst die vier Nerventypen des Nobelpreisträgers I. P. PAWLOW tragen die Merkmale hippokratischer und theophrastischer Tradition.

THEOPHRASTUS sprach von „Säftemischung". Auf der anderen Seite hat die Forschung in einem gewissen Umfang bestätigt, daß die Temperamente mehr oder weniger von der inneren Drüsensekretion abhängen. KNEIPP lehrte uns, daß die Grundbeschaffenheit des Blutes nicht nur für die Gesundheit, sondern auch für den Gemütszustand eine ausschlaggebende Rolle spielt.

Da erhebt sich beim Nachdenken sofort die Frage: „Welche Stoffe sind es, welche die Drüsensekretion beeinflussen? – In welcher Weise und in welcher Richtung? Und – welche Stoffe bauen das Leitbild unseres Blutes auf?" Fragen über Fragen – eine zieht die andere nach sich, denn **wir** sind es ja nicht, die diese Stoffe zu uns rufen. Es ist ja das Unterbewußte in uns, das all das vollzieht, was wir „Leben" nennen. Wir selbst können dazu am allerwenigsten beitragen, denn zu der Frage nach den Lebensstoffen kommt sofort die Frage nach der Menge, die Frage nach dem Zustand, und zwar dem chemischen und dem physikalischen, dem elektrodynamischen, der Permeabilität und – und – und. Soviel wir auch schon über diese Dinge glauben erforscht zu haben – und es ist bestimmt nicht wenig –, es bleibt immer das Unbewußte, das in uns baut und formt. Auch dann, wenn wir dem Körper durch Nahrungsmittel oder durch Arzneimittel, gleich welcher Art, neue Stoffe zuführen.

Körper, Seele und Geist, diese Dreieinheit, welche das äußere, aber auch das innere Bild des Menschen formt, aufbaut und erhält, besteht in ihrem Ursprung aus Materie. Diese Materie aber besteht wiederum aus Bauelementen, aus Bausteinen, die der Chemiker Elemente nennt. Ihre Struktur richtet sich nach chemischen ebenso wie nach physikalischen Gesetzen. Was aber sind Physik und Chemie letzten Endes anders als Ausdruck geistigen Wesens in der Natur. Der große Architekt ist die Schöpfung selbst. Hinter allem steht die geistige Idee, das Wesenhafte, das uns Unsichtbare, die Wirklichkeit. **Sie** ist das Wirkende.

Wir Menschen pflegen alles zu bezeichnen, zu benennen, zu erforschen und zu beschreiben. Gewiß haben wir es dadurch weit gebracht, aber erst wenn wir es vermögen, das ganze menschliche Gedankengebäude in uns auszuschalten, kommen wir der Wirklichkeit näher. Ein indisches Sprichwort sagt: ,,Der Verstand ist der Drache, der vor dem Tor zum Paradiese liegt." Das trifft auch hier zu.

FRÖHLICH sagte einmal: ,,In der neuen Denkweise der Mikrophysik sind die üblichen Massen als ruhende, riesige, zusammengeballte Energien und die üblichen Energien als leicht bewegliche, hochverdünnte Massen aufzufassen."

Die moderne Kernphysik zeigt uns am deutlichsten das geistige Wesen der Materie, und die uralte indische Weisheit: ,,Alles ist Nichts und aus Nichts ist alles" findet hier ihre Bestätigung, denn wir wissen, daß das geistige Sein, aber auch das seelische Fühlen zu Licht wird und aus Licht wiederum Energie und Masse, daß sich die Schöpfungsgeschichte immer wiederholt. ,,panta rhei" – alles fließt, sagte HERAKLIT. Es gibt nichts Unbeseeltes im Universum. Es gibt nur Tätiges und Ruhendes.

Demzufolge ist die Mineralstofflehre, wie sie schon PARACELSUS begründete und wie sie SCHÜSSLER lehrte, keine materialistische Naturheilkunde, sondern eine geistige Lehre, ebenso wie die Pflanzenheilkunde und die Homöopathie, deren Potenzen ja ohnehin das Geistige der Pflanzen und Stoffe demonstrieren.

Jedes Element hat seinen geistigen Bauauftrag.

Wir kennen die Rolle des Eisens, das eine beherrschende Aufgabe in der Zusammensetzung des Blutes hat und uns seelisch bedeutend beeinflußt, denn jene 0,08 bis 0,12% Eisen im Blut spielen, im Zusammenhang mit Kupfer und Kobalt, nicht nur im Körperhaushalt eine wesentliche Rolle und entscheiden hier über Gesundheit und Krankheit. Sie üben einen ebenso wesentlichen Einfluß auf unser seelisches Befinden aus. Wir sprechen von einem ,,eisernen Willen". Mit Recht, denn die notwendige Menge an Eisen macht uns zu aktiven Tatmenschen oder – bei Mangel an Eisen – zu Schwärmern und Phantasten, aber auch zu Melancholikern. Eisen, als Element unseres irdischen Seins, bindet uns an unsere irdische Aufgabe. Das Fehlen von Eisen in unserer Nahrung ist nicht nur ein körperliches, sondern auch ein seelisches Gesundheitsproblem.

Die Stellung des Siliziums habe ich schon mehrfach umrissen. Sie ist gleichsam die aus dem Kosmischen kommende Idee des Aufbaues. Silizium als der große Urstoff ist der erste und urälteste Aufbaustoff unseres Planeten und – nach dessen Formung – alles dessen, was ihn bevölkert. Es ließe sich auf der Grundlage des Siliziums eine ganze Philosophie aufbauen.

Als Aufbaustoff der Erde beträgt sein Anteil an der Biosphäre 40–50%. Als formendes Element, vom Kosmischen herkommend, erfüllt er seine ihm gestellte Aufgabe, dient als Licht- und Wärmevermittler, schafft den Granit und damit den Hauptbestandteil des festen Gesteinsuntergrundes unserer Erdkugel, schafft den Glimmer, Feldspat und Quarz und zuletzt, als sinnbildliche Metamorphose der steingewordenen Läuterung, den Bergkristall.

Die Pflanze bedient sich des Kieselstoffes als formendes Element, als Licht- und Wärmevermittler, zuerst in jenen einzelligen Algen BACILARIO-PHYTA mit ihren 4000 verschiedenen Diatomeenarten. Kiesel und Pflanze sind wesensverwandt wie Kalk und Tier. Aus der Bindung Kiesel und Kalk, Pflanze und Tier ward der Mensch. Und auch im Menschen formt das Silizium, vom Bindegewebe her, schon das Neuzugebärende im Mutterleib und später erst recht. Kalk festigt dann das Geformte und baut es auf. Wir brauchen keine Geologen und keine Pharmakologen zu sein, um diese Prozesse, die sich vor unseren Augen abspielen, zu verfolgen und aus ihnen unsere Schlüsse zu ziehen.

Magnesium ist das Element des Lichtes, das der Gestaltung die physische, aber auch die psychische Wärme schenkt und festhält. Wer einmal beobachtet hat, wie das Samenkorn, das Schneeglöckchen oder der Krokus durch gefrorenen Boden der Eis- und Schneedecke sich den Weg ans Licht suchen, um dann mit einem Druck von fast drei ATÜ der Sonne entgegenzuwachsen, der vermag sich ein Bild von der Kraft des Magnesiums zu machen, denn dieses Element ist es, dessen geballte Energien in den pfeilartigen Trieben dieser Pflanzen sitzen.

Die alte Frage, die man gern auf der Universität den Prüflingen stellte: „Warum schlägt unser Herz?", konnte bisher noch niemand beantworten. Jenes Perpetuum mobile in uns schlägt einfach. Das geistige Wesen des Magnesiums und des Kaliums könnte uns diese Frage wahrscheinlich beantworten. Wir verordnen Magnesium und Kalium bei Herzleiden. Sind wir uns dabei auch dessen immer bewußt, daß es weniger die Materie dieser Stoffe als vielmehr ihre geistigen Potenzen sind, die wir hier verordnen? Magnesium bringt in uns ebenso das geistige Wesen zur Entfaltung wie es in uns als körperliche Substanz seine Aufgabe erfüllt. MADAUS sagte einmal: Magnesium ist das Metall der Muskelenergie, der Gehirntätigkeit und der Fortpflanzung. Damit will ich die Beispiele aus der geistigen Wesenheit der Elemente beschließen. *Alle* Elemente formen unser Leben, körperlich, seelisch und geistig.

**Ausschlaggebend aber für unser Temperament ist das Jod.**

Bevor ich mich jedoch diesem Lebensstoff widme, lassen Sie mich noch einmal etwas zum Thema „Temperamente" sagen.

In einem bedeutenden Buch über Menschenerziehung las ich einen Satz, der mich nachdenklich stimmte: „Der erzieherische oder selbsterzieherische Einfluß auf das ererbte Temperament ist nicht nennenswert." Dieser Satz könnte leicht mißverstanden werden. Wenn wir uns auch vielleicht über unsere Veranlagungen nicht hinwegsetzen können, so können wir doch aus jeder Veranlagung heraus schöpferisch tätig sein. Ausschlaggebend ist *der Wille zum Leben.*

Der Kreis des Lebens, von der Geburt bis zum Tod, jene Spanne unseres Erdendaseins, ist, so sagt man, vom Schicksal vorbestimmt. Fatalisten ziehen hieraus den Schluß, daß es demnach unsinnig sei, in die Speichen des Lebens einzugreifen, sein Leben selbst zu gestalten.

Diese Auffassung ist falsch. Das beweisen uns unzählige Beispiele.

H. E. FOLSDIEK gab vor einigen Jahrzehnten ein Buch heraus mit dem Titel: ,,Der Weg zur eigenen Persönlichkeit.'' Darinnen führte er eindrucksvolle Beispiele an, die beweisen, daß – dem Schicksal zum Trotz – der Mensch, sei er auch durch Krankheit, Not und Kümmernis noch so geschlagen, erst dann verloren ist, wenn er sich selbst verloren gibt.

**Der Wille zum Leben,** der Glaube an die eigene Kraft und die Erkenntnis der Lebensvorgänge sowie die persönliche Einstellung zu allen Wechselfällen, die uns im Leben begegnen – *das* sind jene so wichtigen innerlichen Voraussetzungen, die es *jedem* ermöglichen, innerlichen und auch äußerlichen Einflüssen gegenüber in jeder Lage gewappnet zu sein –, ihn auf seinem Wege vorwärts zu bringen. Man muß in der Schwere eines Schlages, der einen getroffen hat, eine Kraftprobe erblicken, die uns das Schicksal stellt. Alles, was wir überstehen, läßt uns nur noch härter werden.

Die Kunst – zu leben – hängt von unserem eigenen Wollen und Wissen ab. Wissen aber heißt: ständiges Beobachten, ständiges Bereitsein, vor allem zur Aufnahme des Bewußten und Unbewußten in und um uns, um es in uns geistig zu verarbeiten und die Nutzanwendungen daraus zu ziehen.

Die Wartezimmer der Ärzte wären lange nicht so überfüllt und die Sorgen um die Kosten des Gesundheitswesens wären bestimmt geringer, wenn wir nicht durch eine völlig falsche Gesundheiterziehung in diese Sackgasse geraten wären. Unser Sozialstaat hätte seine Staatsbürger zu Verantwortungsbewußtsein in erster Linie erziehen sollen. Statt dessen hat das ,,laissez faire'' dem Menschen von heute die Verantwortung für sich selbst in vielen Fällen genommen. Mit etwas gesunder Härte gegen sich selbst wäre vielen mehr gedient als mit einem Sack voller Medikamente.

In früheren Jahrtausenden waren die Priester Ärzte. Heute müßten die Ärzte, die wirklich die Mission des hippokratischen Eides in sich tragen, dazu ein gutes Stück Priestertum mitbringen, um den kranken Menschen zu helfen und ihnen **den Willen zur Gesundheit** als Voraussetzung zur Wiedergenesung wiederzugeben. Wir als Naturheilkundige sind von jeher bestrebt, nach diesem Prinzip zu handeln. Darauf beruht auch das Geheimnis der Anerkennung durch die Volksmeinung, die instinktiv spürt, daß sie diese Naturverbundenheit braucht, die wir lehren und nach der wir unsere Handlungen ausrichten.

Ich habe diese Betrachtungen bewußt eingeflochten, denn wenn ich in Nachfolgendem vom Jod spreche, dann spricht hier ein Spurenelement zu uns, das wie kaum ein anderes in unsere Lebensfunktion eingreift. Wir sollen es uns in seiner Wesenheit zunutze machen. Zuvor aber müssen wir erst versuchen, es zu begreifen.

9 bis 17 Millionstel Gramm (9–17 Gamma) beträgt normalerweise der Jodgehalt des Blutes. Er schwankt in den verschiedenen Jahreszeiten. In den Wintermonaten ist er niedriger, um im Sommer wieder anzusteigen. Jod ist *der* Stoff, der die Lebensflamme entfacht und in Gang hält. Mit Hilfe unserer Schilddrüse, in der sich das Jod manifestiert, kann es diese Flamme entweder dämpfen oder zu einem zügellosen Brand entfachen.

Jod bedingt das Temperament von Mensch und Tier. Es ist notwendig beteiligt an der Dichte des Haar- und Federkleides. Es führt die Mauserung, jenen Wechsel des Sommer- und Winterkleides der Tiere, herbei und die Drosselung der Jodzufuhr drosselt die Bluttemperatur und führt bei einer ganzen Reihe von Tieren zum Winterschlaf.

Dies alles vollbringen jene wenigen Millionstel Gramm Jod. Ein Zuviel oder Zuwenig dieses Lebensstoffes, dessen Speicher bekanntlich die Schilddrüse ist, führt zu schwerwiegenden Veränderungen der Leistungsfähigkeit, der Gemütsart und des Charakters.

Es ist eigenartig – wenn uns ein Mensch entgegentritt, meinen wir, seinen Jodspiegel sofort wahrzunehmen. Von der Ruhe und Ausgeglichenheit auf der einen Seite zur freudigen Erregtheit, zur nervösen Erregbarkeit bis zur nervösen Erschöpfung spiegelt sich die ganze Skala der Jodausschüttung und geht weiter bis zu jenen jähzornigen Temperamentsausbrüchen, die zu verbrecherischen Handlungen führen können. Auf der anderen Seite führt das Zuwenig an Jod zu Lethargie, die bis zum Stumpfsinn, zum Schwachsinn und zum Kretinismus reicht. Gewiß – es sind außer dem Jod noch andere Dinge daran beteiligt und vor allem ist es der menschliche Wille, die Eigenenergie, welche diese Dinge steuert (sie kann auch durch den Arzt gelenkt werden), aber das Jod spielt bei allen diesen Zuständen eine überragende Rolle. Durch eine psychologische Steuerung des Jodspiegels ist es heute möglich, auf der einen Seite gewisse auf Jodmangel beruhende Geisteskrankheiten weitgehend zu beeinflussen, auf der anderen Seite durch Jodüberschuß entstandenen Basedow zu heilen.

Wir wissen, daß ein Zuviel an Jod im Blut zu einer Übererregbarkeit des vegetativen Nervensystems führt, das weittragende Folgen haben kann. Nach neueren Forschungen sollen selbst allergische Krankheiten, die bekanntlich auf einer Übererregbarkeit des Nervensystems beruhen, wie Heufieber, Heuschnupfen, Asthma, selbst gewisse Formen von Gicht, Rheumatismus und Gelenkerkrankungen mit auf eine krankhafte Erhöhung des Jodspiegels zurückzuführen sein. Die Symptome des Badedows sind uns hinreichend bekannt: ständiges Hungergefühl, dennoch magert der Körper ab; starke Nervosität, Übererregbarkeit, Herzstörungen.

KARL ADOLF von BASEDOW (1799–1854) war Arzt in Merseburg. Nach ihm und seinen Beobachtungen wurde der Morbus Basedow benannt. Von einem endokrinen Drüsensystem wußte er noch nichts. Davon erfuhr die Wissenschaft erst viel später, nämlich im Jahre 1889, als der französische Arzt Dr. BROWN-SEQUARD in einem aufsehenerregenden Vortrag vor der „Biologischen Gesellschaft" zu Paris seine Forschungsergebnisse auf diesem Gebiet nicht nur bekanntgab, sondern gleich an sich selbst demonstrierte.

Um so erstaunlicher waren zu damaliger Zeit die exakten Darstellungen der Hyperthyreose durch BASEDOW. Die Überfunktion der Schilddrüse wird oft nach Schrecksituationen und durch Aufregung manifestiert. Frauen werden häufiger davon befallen als Männer. Die Patienten klagen über Gewichtsabnahme, motorische Unruhe, gesteigerte psychische Erregbarkeit, feinschlägigen Tremor, Haarausfall, Herzklopfen, Durchfälle, manchmal allerdings auch über Verstopfung.

Die klassische Trias (Merseburger Trias – Pulsbeschleunigung, Kropf, Glotzauge) besteht aus Exophthalmus, weicher Struma und Tachykardie. Am Herzen hört man oft ein systolisches Geräusch. Es soll oft zu Vorhofflimmern kommen. Am Auge findet man das GRAEFsche Symptom, ferner auch einen positiven MOEBIUS (Konvergenzschwäche der Augen) und STELLWAG (seltener Lidschlag). Dazu kommen häufig eine Übererregbarkeit des Nervus facialis (CHVOSTEK) sowie Lymphozytose. Der Jodgehalt im Blut und der Grundumsatz sind erhöht. Man muß sich aber vor einer Überschätzung letzterer Tatsachen hüten, da gerade der Grundumsatz stark von der Ernährung (der letzten drei Wochen) abhängt. Ich möchte sogar noch weiter gehen: nicht nur von der Ernährung, sondern auch von der Medikamenten-Einnahme der letzten Wochen. Oft wird z. B. dadurch eine Hyperthyreose vorgetäuscht, daß man vorher wochenlang ein sogenanntes ,,Schlankheitsmittel'' oder einen Schlankheitstee mit jodhaltigen Pflanzen (Fucus vesiculosus) nahm.

In solchen Fällen wird sich der Homöopath mit Hepar sulf., Mercurius, Arsenicum, Antimonium, Camphora, China, Coffea, Phosporus oder Sulfur zu helfen wissen. Sulfur in jedem Fall, die anderen Mittel je nach Typus.

Da bei Basedow in den meisten Fällen der Fluorspiegel reduziert ist, dürfte es zweckmäßig sein, Natr.- und Calc. fluorat (D3/D4 bis D6) einzusetzen. Darauf wies bereits THEEGARTEN hin.

Bei kluger homöopathischer Behandlung und vor allem bei der richtigen psychischen Betreuung wird es in den meisten Fällen gelingen, eine Hyperthyreose zu heilen. Die psychische Betreuung des Patienten halte ich für besonders wertvoll, denn wohl kein Element ist so mit unserem psychischen Verhalten verbunden wie das Jod. Es ist das klassische Beispiel dafür, daß Mineralstoffe und Spurenelemente keine toten Stoffe, sondern lebendige, wesenhafte Bausteine sind.

Jede seelische Erschütterung wirkt sich auf den Jodhaushalt aus, ebenso wie jede seelische Aufregung den Insulinhaushalt des Blutes beeinflußt. Beide endokrinen Stoffe stehen in Wechselbeziehung zueinander. Dies gilt es bei der Behandlung immer zu berücksichtigen.

Für den Homöopathen sei noch hinzugefügt, daß nach FELLENBERG-ZIEGLER bei **chronischer** Jodvergiftung als Folge äußerlichen und auch internen Mißbrauches, z. B. durch Kal. jodat., Tinct. jodi usw. (Jodkachexie, Abmagerung, Abzehrung, fahles, gelbes Gesicht) Hepar sulfur., Belladonna und Phosphorus in niedriger Verdünnung, dazu viel frische Luft, wenn möglich kuhwarme Milch und Schwefelbäder gute Dienste tun. Bei **akuter** Jodvergiftung gibt man Stärkekleister, Zuckerwasser und in Milch gekochten Fenchel.

## Was ist Jod?

Ohne Jod gäbe es kein Leben, denn eine der drei Voraussetzungen zur Bildung von Leben ist der Stoffwechsel (Bewegung, Stoffwechsel, Fortpflanzung). Ohne Jod jedoch ist kein Stoffwechsel möglich.
Es ist eigentlich erstaunlich! Seine Entdeckung liegt etwas mehr als einhundertundfünfzig Jahre zurück. Sie ereignete sich erst zu Beginn des 19. Jahrhunderts, genauer gesagt im Jahre 1811.
Und sie wurde noch nicht einmal von einem Chemiker gemacht. Der berühmte Zufall hatte dabei seine Hand im Spiele. Es war kein Gelehrter, sondern nur ein aufmerksamer französischer Salpetersieder, COURTOIS mit Namen, der darauf stieß. Es wird berichtet, er hätte einen Glasballon mit Asche von Schwämmen und Meeresalgen, in Spiritis angesetzt, stehen gehabt. Seine Katze war auf Mäusejagd und raste die Regale entlang. Dabei stieß sie eine Flasche mit Vitriol herab. Diese fiel geradewegs auf den Glasballon und beide Gefäße gingen in Trümmer. Das Ergebnis war sehr merkwürdig. Vom Boden nämlich, auf dem diese Flüssigkeit schwamm, stiegen eigentümliche, veilchenblaue Dämpfe auf. Ihnen entströmte ein stechender Geruch.
Jod – reines Jod – hatte sich ausgeschieden.
Nach jenen veilchenblauen Dämpfen erhielt es dann später seinen Namen: ioeides (griechisch) = veilchenblau = Jod.
COURTOIS ließ diese Entdeckung nicht ruhen und so wurde dieser neue Stoff 1831 durch CLÉMENT, DÉSORMES und später vor allem durch GAY-LUSSAC experimentell untersucht und chemisch eingeordnet.
Sein Atomgewicht ist 126,92, seine Ordnungszahl 53 und seine Wertigkeit: meist einwertig, seltener III-, V- und VII-wertig.
Erst später entdeckte man, daß Jod ein ausgezeichneter Salzbildner ist. Man erkannte die Struktur und den Charakter dieses neuen Stoffes: grauschwarze, metallisch glänzende, trockene, tafel- oder blättchenförmige Lamellen (Kristalle) von eigentümlich stechendem, an Chlor erinnernden Geruch und von herbem, scharfem Geschmack.
An Chlor erinnernd: Salzbildner ist auch das Chlor, das, zusammen mit dem Metall Natrium, das Kochsalz bildet, sowie das Brom und das Fluor.
„Salz" heißt auf griechisch „hals" und „bilden" heißt „gennao". So nannte man diese Stoffe Halogene = Salzbildner. Damit war ihre wichtigste Eigenschaft umrissen. Diese Bezeichnung war übrigens schon 1811, also im Jahre der Entdeckung des Jodes, von SCHWEIGGER für das bereits gut bekannte Chlor vorgeschlagen worden.
Halogene sind zumeist einwertig und elektronegativ, da sie in ihren äußeren Schalen 7 Elektronen haben, die sich unter Aufnahme von je einem Elektron leicht zur Edelgasschale ergänzen. Es würde zu weit führen, diese Tatsache näher zu erklären, denn sie spielt in der modernen

Atom- oder Kernphysik eine bedeutende Rolle. Sie zeigt uns aber eindeutig, daß Halogene als Gase im Weltenraum schweben und von dort dahin gelangen, wo Leben gebildet und erhalten werden soll.

Die Kernphysik ist heute in aller Munde. Im negativen Sinne, weil es uns zu gehen scheint wie Goethes Zauberlehrling: „Die Geister, die ich rief, werd ich nicht los, oh Meister." Jedenfalls kann ihre falsche Anwendung und ihr Mißbrauch den Untergang der Menschheit bedeuten und wir können nur hoffen, daß diese furchtbare Kraft, die wir ja schon seit Hiroschima in grauenhafter Erinnerung haben, gezähmt bleibt und daß die Forschung Mittel und Wege findet, sich der Kernkraft ohne Schaden für die Menschheit zu bedienen.

Wir sind nicht so engstirnig, daß wir glauben, das Rad des Zeitgeschehens rückwärts drehen zu können, – aber – die Angst vor der Zukunft könnte einen doch überkommen, wenn man sieht, was sich für eklatante Fehler einschleichen.

Wieviel Einsicht in das Weltgeschehen uns die Kernphysik vom wissenschaftlichen Standpunkt her gesehen schon gebracht hat, kann nur der ermessen, der sich selbst schon damit befaßt hat, sei es als Geologe oder auch als Pharmakologe. Dies nur kurz eingeflochten, denn ich muß auf Erkenntnisse der Kernphysik noch öfter zu sprechen kommen.

Halogene kennt man am besten in ihren Verbindungen. So z. B. in Verbindung mit Metallen. Chlor als Chlornatrium im Kochsalz, im Chlorkalium des Karnellits und des Sylvins der Kalilager von Staßfurt usw.; dann aber vor allem im Meerwasser und in den Quellwässern der Heilquellen. Das Wasser der Ozeane enthält etwa 2% ionisiertes Chlor.

Brom finden wir als Bromnatrium und Brommagnesium, als fast ständigen Begleiter des Chlornatriums, in den großen Salzlagern der Erde, in Europa vor allem in Staßfurt-Leopoldshall, aber ebenso in chilenischen, peruanischen und nordamerikanischen Salzlagern, aber, ebenso wie Chlor, auch in Salzpflanzen.

Fluor kennen wir als Bestandteil des Flußspates ($CaF_2$) (Calciumfluorid). Man verwendete es im Mittelalter zum Schmelzen der Erze. Daher auch der Name „fluor" vom lateinischen „Fluo = ich fließe". Sein Anteil an der obersten, 16 km dicken Erdkruste beträgt etwa 0,078%. Damit steht es in seiner Häufigkeit an 13. Stelle. (Zum Vergleich: Chlor steht an 11. Stelle. Es ist an der Zusammensetzung der obersten Erdkruste zu 0,19% vertreten.) Im Magmagestein, das aus dem glutflüssigen Erdinneren kommt, ist Fluor zu 0,08% enthalten. Außer im Flußspat kennen wir Fluor noch in vielen anderen, vor allem Silikatgesteinsarten, so im Krysolith und im Apatit. Über Fluor zu schreiben wäre fast ebenso interessant wie über Jod. Wir wissen um die Bedeutung des Fluors im pflanzlichen, tierischen und menschlichen Leben. Wir finden Fluor in den Zähnen, besonders im Zahnschmelz, in den Haaren, den Häuten, den Knochen und in den Muskeln. Wir wissen, daß die Milch unser wichtigster Fluor-Lieferant ist. Aber – ich wollte ja nicht vom Fluor, sondern vom Jod sprechen und – da müssen wir feststellen:

176

## Jod ist überall

Im Weltenall ebenso wie im Erdinneren, in der Luft ebenso wie im Wasser. In den Pflanzen ebenso wie im tierischen und im menschlichen Körper. In der Erdkruste gehört Jod zu den seltenen Elementen. Nur etwa ein Fünfzehnmillionstel unserer Erdkruste dürfte aus diesem Element bestehen. Mit Hilfe verfeinerter Methoden konnte man selbst Spuren von Jod nachweisen. So fand man in je 100 g wasserfreien süddeutschen Feinböden im Minimum 63, im Maximum 1200 Gamma, im Durchschnitt etwa 330 Gamma Jod.

Spuren von Jodwasserstoff fand man in den Aushauchungen des Vesuv und des Ätna. In Nordamerika (Woodhall Spa bei Lincoln) gibt es sogar eine Quelle, deren Wasser durch Jod braun gefärbt ist. Im Jahre 1949 entdeckte man in der ungarischen Gemeinde Bükkszek eine jodhaltige Quelle, mit deren Jodgehalt man angeblich den ganzen Jodbedarf Osteuropas decken könnte.

Jodsalze in Heilwässern finden wir in vielen berühmten Heilbädern. So in Bad Tölz, in Bad Wiessee, in Bad Heilbrunn, in Weilbach, Aachen, Bad Soden, Bad Elster und in vielen anderen.

Der Wirkungsmechanismus des mit der Trinkkur und dem Jodbade in den Organismus aufgenommenen Jodids wird erklärt einmal durch die anregende Wirkung auf das vegetative Nerven- und das hormonelle Drüsensystem und zum anderen durch die entschlackende Wirkung auf die Gefäße und die Besserung der Elastizität.

Es dünkt uns, wenn man die Dinge flüchtig betrachtet, paradox, daß ausgerechnet in Bayern, mit seinem geringsten Jodanteil in der Luft, die berühmtesten Jodquellen fließen: Bad Tölz, Bad Wiessee, Bad Heilbrunn. Sie fließen aus Urgestein, das hier als Quelle zutage tritt. Im Urgestein ist das Jod festgelegt. Bei dessen Verwitterung wandert es, zum Teil als Alkali- und als Erdalkalijodid, in die Böden und mit dem Regen- bzw. dem Flußwasser teilweise ins Meer. Ein anderer Teil vergast und da die Joddämpfe 8,65mal schwerer sind als Luft, reichern sie sich allmählich in den tiefergelegenen Meeresgebieten an. Wir sehen – es ist ein ganz natürlicher Vorgang: je höher die Lage, vom Meeresspiegel aus gemessen, desto geringer ist der Jodgehalt der Luft. Das Meerwasser enthält etwa 0,0002% Jod, rund 50 Gamma im Liter, und zwar vorwiegend in organischen Bindungen. Nach Prof. Dr. W. JÖTTEN enthielten bei seiner Untersuchung vom 1. 7. 37 ein Kilogramm Meerwasser 38 Gamma und bei seiner Untersuchung vom 16. 2. 52 ein kg 44 Gamma Jodionen (Anionen). Dieses teilt sich dann den sich im Meere befindlichen Pflanzen und Tieren mit, so daß diese einen sehr hohen Gehalt an Jod aufweisen. Ich hatte bereits darauf hingewiesen, daß z. B. der Gehalt des rohen Dorschlebertrans 3,370 mg im Liter beträgt. Man ist aber noch nie auf den Gedanken gekommen, die Kinder in den jodarmen Gebieten mit Lebertran aufzuziehen, um so der Hypothyreose vorzubeugen. Mit der Verordnung von Meersalz in den Jodmangelgebieten allein ist es nicht getan.

Da ist noch ein anderes Problem. Es betrifft die Düngung jodarmer Böden. Seit 1825 baut man in der bis zu 4000 m hoch gelegenen nordchilenischen Atacama-Wüste den berühmten Chilesalpeter ab. Seine Weltgeltung hatte er, bis 1914 nach dem Haber-Bosch-Verfahren Salpeter künstlich hergestellt werden konnte. Damals war dies eine deutsche Großtat, denn Chile-Salpeter wurde knapp. Nachdem die Leuna-Werke bei Bitterfeld genügend Salpeter herstellen konnten, um die ganze Welt zu versorgen, ging die Bedeutung des Chile-Salpeters verloren. Trotzdem betrug die Chile-Salpeter-Produktion im Jahre 1948 immer noch 1,788 Mill. Tonnen; 1949 1,77 Mill. Tonnen, 1950 1,614 Mill. Tonnen. 90% davon wurden exportiert. Eine dortige Salpeterfabrik, die z. B. jährlich 60 000 t Salpeter erzeugt, wäre imstande, 100 bis 120 t Jod zu liefern, denn Chile-Salpeter ist ein Naturprodukt mit ganz beachtlichen Vorzügen. Er besteht aus etwa 95% Natriumnitrat, 2,5% Wasser, etwas Magnesiumchlorid, Magnesiumsulfat und Natriumsulfat, ungefähr 0,1% unlöslichen Bestandteilen, Spuren von Brom, von Perchloraten **und 0,01 bis 0,1% Jod,** meist in Form von Natriumjodat.

Hier hat man Jod in seiner natürlichsten Verbindung, zusammen mit allen für den Boden so wertvollen Mineralsalzen. Warum macht man sich diese Tatsache nicht mehr in der Landwirtschaft zunutze und düngt dort, wo der Boden so dringend nach Jod verlangt, wo Pflanze, Tier und Mensch förmlich nach Jod schreien, **mit natürlichem Chilesalpeter,** so, wie man es ja früher auch getan hatte?

Gewiß spielen bei diesem ganzen Problem noch andere Einflüsse (Radiumemanation, Kalküberschuß, vor allem Vitaminmangel (Vitamin A) eine nicht unbedeutende Rolle, aber auch diese Probleme sind nur auf landwirtschaftlichem Wege zu lösen.

Ich erinnere hier nur an die Untersuchungen und Versuche von Prof. Dr. HAUBOLD (Med. Klinik Nr. 12/1950), in denen er darlegte, daß an einer Hypothyreose und der dabei auftretenden Kröpfe nicht allein nur der Jodmangel die Schuld trägt, sondern ebenso das Fehlen von Carotinoiden, **schon in den Nahrungs- und Futterpflanzen.** Also: Vitamin-A-Mangel bei Pflanze, Tier und Mensch. Seine Versuche in den Dörfern Aidling und Riedsee (bei Murnau), die nur 1500 m voneinander entfernt liegen, waren dafür aufschlußreich. Hier konnte der kropferzeugende Faktor in Gestalt der Carotinoid-Armut der Nahrungs- und Futtermittel eindeutig isoliert werden. Im stark verkropften Riedsee wurde nicht nur eine an und für sich carotinärmere Flora vorgefunden als in Aidling, sondern auch die einzelnen Pflanzengattungen wiesen in Aidling einen bis zu 2½ fachen Mehrgehalt an Carotin auf.

Aber kehren wir zum Jod zurück.

Als chemisches Element hat Jod die Ordnungszahl 53, das chemische Zeichen J, das Atomgewicht 126,92 und schmilzt bei 114° zu einer braunen Flüssigkeit, die bei 184° in violetten Dampf übergeht. Jod löst sich schwer in Wasser, leicht dagegen in Weingeist, Äther und Benzol. Wer viel mit Jod umzugehen hat, weiß, daß sich die Jodblättchen schon bei Zimmertemperatur allmählich, oft unter Bräunung der nächsten Umgebung, mit chlorähnlichem Geruch verflüchtigen. Die Joddämpfe sind dabei zunächst zweiatomig ($J_2$), zerfallen jedoch bei höherer Temperatur in freie Einzelatome.

Jod spielt eine wesentliche Rolle bei der **elektrolytischen Dissoziation,** jenem entscheidenden Vorgang im Lebensprozeß der Natur. Das Aufrechterhalten des chemischen Gleichgewichtes bei der thermischen Dissoziation ist **eine der Hauptaufgaben des Jodes bei allen Lebensprozessen.** Dies waren die Erkenntnisse, die BODENSTEIN 1897 bei seinen Versuchen gewann: Das Paradebeispiel für chemische Gleichgewichtszustände und umkehrbare (reversible) Reaktionen bildete die genauer untersuchte Reaktion zwischen Joddampf, Wasserstoffgas und Jodwasserstoff. Es würde zu weit führen, jene sich dabei abspielenden Vorgänge im einzelnen zu schildern. Soviel sei nur gesagt: Erhitzt man Jod und Wasserstoff in äquivalenten Mengen (126,92 : 1,008), das sind die Atomgewichte, bildet sich farbloser Jodwasserstoff nach der Gleichung $H_2 + J_2 = 2HJ$. Dabei bleibt immer noch etwas Jod übrig. Erhitzt man nun umgekehrt reinen, farblosen Jodwasserstoff z. B. auf 180°, so wird ebenfalls eine Jodfärbung wahrnehmbar, da nunmehr der Jodwasserstoff beim Erhitzen in Jod und Wasserstoff zerfällt (wobei wieder ein Rest übrigbleibt). Die Gleichung lautet in diesem Falle: $2JH = H_2 + J_2$. Diese Gleichung ist genau die Umkehrung der vorherigen.

Was sich hier im Reagensglas abspielt, ist ein Abbild jener Elementarvorgänge in der Natur. Man nennt sie bzw. diesen Zustand **dynamisches oder kinetisches Gleichgewicht.** Hierbei können Katalysatoren wohl diese Vorgänge der Einstellung des Gleichgewichtes zwar beschleunigen, aber nicht verschieben.

So gibt uns die Beschäftigung mit dem Lebensstoff Jod eines der großen Geheimnisse des Lebens preis und zeigt uns auf, daß Jod nicht nur die Lebensflamme entfacht und erhält, sondern vor allem auch dazu geschaffen ist, das harmonische Gleichgewicht im Leben zu erhalten. Sowohl in den sich dabei abspielenden chemisch-physikalischen Reaktionen als auch im seelischen Lebensbereich. Dies gilt es daher bei der Verordnung von Jod immer und in erster Linie zu berücksichtigen.

Die Aufnahme des Jodes durch den menschlichen Körper geht äußerst rasch vor sich. Nach einer erfolgten Einpinselung z. B. ist Jod bereits eine Stunde später im Harn nachweisbar. Der Nachweis geschieht am einfachsten durch die bekannte Stärkeprobe. Bei Anwesenheit von Jod färbt sich Stärkemehl blau. Auf die weiteren Nachweismöglichkeiten mit Silbernitrat, Natriumthiosulfat und Quecksilberverbindungen möchte ich nicht näher eingehen. Jedenfalls ist man heute in der Lage, auch kleinste Mengen Jod nachzuweisen.

Mit der Nahrung zugeführtes Jod macht im Organismus einen Kreislauf durch. Vom Magen-Darm-Kanal als Jodid innerhalb einer Stunde aufgenommen, verteilt es sich extrazellulär im extrathyreoidalen Jodidraum. Etwa die Hälfte wird über die Nieren wieder ausgeschieden. Der Nieren-Clearance-Wert beträgt 33,3 cm³/min Plasma. Die andere Hälfte wird von der Schilddrüse aufgenommen und gespeichert. Dabei ist die Schilddrüsen-Clearance

regional etwas verschieden. Sie beträgt in etwa 25 cm³/min Plasma.
– Clearance, ein aus dem Englischen eingebürgerter moderner medizinischer Begriff, bedeutet Reinigung und erklärt die Maße für die Elimination einer Substanz aus dem Blute bzw. aus den Nieren.

In der Schilddrüse geschieht dann durch das Peroxydasesystem die Überführung in elementares Jod. Hierbei werden die aromatischen Ringe des Tyrosins, das im Thyreoglobin gebunden ist, enzymatisch jodiert.

Thyroxin, Trijodthyronin, aber auch Mono- und Dijodthyrosin entstehen bei der enzymatischen Hydrolyse des Thyreoglobulins und gelangen auch in das Blutplasma. Sie kommen im Blut aber nur an Eiweiß gebunden vor. Die Protein-Jod-Konzentration des Blutplasmas beträgt normal 4 bis 6 Gamma pro ml.

Durch das Enzym Dehalogenase werden im Blut Mono- und Dijodthyrosin dejodiert.

Das Jodid gelangt sodann über den Kreislauf wieder zur Schilddrüse zurück. Jod findet sich in Feinstverteilung im Körper praktisch überall. Von der Schilddrüse steuert es den Grundumsatz. Wir finden es aber ebenso in der Hypophyse, vor allem im Hypophysenvorderlappen und in der Pankreas, ferner im Nervensystem. Wieweit es sich in der Thymusdrüse befindet, ist nicht geklärt. Jedenfalls aber spielt Jod für das Wachstum eine entscheidende Rolle und beeinflußt vor allem die Wachstumsharmonie. Im Knochenmark wird durch Impulse des Jodes die Blutbildung angeregt und in Leber und Milz durch Jodreize die Immunkörperbildung und die Speicherung derselben maßgeblich beeinflußt. Das Muskeljodid spielt wahrscheinlich auch beim Glykogenabbau eine wesentliche Rolle.

Im Blut fand LEIPERT 0,009 bis 0,017 mg% Jod, wobei man mehrere Jodfraktionen unterscheidet (WOLFF-FELLENBERG).

Die Wirkungen des Schilddrüsen-Hormons, eben jenes jodhaltigen Eiweißkörpers, des Jodthyreoglobulins, bestehen vor allem in der **Regulierung** des Stoffwechsels und der Acidose sowie in einer harmonischen Beeinflussung des Insulinstoffwechsels, außerdem in der schon genannten Reizung der Blutbildung des Knochenmarkes und in einer gesteigerten Infektabwehr infolge vermehrter Bildung von Antikörpern (Dr. OSWALD/TH. WEISS). Die Kolloidsubstanz der Schilddrüsenfollikel geht bei Bedarf in das Blut über und wird dann über die Blutbahnen weitergeleitet.

Die Steuerung der Hormonausschüttung erfolgt unter anderem durch das thyreotrope Hormon der Hypophyse. Das thyreotrope Hormon hat die Aufgabe, die Schilddrüse funktionstüchtig zu erhalten. Es regt sowohl die Hormonproduktion in der Schilddrüse als auch seine Ausschwemmung daraus an.

Von den etwa 20 mg Thyroxin, die in der menschlichen Schilddrüse enthalten sind, gelangt in der Norm etwa 1 mg in das Blut. Beim Myxödem ist diese Menge etwa auf die Hälfte verringert, bei Hyperthyreose (Basedow) dagegen bis oft auf das Fünf- bis Sechsfache des Normalen (12–15 y/100 g) erhöht.

Es ist falsch anzunehmen, daß die **normale** Jodzufuhr ins Blut Stoffwechsel und Acidose steigern. Eine Steigerung tritt erst bei anormaler Zufuhr ein, denn Jod hat das Prinzip, das Gleichgewicht, die Harmonie zu **erhalten.** Und zwar sowohl das körperliche als auch das seelische. Daher ist es bei anormalen Erscheinungen vor allem wichtig – ich erwähnte es bereits –, das seelische Gleichgewicht des Patienten wieder zu normalisieren.

Jod ist für Mikro-Organismen, auch für Bakterien, giftig. Inwieweit es bei der Krebsbekämpfung eine Rolle spielt, ist noch nicht geklärt. Jedenfalls konnte mit einer Jod-Cer-Verbindung das Wachstum bösartiger Geschwülste gehemmt werden.

Ich habe versucht, in einem kurzen Abriß klarzumachen, auf welche Lebensvorgänge Jod im menschlichen Körper Einfluß nimmt und dabei nur die wichtigsten gestreift. Es ergibt sich aber schon daraus die Tatsache, daß es kaum eine Lebensfunktion gibt, die nicht vom Jod gesteuert bzw. beeinflußt wird.

Das hätte sich der französische Salpetersieder COURTOIS nicht träumen lassen, als der damals jene veilchenblauen Dämpfe aufsteigen sah, daß er hier einem der wichtigsten Lebenselemente auf die Spur gekommen war. 1895 fand BAUMANN, daß der Jodgehalt der Schilddrüse etwa tausendmal höher ist als der der übrigen Organe. 1914 isolierte KENDALL aus 3000 kg Schilddrüse 33 g jenes Hormons, das Thyroxin genannt wurde. Prof. Dr. BIER war es, der das Jod in die innere Medizin einführte. Bekannt ist sein Schnupfenrezept geworden: Ein Tropfen Jodtinktur auf ein halbes Glas Wasser, mehrmals täglich. Ich kann mich noch gut daran erinnern, daß wir in meiner Lehrlingszeit jede Wunde sofort mit Jodtinktur und $H_2O_2$ behandelten und bei Prellungen und Quetschungen sofort Jodsalbe zur Hand hatten. Jod-Tinktur, Jodkalium, Jodnatrium und unzählige Arzneimittel auf Jodbasis waren und sind noch im Handel, ja, es gab damals, nach dem Ersten Weltkrieg, sogar eine Jod-Zahnpasta.

Jod-Tinktur, die 10%ige Lösung von Jod und Jodkali in Weingeist, sowie Jodsalbe bilden auch heute noch bevorzugte Mittel gegen Schwellungen und Entzündungen, vor allem gegen Schleimbeutel-, Sehnen- und Drüsenentzündungen und als Frostmittel. Jod und Joderzeugnisse dienten und dienen als Mittel gegen Kropf, gegen Syphilis, aber auch bei gewissen Herz- und Blutgefäßerkrankungen sowie vor allem bei Arteriosklerose, bei trockenem Bronchialhusten und -katarrhen, bei Asthma, Rippenfellentzündungen, Entzündungen der weiblichen Beckenorgane sowie auch bei gewissen Hautkrankheiten, vor allem bei Schuppenflechte. So sehr ich diese Anwendungen in Jodbädern, also in Kurorten, wie Bad Wiessee, Bad Tölz usw. schätze, so sehr muß ich davor warnen, Jod-Präparate in der Praxis bedenkenlos zu verordnen, denn – und dies gilt nicht nur für die Homöopathie – man muß sich zuvor mit dem Typus des Patienten auseinandersetzen, bevor man Jod verordnet. Schon die Augen und die Hände des Patienten verraten uns, wie es um den Jod-Typus des Menschen beschaffen ist. Erst wenn ich mich hier vergewissert habe, kann ich mit der Diagnose beginnen und meine Verordnungen danach einrichten.

Grundsätzlich gilt vom Jod das gleiche, was ich schon immer betonte: je geringer die Dosis, desto größer der Erfolg.

Ein Problem der Hypothyreose möchte ich jedoch noch anschneiden. Bei degenerativen Veränderungen der Schilddrüse, besonders bei dem typischen Myxödem, stellt man oft eine stark verminderte Harnausscheidung, gleichzeitig eine Flüssigkeitsspeicherung in den Geweben (Ödeme) fest. Versuche mit den üblichen Diuretikas (salinische oder pflanzliche) scheitern in den meisten Fällen. Im Gegenteil, man bringt die Ödeme nicht zum Schwinden, sondern kann sie dadurch noch unter Umständen steigern. Offenbar ist beim Myxödem der Wasser- und Salzaustausch zwischen Blut und Geweben in der Weise gestört, daß die wässerigen Salzlösungen zwar sehr leicht vom Blut ins Gewebe übertreten, daß aber der entgegengesetzte Weg mehr oder minder verschlossen ist.

Es ist hierbei praktisch von untergeordneter Bedeutung, ob dieser Zustand dadurch entsteht, daß die Endothelien (Innenwände) der feinsten Blutkapillaren in einer Richtung besonders durchlässig werden, oder dadurch, daß die austretende Flüssigkeit an unabgebautem, kolloidalem Eiweiß besonders reich ist und so infolge der kolloidalen Beschaffenheit der Ödemflüssigkeit das Wasser besonders stark zurückgehalten wird.

Gibt man Myxödematösen anstelle der sonst üblichen Diuretikas Thyroxin bzw. wirksame Schilddrüsenpräparate, dann verschwinden diese Ödeme in ganz kurzer Zeit. Jod bzw. das Jod enthaltende Thyroxin ist also in diesem Falle das brauchbarste Diureticum.

Ich betonte schon, daß Jod für Mikroorganismen, also auch für krankheitserregende Bakterien, giftig ist. Diese Eigenschaft hat auch das Chlor, aber Jod ist – im Gegensatz zu Chlor – in fester *und* gelöster Substanz anwendbar. Diese desinfizierende Eigenschaft beruht auf der Abspaltung von Sauerstoff in status nascendi, also augenblicklich und an Ort und Stelle. Die Schemagleichung zeigt dies am deutlichsten: $J_2 + H_2O = 2HJ + O$. Bei Jodanwendungen, dies gilt innerlich und äußerlich, treten mehr oder weniger starke Entzündungserscheinungen auf und zwar nicht nur an Ort und Stelle, sondern auch in den umliegenden Geweben und Körperstellen. Diese sind von einer starken Einwanderung der weißen Blutkörperchen begleitet. Es kommt dadurch zu gesteigerten Abwehrvorgängen und zur gleichzeitigen Beseitigung krankhafter Produkte, die mit dem Rückgang der Entzündung vom Organismus selbsttätig entfernt werden. Dies ist der Vorgang der Heilung auf einfachste Formel gebracht.

In der Homöopathie ist Jodum ein viel gebrauchtes und empfohlenes Mittel. Verwendet werden hauptsächlich D2, D4 und D6, aber auch höhere Potenzen sind üblich und ich möchte sogar empfehlen, stets mit diesen zu beginnen. Nach HAHNEMANN unterscheidet man rechts und links wirkende Mittel. Jod gehört auf jeden Fall zu den links wirkenden.

Außer Jodum kennt der Homöopath noch Kal. jodat., Natr. jodat., Aurum jodat., Arsen. jodat., Stannum jodat. und Plumbum jodatum.

Jod ist das Gegenmittel gegen chronische Arsen- und Quecksilber-(Merkur-) Vergiftung.

Zu den Antidotika des Jodes zählen Antimonium, Arsenicum, Camphora, China, Coffea, Hepar sulfuris, Merkurius, Phosphorus, Spongia und vor allem

Sulfur. Gegen die chronische Jodvergiftung als Folge auch äußerlichen Mißbrauches gibt man Hepar sulfuris, Belladonna und Phosphorus, abwechselnd in niedriger Verdünnung.

Jodum wirkt besonders auf das Drüsensystem, auf die Schleimhäute, namentlich die der Nase, der Brust, des Rachens und des Halses, und auf das Knochensystem.

Es ist ein dem Bromum und der Spongia nahe verwandtes Mittel, das in der Wirkung zwischen Arsenicum und Mercurius die Mitte hält und besonders im ersten Stadium der Tbc zu beachten ist.

Seinem ganzen Wesen nach paßt es vor allem für phlegmatische Temperamente und für schwammige, zu Skrofulose und Flechten neigende Personen mit träger Reaktion und mit Neigung zu starken, erschöpfenden Absonderungen sowie zu typhösen und brandigen Prozessen.

Bei ständiger Neigung zu Katarrhen ist Jodum das Mittel der Wahl. Sänger und Redner werden Jodum ständig bei sich führen. Im übrigen verweise ich auf das Buch von FELLENBERG-ZIEGLER „Homöopathische Arzneimittellehre", das ich zum Studium der Homöopathie nur wärmstens empfehlen kann.

Einige Beispiele homöopathischer Anwendungen führe ich trotzdem noch an, möchte aber hierbei immer wieder betonen, daß es auf den jeweiligen Typus ankommt, was ich empfehle.

Bei arteriosklerotischen Beschwerden wie Kopfschmerzen, Schlaflosigkeit und Angstgefühlen empfehle ich Arnika D3, ein- bis zweimal wöchentlich 8 Tropfen. Dagegen bei Kopfschmerzen, Hitze, Wallungen und Blutandrang zum Kopf Jodum D4–D6, täglich 6–8 Tropfen. Bei ausgesprochen hohem Blutdruck mit Herzklopfen und Gliederschmerzen nehme ich Plumbum jodatum D4–D6, zwei- bis dreimal täglich 4 bis 6 Tropfen. Bei großer Atemnot, Rasseln der Brust, trockenem, kurzem Husten Jodum D4, dreimal täglich 5 bis 10 Tropfen. Dasselbe empfehle ich auch bei Grippe, Brust- und Rippenfellentzündung.

Es würde zu weit führen, weitere Rezepte anzugeben, die dem Homöopathen ohnehin bekannt sind. Sie sind für den Verordner von Fall zu Fall unterschiedlich und für jeden Gefühlssache. Jedenfalls gibt es hier keine festen Normen.

C. G. DAHN führt in seinem Buch „Sinn und Unsinn in der Medizin" am Ende den Satz des berühmten Naturforschers DAQUÉ an:

„Neue Wege werden **geschaut,** nicht begrifflich erwiesen. Sie selbst erweisen sich gangbar, wenn man auf ihnen die Dinge sinnvoll in neuer Aufreihung sieht.

Dann spricht man von neuen Tatsachen, die man gefunden habe; und von da aus tun sich wieder neue Wege auf.

So bleiben wir ewig Wandernde."

# 12 Praktische Pflanzenheilkunde

## 12.1 Ätherische Öle, Gerbstoffe, Tormentillwurzel

Pflanzenheilkunde – richtig angewandt – ist reine Erfahrungsheilkunde. Das hatte nicht nur HIPPOKRATES schon erkannt. Das geht über die Äbtissin HILDEGARD VON BINGEN und über PARACELSUS bis zu RADEMACHER, der seine Lehre Erfahrungsheilkunde nannte. Am deutlichsten jedoch erweist sich dies an der Homöopathie, die eine reine Erfahrungslehre darstellt.

RADEMACHERs Lehre, die auch heute noch durchaus ernstzunehmen ist, beeindruckte damals sogar den großen Skeptiker VIRCHOW. Sie wurde fortgeführt von KISSEL, LÖFFLER, KNEIPP, GLÜNICKE, KAHNT, KLIMASCHEWSKI und WALSER und zu ihrem Befürworter machte sich in unserer Zeit vor allem W. BOHN, der in seinen Büchern immer wieder auf RADEMACHER hinwies.

RADEMACHER kam, von PARACELSUS ausgehend, zu der Erkenntnis, daß direkte Beziehungen zwischen der Pflanze und dem menschlichen Körper, zwischen menschlichen Körperorganen sowie gewissen Formen der Lebensverfassung und Stoffen des Mineral- und Pflanzenreiches bestehen müssen. Dabei tastete er sich mit der Einzelpflanze an den menschlichen Körper heran. Er lehrte, daß wir über die Ursachen einer Krankheit nichts wissen, wohl über die Heilmittel, mit denen man einer Krankheit begegnen kann. So benannte er die Krankheit nach den Heilmitteln und folgte damit vielen seiner Vorgänger, denn zu allen Zeiten wurde die Diagnose ,,ex juvantibus" – aus dem Heilmittel als sichere Prüfungsmethode herangezogen. So zum Beispiel unterschied er drei Formen einer Lebererkrankung, je nachdem, welches Heilmittel die Krankheit ansprach: Schöllkraut, Frauendistel (Carduus marianus) oder Quassiawasser, auch wenn die anatomischen und physiologischen Erscheinungen der Erkrankung dieselben waren. Das Krankheitsbild war da, das Heilmittel bestimmte den Heilversuch.

Wer Gelegenheit hat, das Buch ,,Erfahrungsheillehre" von Dr. JOHANN GOTTFRIED RADEMACHER zu studieren, der tue es. Wenn auch manches seiner Auffassungen unseren Anschauungen widerspricht – so seine Meinung, es gäbe keine Natur- oder Selbstheilung –, so ist es doch beeindruckend, sich mit seinem Gedankengut zu befassen und sich dadurch zum Nachdenken anregen zu lassen.

Nach der von HIPPOKRATES gelehrten Humoralpathologie sind die Säfte die Elementarbestandteile des menschlichen Körpers und als solche die eigentlichen Träger des Lebens und damit aber auch der Krankheit. Aber schon er wußte um die Dreieinigkeit des menschlichen Körpers, der nach ihm aus Körper, Seele und Geist besteht. Um diesen Ganzheitsbegriff kommen wir nicht herum, wenn wir eine Erkrankung erkennen wollen, denn bei jeder Erkrankung, auch bei einer Infektionskrankheit und sei es einer Viruserkrankung, besteht eine Verschiebung des harmonischen Gleichgewichtes. Ursache und Auswirkungen auseinanderzuhalten ist die wichtigste Voraussetzung für jede Diagnose. Auswirkungen sind Ausdruck sichtbarer und fühlbarer Erscheinungen. Sie allein zu bekämpfen wäre ebenso falsch, wie wenn man einem Menschen, der über Kopfweh klagt, dagegen Tabletten verschreiben würde, ohne zu fragen – *sich* zu fragen – welche Ursache zu diesem Kopfweh führte.

Wir leben in einer Zeit, die schon durch Erziehung und Ausbildung den Menschen zu einer Art Roboter macht.

Würden die drei Grundregeln des Lebens schon in der Schule gelehrt, würde heute nicht das ganze Gebäude unseres Gesundheitswesens an finanziellem Ruin zusammenzubrechen drohen.

Diese drei Grundregeln aber sind:

1. Wir müssen unseren Körper genau kennenlernen und wissen, daß wir ihm nur das zumuten können, was ihm zuträglich ist.

2. Wir müssen lernen, unser Innenleben zu beherrschen – harmonisch zu leben.

3. Wir müssen Geist und Körper schulen und uns „wach" halten.

Aus diesen drei Säulen entspringt der Wille zur Gesundheit und aus dieser Harmonie des Lebens kann uns auch keine Krankheit reißen, denn sie wird immer überwunden werden.

Man lese einmal ganz aufmerksam Pfarrer KNEIPPs Hauptwerk: „Das große Kneipp-Buch" oder auch nur sein Traktat „So sollt Ihr leben". KNEIPP war nicht nur der Begründer einer Heilweise, die mittlerweile schon Hunderttausenden wieder zu ihrer Gesundheit verholfen hat. Er war gleichzeitig ein großer Seelsorger, der genau wußte, was uns in erster Linie nottut. Es wäre eine völlige Verkennung der Tatsachen, wenn man bei dem Worte „Kneippkur" nur an kaltes Wasser und Güsse dächte. Damit und mit seinen Heilkräuteranwendungen hat er wohl bezweckt: „... entweder das ungeordnet zirkulierende Blut wieder zum richtigen und normalen Verlauf zurückzuführen, oder zu suchen, die schlechten, die richtige Zusammensetzung des Blutes störenden, das gesunde Blut verderbenden Säfte und Stoffe aus dem Blut auszuscheiden." Viel wichtiger war ihm, den Menschen auf den „richtigen" Weg zur völligen Gesundung zurückzuführen. Dazu gehörte die geistig-seelisch-weltanschauliche Betreuung in erster Linie.

Es ging niemand von ihm, der nicht von seiner Lebenskraft auf der einen und seiner Demut auf der anderen Seite etwas als sein eigen mitnahm.

Zu Heilkräutern hatte Pfarrer KNEIPP ein besonderes Verhältnis. „Lange Jahre hindurch habe ich geprüft, getrocknet und zerschnitten, gesotten und gekostet. Kein Kräutchen, kein Pulver, das ich nicht selbst versuchte und als bewährt gefunden habe", so schreibt er in seiner „Kneipp-Kur".

Ich will hier nur einige Beispiele seiner Kräuter-Empfehlungen anführen. So bediente er sich der *Bibernellwurzel* bei Rheumatismus, Podagra und

Nierenentzündungen. *Bitterklee* verwendete er mit Vorliebe bei Schwäche des Magens, bei Blähungen und bei Leberleiden und bezeichnete ihn als ausgezeichnetes Blutreinigungsmittel. Die *Brunnenkresse* empfahl er vor allem Lungenkranken und Blutarmen. Ein warmer Lobredner war er für die Verwendung der *Engelwurz* bei vom Magen-Darm-Kanal ausgehenden Unpäßlichkeiten sowie bei Erkältungskrankheiten, Erkrankungen der Atmungsorgane und bei Unterleibskrämpfen. Vom *Ginstertee* rühmte er seinen Gebrauch bei Grieß- und Steinleiden, bei großer, durch Krankheit hervorgerufener Schwäche sowie als Blutreinigungsmittel, wie er überhaupt sein größtes Augenmerk auf die „Blutreinigung" legte. Durch ihn ist dieser Begriff erst wieder „hoffähig" geworden. Er schrieb: „Wer ein Gärtlein sein eigen nennt, der soll darin haben: 1. einen Salbeistock, 2. einen Wermutstock, 3. einen Enzianstock. Dann hat er seine Apotheke gleich bei der Hand."

Aber bleiben wir doch gleich einmal beim Besenginster. Von ihm sind Kraut und Blüten im Gebrauch. Dabei ist es wichtig, die Blüten vor ihrer völligen Reife zu ernten, da diejenigen, die im Begriff sind, sich in Schoten zu verwandeln, Magenbeschwerden verursachen können. Besenginster rühmte RADEMACHER als Diuretikum bei chronischer Nephritis und Arthritis und nach fieberhaften gastrischen Affektionen, wenn bei deutlicher Besserung des Zustandes der Harn dunkel, gefärbt und trübe entleert wurde. Besenginster ist aber zugleich ein wesentliches Herzmittel bei Rhythmus-Störungen des Herzens und bei Extrasystolen und Arrhythmie. Es ist also eigentlich nur indirekt ein Nephritikum und Arthritikum, da ja beide Leiden indirekt mit diesen Herz-Störungen im Zusammenhang stehen. Trotzdem ist seine Anwendung in diesen Fällen nicht nur angebracht, sondern, entgegen manchen Bedenken, absolut unschädlich (Besenginster enthält drei Alkaloide, nämlich Spartein, Sarothamnin und Genistein, sowie drei gelbe Farbstoffe der Flavongruppe). Wichtig ist die Dosierung und die Art der Einnahme. Man nimmt für eine Tasse voll 2,5 g Ginsterblüten oder auch Kraut mit Blüten und trinkt dies über den Tag verteilt *in langsamen Schlucken,* je einen Eßlöffel voll. Mehr zu nehmen halte ich für völlig unzweckmäßig. Nach 14 Tagen wechsele man über zu Goldrute. Von dieser nehme man 15 g auf eine Tasse Wasser und trinke auch dieses in langsamen Schlucken über den Tag verteilt.

Die Formen der Einnahme von Heilpflanzen richten sich in jedem Fall zuerst nach der Pflanze selbst. Lassen Sie mich dies an einem einfachen Beispiel aufzeigen.

Als Carminativa remedia bezeichnet man insbesondere Flores Chamomillae, Fructus Anisi, Fructus Carvi, Fructus Foeniculi und Folia Menthae piperitae. Setze ich diese als solche ein, habe ich verschiedene Möglichkeiten, mich ihrer zu bedienen. Bei Kamille ist dies vor allem die Form von Tee. Ich kann mich aber auch des Fluidextraktes (Kamillentropfen) bedienen. Anis, Kümmel und Fenchel sind, besonders in der Kinderheilkunde, von jeher als Tee beliebt. Man muß jedoch hier darauf achten, daß man die Früchte vorher, also vor dem Übergießen mit kochendem Wasser, aufbereitet, d. h. zerkleinert. Die Hausfrau macht dies in der Küche mit dem Nudelwalker. Erst dann ist eine gute Ausbeute der Wirkstoffe, vor allem des ätherischen Öles, gewährleistet. Pfefferminztee galt schon von jeher als Carminativum, vor allem aber als Cholagogum und Cholereticum. Störungen der Gallensekretion und der Gallenentleerung, vor allem solche, die im Gefolge von primären Darmstörungen (Darmkatarrh) auftreten oder als Ausdruck einer starken Leberbelastung deutlich werden, gehören zu ihrem Anzeigengebiet, ebenso auch die Anwendung bei Gallengrieß oder Steinbildung. Man muß bei ausgesprochenen ätherischen Öldrogen immer berücksichtigen, daß sich das ätherische Öl wohl auch in der Frischpflanze vorfindet, sich aber erst durch fermentative Vorgänge während des Trockungsprozesses zur Höchstform entwickelt. Davon kann man sich durch Augenschein selbst überzeugen. Frische Pfefferminzblätter haben einen Heugeschmack, frische Kamillenblüten schmecken bitter. Baldrianwurzel riecht im frischen Zustand nicht. Erst durch den Trocknungsprozeß entwickelt sich der typische Baldriangeruch. Bei Fenchel, Anis, Kümmel und Koriander gilt dies ohnedies als stilles Gesetz des Drogenhandels.

Kamille

Arnika

**Ätherische Öle wirken:**
in kleinsten Mengen – spasmolytisch, tonisierend usw.
in mittleren Mengen – verdauungshemmend
in größeren Mengen – die Schleimhaut des Verdauungstraktes schädigend
in großen Mengen – toxisch bis zur zentralen Lähmung mit Todesfolge (Dultz/DAZ 1940/57)
Das zeigt uns, daß eine Feinstverteilung in einer Tasse Tee einem Konzentrat vorzuziehen ist. Beim Gebrauch reiner ätherischer Öle – nur tropfenweise zu verwenden – **denke man immer daran, sie entsprechend zu verdünnen** – möglichst wieder in einem Tee (heiß) –, damit sie sich auflösend verteilen können. Wenig ist hier immer besser!
W. BOHN hat immer wieder darauf hingewiesen, daß man, sollte man mit einer Kräutertee-Anwendung keinen Erfolg haben, die Dosierung nicht erhöhen, sondern verringern soll. Ich habe mich jahrzehntelang danach gerichtet und bin dabei nicht schlecht gefahren.

Wenn ich zum Beispiel immer wieder lese, daß man bei der Anwendung von Baldrian schreibt: bei Versagen höhere Dosierung, dann muß ich sagen, daß dies gegen jede pharmakologische Regel verstößt. Ich habe immer betont: bis zu 8 Tropfen wirkt Baldriantinktur entkrampfend und belebend, bis zu 15–20 Tropfen wirkt sie beruhigend, entspannend und natürlich auch schlafeinleitend und die Schlaftiefe fördernd, über 30 Tropfen dagegen kann sie zu Kopfschmerz, Augenflimmern, Sehstörungen und zu Erregungszuständen führen. Ich selbst habe bei Bergwanderungen stets Baldrian- und Arnikatropfen bei mir gehabt und ich weiß, daß dies früher in Bergwandererkreisen so üblich war. Wenn die 2000-Meter-Grenze überschritten wurde und es traten bei einem Bergkameraden Beschwerden auf, dann waren diese Tropfen oft eine bessere Hilfe als Cardiazol. 8 Tropfen Baldrian, zusammen mit 3 Tropfen Arnika, wirkten Wunder und nahmen sowohl die Kopfschmerzen als auch die Schwäche innerhalb von 10 Minuten. Arnikatropfen sind, richtig verordnet (nicht mehr als 5, in den meisten Fällen 3 Tropfen), für Herz und Kreislauf besonders wohltuend. Bei Schwächezuständen besonders des peripheren Kreislaufes und dadurch bedingten Erschöpfungszuständen sind sie das Mittel der Wahl, und in Verbindung mit Schafgarbentee habe ich schon bei hoffnungslos scheinenden Fällen von Angina pectoris die besten Erfolge gesehen. Aber – es kommt immer auf die Dosierung an!

Kommen wir noch einmal auf ätherische Öle zurück. Sie verhalten sich, je nach dem osmotischen Druck, dem sie unterliegen, äußerst verschieden. So wirken z. B. die *ätherischen Öle* von Lindenblüten und Holunderblüten schweißtreibend. Warum, werden Sie fragen, wirken hier aber Tee-Aufgüsse so eindrucksvoll? (WIECHOWSKI, SEEL, WINTERNITZ). VON CZETSCH-LINDENWALD schreibt: „Die aus den Drogen zubereiteten Tees wirkten einwandfrei schweißtreibend. Konzentrate dagegen blieben in einer großen Zahl von Fällen wirkungslos, obwohl sie viel mehr ätherisches Öl enthielten als die getrockneten Kräuter."

Hier ist die Aufschließung und damit die Feinstverteilung der alleinige Grund, und SCHLEGEL und SCHÄFER schreiben daher sehr richtig: „Sehr wichtig und bisher kaum untersucht sind die Tees aus Drogen mit ätherischen Ölen, die – meist als Infus oder im Haushalt – durch kurzes Überbrühen der Drogen mit Wasser hergestellt werden. Sie enthalten nur Bruchteile der in der Droge vorhandenen ätherischen Ölmengen, je nach der Droge von Spuren bis zu 20 oder bestenfalls 40%. Der Rest bleibt im Rückstand oder entweicht mit den Wasserdämpfen in die Luft. Infolge der feinen Verteilung der Öle ist aber, wie die Erfahrung lehrt, ein Tee trotz allem so wirksam, daß man im Haushalt bei den alten Methoden bleiben kann."

Ich muß aber noch einmal auf eine Heilpflanze zurückkommen, die immer noch von fachlicher Seite in ihrer Wirkung umstritten scheint, trotzdem sie sich am Krankenbett hinreichend bewährt hat – auf Birkenblätter.

Ich zitiere erst einmal W. BOHN: „Die Birkenblätter sind ein ausgesprochenes Konstitutionsmittel der harnsauren Blutentmischung, die sich als

Gicht, Rheumatismus, schmerzhafte Gelenkanschwellungen, Nierenleiden ohne entzündliche Steigerungen und Wassersucht äußert. *Die Wasserabscheidung beim Gebrauch kann ganz kolossal werden.* Der aus den angebohrten Stämmen im Frühjahr fließende Saft wird . . . direkt als ‚blutreinigendes' Mittel bei harnsaurer Entmischung getrunken." BOHN empfiehlt also sowohl den Birkenblättertee als auch den Birkensaft. Fachleute wie FLAMM, SEEL und WINTERNITZ sagen vom Birkenblättertee, daß nach seiner Verabreichung ein Anstieg der Harnmenge um das Fünf- und Sechsfache der ursprünglichen Norm zu verzeichnen ist, wobei eine deutliche Abnahme der Eiweißausscheidung festgestellt wurde. WINTERNITZ schrieb wörtlich: „. . . daß diese Funktionssteigerung bei der Einnahme von Birkenblättertee von keinerlei Reizerscheinungen seitens des Nierenparenchyms begleitet war und daß der Eiweißgehalt des Harns und die korpuskulären Elemente – Epithelien und Zylinder – allmählich verschwanden." Dies wurde von HUCHARD, BOHN, H. SCHULZ und von E. MEYER bestätigt. Dagegen kamen MARX und BÜCHMANN sowie H. BRAUN zu gegenteiligen Ergebnissen. Sie konnten weder im kurz- noch im langfristigen Versuch einen diuretischen Effekt feststellen.

Wohlgemerkt: bei allen Versuchen handelt es sich um die Einnahme von Birkenblättertee. CREMER dagegen berichtete von einem Versuch mit Birkensaft, der bei ihm, im Gegensatz zum Teeversuch, negativ ausfiel. Dazu muß ich zunächst einmal feststellen, daß es sich bei dem genannten CREMERschen Versuch um einen Versuch am Kaninchen, also nicht am Menschen, handelte. Zum anderen ist es bei allen Birkenblättertee- oder Birkensaft-Anwendungen grundsätzlich wichtig, nach 3 Tagen auf Brennnessel überzuwechseln und nach drei Tagen Brennessel wieder zu Birke überzugehen. Es ist nicht richtig, wie RIPPERGER annimmt, daß möglicherweise der negative Ausfall der CREMERschen Versuche darin eine Erklärung findet, daß bei ihm Preßsaft aus frischen Pflanzen angewendet wurde. Birkensaft ist in jedem Falle genauso wirksam wie Birkenblättertee. Er wird nach den modernen Herstellungsverfahren hergestellt aus dem Saft der jungen Birken, den man im Frühjahr durch Einschnitte in die Rinde durch Ablaufen gewinnt. Dieser Birkensaft hat eine etwas andere Wirkstoffzusammensetzung als Birkenblätter. Hier kommt zu dem Kalisalz des sauren Saponins noch die nachgewiesene Wirkung des Methylsalizylates, die bisher in den Blättern noch nicht nachgewiesen wurde, wenigstens noch nicht in der Betula verrucosa oder Betula alba. Birkenblätter und -knospen sind nur wirksam, wenn sie im Frühjahr gepflückt werden, wenn sich die Knospen gerade erschließen. Ob das bei der üblichen Handelsware immer berücksichtigt wird, möchte ich fast bezweifeln. Es ist daher nicht verwunderlich, wenn solch gegenteilige Urteile zustande kommen. Zudem ist bei der Verordnung von Birkenblättertee (1–2 Eßlöffel voll mit einer Tasse Wasser zum Aufguß), *der ja nicht gekocht werden darf,* ein Zusatz von Natrium bicarbonat (eine Messerspitze voll) angebracht. HUCHARD und MOREAU gaben Folia Betulae als Infus 10 g bis 50 g auf 1000 g Wasser mit einem Zusatz von 1$^0\!/_{00}$ Natr.

bicarb., und HUCHARD, der französische Herzspezialist, berichtet von guten Erfolgen, besonders bei Gichtkranken.

Es steht also fest: Birkenblättertee *und* Birkensaft sind gleich gut wirksam. Bei beiden ist nach 3 Tagen ein Wechsel mit Brennessel angebracht (Brennesseltee 1 Teelöffel voll auf eine Tasse Wasser, aufbrühen und 5 Minuten ziehen lassen, 3 Tassen pro Tag).

Hier muß ich noch eine Erklärung zum Mineralstoffwechsel einfügen, die mir im Hinblick auf die diuretische Wirkung der Birke sehr wichtig erscheint. Die Reinasche im Hundert der Trockensubstanz wird bei Birke mit 12,73% angegeben. Darin sind enthalten: Kalium ($K_2O$): 13,9%, Natrium ($Na_2O$) −, Calcium (CaO): 69,51%, Magnesium (MgO): 6,0%, Eisen ($Fe_2O_3$): 1,09%, Phosphor ($P_2O_5$): 7,29%, Schwefel ($SO_3$): 1,19%, Silicium ($SiO_2$): 0,5%, Chlor (Cl): 0,34%.

Beachtlich ist hier vor allem das Fehlen von Natrium sowie der hohe Gehalt an Kalkverbindungen. Kalium kommt also, infolge des Fehlens von Natrium, voll zur Wirkung und bekanntlich wirkt ja Kalium wasseraustreibend, während dem Natrium die Aufgabe zukommt, das Wasser im Körper festzuhalten.

Ich will es hier unterlassen, auf die einzelnen Bedeutungen der pflanzlichen Mineralstoffe näher einzugehen. Es muß nur gesagt werden, daß die Mineralstoffe, denen eine wesentliche Bedeutung im Gesamtstoffwechsel zukommt, in den Pflanzen fast durchweg mit organischen Säuren zu neutralen oder sauren Salzen vereinigt sind. Die Säuren stellen also gewissermaßen das Transportmittel dar, durch das die mineralischen Substanzen in den Stoffwechsel eingeführt werden. In oder an der Zelle tritt dann, unter Zerlegung des Salzes, das mineralische Molekül in organische Verbindung mit den Stoffen des Zelleninhaltes. Das Säuremolekül dagegen wird frei und verbrennt zu Wasser und Kohlensäure. Letztere kann dann an die im Stoffwechsel verbrauchten Moleküle der Mineralstoffe, welche aus den Zellen ausgeschieden werden sollen, gebunden werden, um so als kohlensaures Alkalium mit dem Urin den Körper zu verlassen.

Pflanzenwirkstoffe haben bekanntlich nicht nur ihre Eigenwirkung, sondern sie wirken wiederum in gegenseitiger Wechselwirkung. Diese ist es, die jeweils den Ausschlag gibt. Dabei steht es fest, daß wir mit allen uns zur Verfügung stehenden Untersuchungsmethoden noch nicht in der Lage waren, diese Wirkstoffkomplexe zu ergründen. Doch was wir wissen, ist schon interessant genug.

**Die Tormentillwurzel:** Ich will hier gar nicht auf die Gesamtpharmakologie der Tormentillwurzel eingehen. Ihr Hauptwirkstoff ist jedenfalls die Tormentillgerbsäure, die nach PEYER und DIEPENBROCK mit 14,1–14,25% in der Wurzel vorhanden ist. Dieser Gerbstoff ist an Eiweißstoffe gebunden und bewirkt, im Zellsaft gelöst, eine langsame, länger anhaltende Abgabe. Man nennt dies Depotwirkung. Im Gegensatz dazu verhalten sich die reinen, von sogenannten „Ballaststoffen" befreiten Gerbstoffe (Tannin), die für eine innerliche Anwendung unbrauchbar sind, da sie durch

Eiweißfällung die Magenschleimhaut schädigen. L. KOFLER beschreibt diesen Vorgang: „... nachdem in der lebenden Tormentillwurzel zumeist im Zellsaft gelöste, beim Trocknen der Droge sich zum Teil mit dem Eiweiß verbindende, zum Teil an die Zellwände adsorbierte Gerbstoffe erst im Verdauungstrakt ganz allmählich in Freiheit gesetzt werden. Erst dadurch wird die gewünschte, unschädliche Wirkung gewährleistet."

Gerbstoffdrogen sind also Tanninpräparaten stets überlegen. Sie sind die Antagonisten der Anthrachinondrogen, die bekanntlich unsere bewährten Abführdrogen stellen. Sie haben eine adstringierende Wirkung bei Durchfällen und Blutungen. Außerdem wirken sie abheilend und stellen aus diesem Grunde die besten Wunddrogen. Sie beeinflussen die entzündete Schleimhaut im Sinne einer Beruhigung und eines Abklingens der Entzündungsvorgänge. Bei Blutungen kommt es außerdem noch zu einer Kontraktion der kleinsten Gefäße und damit zu einer Abdichtung der dadurch beeinflußten Stellen, sowohl innerlich, wie z. B. bei schweren Erkrankungen wie der Ruhr, als auch äußerlich, wo es durch die Verbindung von Gerbstoffen und Eiweißen zu einem Wundschorf kommt.

Die Erfolge von Tormentill-Tinktur bei Munderkrankungen wie Gingivitis marginalis, Stomatitis hemorrhagica, Verletzungen der Mundschleimhaut (K. F. HOFFMANN) sind bekannt, denn hier ist Tormentillwurzel der südamerikanischen Ratanhiawurzel zumindest gleichwertig, wenn nicht sogar überlegen.

Über schöne Erfolge, sogar bei Ruhr, berichten nicht nur R. F. WEISS, R. WASICKY, W. BRANDT, L. KROEBER, K. A. HOFFMANN und W. PEYER. Ich selbst habe während einer Ruhrepidemie im Ersten Weltkrieg in Kattowitz so beeindruckende Erfolge erlebt, daß ich dies nur bestäigen kann. Nur muß man sich davon überzeugen, daß die Wurzel frisch getrocknet und pulverisiert, also nicht zu alt ist.

Der Gerbstoffgehalt der Tormentillwurzel ist nur begrenzt haltbar und geht nach einem Jahr um mindestens ein Viertel zurück (Gerbstoff-Bestimmungen von O. LINDE, H. TEUFER, W. PEYER und W. BRANDT). Dies wurde nicht nur bei Tormentillwurzelpulver, sondern sogar bei der aus der Tormentillwurzel bereiteten Tinktur festgestellt.

Dagegen hat man mit beiden Erzeugnissen, die den Bestimmungen des DAB entsprechen, sowohl bei der akuten als auch bei der subakuten Enteritis und Kolitis in den meisten Fällen einen guten Erfolg (Enterokolitis, paratyphöse Diarrhoe, Sommerdurchfälle).

Die Gabe bei Tormentillwurzel-Pulver ist mehrmals täglich eine Messerspitze voll. Man gebe dies jedoch erst, nachdem man durch einen Einlauf für eine gründliche Darmspülung gesorgt hat.

Man kann natürlich auch Tormentillwurzeltee verabreichen, nur wird in diesem Falle eine Verordnung schon etwas schwieriger, denn Tormentillwurzel muß 15 Min. lang (1–3 Eßlöffel voll auf ½ l Wasser) gekocht werden. Da man Tormentillwurzel als Tee in den meisten Fällen mit anderen Kräutern kombiniert (Pfefferminze, Frauenmantel, Melisse, Kamille), muß man diese gesondert zubereiten, nämlich aufbrühen und 3–5

Minuten ziehen lassen, sofort abgießen, dann beide Teemengen zusammenschütten.

Lassen Sie mich noch einiges zu den **Gerbstoffdrogen** sagen. Es sind dies vor allem, neben der eben angeführten Tormentillwurzel und der Eiche, die sowohl in ihrer Rinde als auch in den Eicheln sehr viel Gerbstoff enthält, die Bärentraube, die Schafgarbe, ferner Gänsefingerkraut, Odermennig, Fünffingerkraut, Frauenmantel, Walnußblätter, Heidelbeere, Nelkenwurz, Heidekraut, Brombeere, Katzenpfötchen – um nur die bekanntesten zu nennen. Aber auch die uns als Haustee und als Cholagogum so bekannte Pfefferminze enthält Gerbstoffe. Schon bei ihr habe ich es erlebt, daß man sie, auf die Dauer genommen, wegen ihres Gerbstoffgehaltes als schädlich bezeichnete. Ich bin zwar stets dagegen, ein und denselben Kräutertee auf die Dauer zu trinken, aber schädlich ist die Pfefferminze wegen ihres Gerbstoffgehaltes sicher nicht. Ebensowenig schädlich ist die Verwendung von Walnußblättern, die, neben anderem, reichlich Gerbstoff sowie Ellag- und Gallussäure enthalten. Ich halte auch den reichlichen Gerbstoffgehalt der Bärentraubenblätter (bis zu 15%) nur dann für schädlich, wenn man sie längere Zeit trinkt und selbst da kann man sich schützen, indem man sie mit Leinsamen zusammengibt (zu gleichen Teilen). Da man jedoch nach einer Woche wechseln sollte (Bruchkraut, Birkenblätter, Brennesselkraut, Löwenzahn und Zinnkraut sind zum Wechseln am besten geeignet), kann von einer Schädigung des Magens gar keine Rede sein.

Wenn man die Gerbsäuremenge in den einzelnen Drogen feststellt, kommt man im Höchstfalle (Tormentillwurzel) auf 20%. Diese 20% wollen wir einmal bei Bärentraubenblättern ansetzen. Ein Eßlöffel voll ergibt also die Menge von 5 g Tee auf 250 ml Wasser. In 100 g Tee befinden sich 20 g Gerbstoffe, in 5 g also 1 Gramm. Diese sind in 250 ml Wasser aufgelöst und selbst noch an Zitronen-, China-, Apfel- oder Ameisensäure gebunden. Praktisch ist also eine Schädigung gar nicht möglich. Die Gerbstoffe sind ja gar nicht in der Lage, eine schädliche Eiweißfällung herbeizuführen. Da könnte man ebenso ein Glas Rotwein zu trinken verbieten, denn es enthält weit mehr Gerbstoffe – natürlich ebenfalls an Wein- und andere Säuren gebunden und daher unschädlich.

Aber etwas anderes ist interessant. Ich sprach von der Depotwirkung der Gerbstoffe. Faulbaumrinde ist eine unserer beliebtesten Abführdrogen (sollte es wenigstens sein!). Sie wirkt milde und zuverlässig, schädigt weder Magen und Darm noch vor allem die Leber und ist auch für Kinder und für Schwangere geeignet. Ihr abführender Wirkstoff ist das Frangula-Emodin, vorhanden sind außerdem noch Bitterstoffe und ca. 12% Gerbstoffe. Das klingt paradox, denn eingangs wies ich darauf hin, daß die Gerbstoffe die Antagonisten der Anthrachinone sind. Hier sieht man aber wieder, wie weise es die Natur eingerichtet hat, denn es ist das Vorhandensein von Gerbstoffen, die wesentlich daran beteiligt sind, daß sich bei der Anwendung von Faulbaumrinde eine Depotwirkung entwickelt. Im Gegensatz zu den anderen Anthrachinondrogen (Sennesblätter, Aloe) tritt bei der Anwendung der Faulbaumrinde eine verzögerte Abgabe des Frangula-Emodin-Rhamnoglykosides in den Dickdarm ein, welche die abführende Wirkung zum einen mildert und zum anderen auf mehrere Tage hinaus ausdehnt. Bei Gravidität und bei Hämorrhoidalleiden ist dies von ganz besonderer Wichtigkeit.

Gerbstoffe wirken also im Sinne einer Verzögerung. Wenn wir uns dies einmal in einer Teemischung vorstellen, dann kommen wir zu folgenden Feststellungen: ätherische Öle sind rasch wirksam, flüchtig, reizend. Gerbstoffe und ätherische Öle ergeben auch hier eine Wirkung im Sinne einer Verzögerung, nämlich milder, dafür aber um so länger wirksam.

*Anserine* geben wir vornehmlich bei Krampfanfällen des Magens und bei Kolikschmerzen im Gebiet der Verdauungsorgane. Ihr Wirkungsbereich sind die Organe des Pfortadergebietes. Geben wir hier noch *Fenchel* und *Anis* hinzu, dann verbinden wir die Gerbstoffwirkung der Anserine mit den ätherischen Ölwirkungen von Anis und Fenchel. Wir verstärken also die Wirkung der einen mit den Wirkungen der anderen Drogen im Sinne einer Vergrößerung der Wirkungsdauer und einer Abschwächung der Reizwirkung (was bei entzündlichen Vorgängen von großem Nutzen ist). Nehmen wir zu diesen Drogen noch etwas Baldrian hinzu, verstärken wir die spasmolytische Wirkung von Anis und Fenchel und können so in kurzer Zeit zu einem Erfolg kommen.

Zwei wichtige Regeln der Pflanzenheilkunde kennen wir. Die eine ist die Arndt-Schulzsche Regel:

Schwache Reize fachen die Lebenstätigkeit an,
mittelstarke fördern sie,
starke hemmen sie,
stärkste heben sie auf.

*Arnikablüten,* die in minimalen Gaben abheilend wirken, verschlimmern die entzündlichen Prozesse nicht nur, sondern rufen sie geradezu hervor, wenn man sie *in zu großer Menge* (mehr als 10 g auf 150 g Wasser) verwendet. Dagegen wirken sie bei gleichzeitiger Anwendung von Gerbstoff- und Schleimdrogen (Anserine, Fünffingerkraut, Tormentille, Eibischwurzel, Isländisch Moos, Malvenblüten, Schafgarbe) nicht nur ohne schädliche Begleitsymptome, sondern verstärkt heilend.

Umgekehrt ist z. B. die zu einseitige Verwendung von Eichenrinde, die an sich eine abheilende Wirkung hat und vor allem bei Frostbeulen immer empfohlen wird, ebenso gefährlich. Führt doch gerade ein Zuviel der sonst abheilend wirkenden Gerbstoffe unweigerlich zu Entzündungen.

Die zweite, als BÜRGIsche Regel bekannte Gesetzmäßigkeit, die wir uns merken müssen, besagt: Arzneimittel mit *gleicher* Wirkungsweise und gleichem Angriffspunkt haben eine addierte Wirkung. Arzneimittel, die in Wirkungsweise und Angriffspunkt ungleich sind, haben eine potenzierte Wirkung.

Das typische Beispiel hierfür sind Morphium-Atropin-Ampullen. Aber so weit brauchen wir gar nicht zu gehen. Die vorher angegebene Tee-Mischung bei Krampfanfällen des Magens ist auf der gleichen Regel aufgebaut. Anserine wirken über das Pfortadersystem, Fenchel, Anis und Baldrian dagegen wirken über die Schleimhautdrüsen durch eine stärkere Sekretion der Speichel- und der Magensaftdrüsen und beschleunigen den Gesamtstoffwechsel. Schon hierbei zeigt sich als Nebenwirkung eine günstige Beeinflussung einer vom Magen ausgehenden Migräne. Durch das Hinzufügen von Baldrian wird die spasmolytische Wirkung noch wesentlich verstärkt. Die hierzu verwendeten Teemengen:

Rp. Herb. Anserinae conc. 15 g
    Fol. Melissae conc. 15 g
    Fruct. Foeniculi cont. 5 g
    Fruct. Anisi cont. 5 g
    Rad. Valerianea conc. 5 g
S.  1 Eßlöffel voll auf 1 Tasse, kochendes Wasser übergießen, 10 Min. ziehen lassen und warm trinken. Contusus heiß zerquetscht. Man bereitet also dementsprechend die Früchte vor dem Überbrühen mit einem Stampfer (oder Nudelholz) auf.

Folia Melissae habe ich aus Erfahrung noch zu dem Rezept hinzugenommen.

Das richtige Zusammenstellen solcher Rezepte bedarf einer langen Erfahrung. Aber die Grundregeln dazu muß man sich früh genug aneignen, und man kann dann darauf systematisch aufbauen. In meiner nächsten Abhandlung werde ich hierfür noch eine Reihe wichtiger Hinweise geben.

## 12.2 Schleimdrogen, Teemischungen

Wer J. KARLs „Phytotherapie" und G. LINDEMANNs „Teerezepte" immer wieder aufmerksam studiert, wird sich damit ein praktisches Fundament schaffen, auf dem es sich aufbauen läßt, denn in diesen beiden Büchern steht eine solche Fülle von Erfahrungen und praktischem Wissen, daß man es nur richtig anwenden muß, um Heilkräuter gezielt einzusetzen.

Trotzdem stehen bei der Anwendung immer wieder Fragen im Raum. Nicht nur, weil jeder Fall anders gelagert ist und jede Verordnung persönliche Entscheidung verlangt, sondern weil auch jedes Heilkraut eine „Persönlichkeit" darstellt, mit der man sich zunächst einmal befassen muß, bevor man sie in einem Rezept einordnet.

In meinem vorangegangenen Beitrag sprach ich davon, daß die Pflanzenheilkunde eine Erfahrungsheilkunde ist. Sie ist so alt wie die Menschheit selbst. Die Erfahrung ist auch durch nichts zu ersetzen. Schon HIPPOKRATES lehrte seine Schüler: „Wissen kommt nur aus Erfahrung. Darum verlaßt euch nicht auf gelehrte Schriften, so gut sie sein mögen, sondern auf eure Sinne und scheuet euch nicht, einen Arzt zu fragen, der mehr Erfahrung hat als ihr, wenn ihr selbst unsicher seid."

**Die moderne Phytotherapie** gründet sich auf Erkenntnisse, die im Verein mit der modernen Pharmakologie Ende des 19. Jahrhunderts gewonnen wurden. Es erscheint mir notwendig, dies kurz zu erläutern.

Zu dieser Zeit lebte in Berlin ein Rechtsanwalt und Privatgelehrter – MARTIN GLÜNICKE. Er war ein Mensch, dem schweres körperliches Siechtum am Lebensmark zehrte. Von allen ärztlichen Verordnungen enttäuscht, war er nahe daran, sich selbst aufzugeben. Vom Fenster seiner Anwaltspraxis aus hatte er des öfteren beobachtet, daß Arbeiter der sich ihm gegenüber befindlichen Lohgerbereien bei Unpäßlichkeiten Lohbrühe tranken.

GLÜNICKE war, was Naturheilkunde anbelangte und was Heilkräuter betraf, völlig unbelastet. Er beobachtete nur und wurde dabei nachdenklich. Lohbrühe? – Sollten sich in der Eichenrinde Heilstoffe befinden? Eichenrinde enthält Gerbstoffe. Sollten etwa diese Gerbstoffe Heilwirkungen haben? –

Die richtige Antwort erhielt er erst viel später. Jedenfalls schien es ihm einen Versuch wert und er trank Eichenrindenabsund, und – merkwürdig, sein schweres inneres Leiden besserte sich auch zusehends – aber – die Erleichterung währte nicht lange. Nachdem er diesen Eichenrindenabsud einige Zeit getrunken hatte, stellten sich Störungen in den Verdauungsorganen ein. Er begann, an Stuhlverstopfung zu leiden, die Leber entzündete sich. Es mußte etwas geschehen, denn nun hatte er den Teufel mit dem Beelzebub ausgetrieben. – Jemand riet ihm, Fruchtsäfte zu trinken. Und wirklich – die Fruchtsäfte linderten die Beschwerden, die durch die Einnahme der Eichenrinde entstanden waren; aber nunmehr kam es zu Durchfällen, zu Schwächezuständen, zu anämischen Erscheinungen, zu Blutarmut. Und GLÜNICKE schritt zum letzten Experiment: er nahm Eichenrindenabsud *und* Fruchtsäfte gleichzeitig. Damit war der Mittelweg in der Kombination beider Faktoren gefunden. Er gesundete zusehends. Es traten keine schädlichen Nebenerscheinungen mehr auf. Diese hatten sich gegenseitig aufgehoben und die heilsamen Wirkungen hatten sich ergänzt.

Sein Experiment hatte er dem damals an der Berliner Universität dozierenden Stabsarzt Prof. Dr. med. KARL KAHNT mitgeteilt. KAHNT ging, zusammen mit GLÜNICKE, daran, den Wirkungen und Wechselwirkungen der Inhaltsstoffe der Heilpflanzen nachzuspüren. Damit wurde der Grundstein für die moderne Phytotherapie gelegt.

Die „Phytotherapie" von Dr. med. K. KAHNT war das Ergebnis. Das Buch erlebte von seinem Erscheinen 1898 bis 1914 sechs Auflagen. Ein erstes Mal wurde hier der Versuch gemacht, die bekannten Wirkstoffe der Pflanzen in Beziehung zueinander zu setzen.

1923 erschien in Paris von H. LECLERC „Précis de Phytotherapie" und 1929 gab H. SCHULZ, der an der Universität von Greifswald dozierte, in Leipzig seine „Vorlesungen über Wirkungen und Anwendungen der deutschen Heilpflanzen" heraus. Nicht zu vergessen sei Dr. med. WOLFGANG BOHN, der sich, wie er selbst schrieb, seit seiner Approbation als Arzt 1895 mit Heilpflanzen beschäftigte und dessen Buch „Die Heilwerte heimischer Pflanzen" 1935 die fünfte Auflage erlebte. Nach ihm war es Dr. med. R. FRITZ WEISS, der 1942 zum ersten Male als Buch herausbrachte, was er seit 1937 an der Berliner Akademie für ärztliche Fortbildung gelehrt hatte. Seine „PHYTOTHERAPIE" erlebte inzwischen ebenfalls die dritte Auflage.

Ich kann die Reihe derer, die sich um die Veröffentlichung auf dem Gebiete der wissenschaftlichen Phytotherapie verdient machten, nicht beschließen, ohne L. KROEBER zu erwähnen, der als Apothekendirektor des Krankenhauses München-Schwabing sich mit den drei Bänden seines „NEUZEITLICHEN KRÄUTERBUCHES" unvergänglich in die Annalen der Phytotherapie eingetragen hat. Ihm zur Seite standen der Kneipp-Arzt aus Bad Wörishofen Dr. med. S. FLAMM und der Berliner Dr. med. HANS SEEL. Ich bin mir dessen bewußt, daß diese Nennung von Namen und Werken unvollständig ist. Denken wir nur an Prof. Dr. W. PEYER, an den Schweden E. POULSSON, den Wiener R. WASICKY, an KOBERT, KOFLER oder an Prof. Dr. H. WAGNER, den derzeitigen Leiter des Pharmakologischen Institutes der Münchener Universität. Aber – es kam mir nur darauf ein, einmal aufzuzeigen, wie sich aus der Kräuterheilkunde der Begriff „Pflanzenheilkunde" und aus diesem die wissenschaftliche „Phytotherapie" entwickelte, **jene Wissenschaft** – wie sich R. F. WEISS ausdrückt –, die sich mit der Anwendung pflanzlicher Heilmittel beim kranken Menschen befaßt.

Die Anwendung pflanzlicher Heilmittel beim kranken Menschen. – Sie hat erfreulicherweise wieder zugenommen. Das zeigt sich nicht nur im jährlich sich steigernden Umsatz von Heilkräutern, sondern auch in der Neuerscheinung von Kräuterbüchern. Aber – hier beginnt das Dilemma.

Nehmen wir einmal ein einschlägiges Kräuterbuch und sehen wir nach, was dort bei Erkrankungen, z. B. des Magens, empfohlen wird.

Wir finden hier unter:

Magenbeschwerden:
Alant, Baldrian, Kalmus, Wermut.

Magenblutungen:
Eichenrinde, Hirtentäschel, Tormentille, Wegwarte.

Magendrücken:
Enzianwurzel, Johanniskraut, Wegwarte, Zwiebel.

Magengeschwüre:
Klettenwurzel, Knöterich.

Magenkatarrh:
Alantwurzel, Holunder.

Magenkolik:
Anserine (Gänsefingerkraut), Fenchel in Milch.

Magenkrämpfe:
Anserine, Arnika, Baldrian, Heckenrose, Schafgarbe.

Magenreinigung:
Brennessel, Holunder, Wacholder.

Magensäfte verbessernd:
Augentrost, Enzian, Holunder, Salbei.

Augentrost
Euphrasia officinalis L.

*Blütenblatt*
*mit Griffel*
*und Stengel*

Wegwarte- *Cichorium intybus L.*

*Anwendung: Bei Leber- und Gallelei-*
*den, nervösen Erschöpfungszuständen,*
*verdauungsfördernd u. stoffwechselan-*
*regend. Bei Diabetes.*

Magenschmerzen:
Anis, Fenchel, Pfefferminze, Schafgarbe, Tausendgüldenkraut.

Magenschwäche:
Alant, Anis, Benediktenkraut, Bibernelle, Brombeere, Schlehdorn, Isländisch Moos.

Magenstärkend:
Bitterklee, Brombeere, Brunnenkresse, Dornschleh, Enzian, Kalmus, bittere Kreuzblume, Lindenblüten, Pfefferminze, Schafgarbe, Tausendgüldenkraut, Wacholder, Wermut.

Magenverhärtung:
Wegwarte, Fenchel in Milch.

Magenverschleimung:
Angelika, Gundelrebe, Kalmus, Rettich, Rosmarin, Salbei, Tausendgüldenkraut, Spitzwegerich.

In dieser Aufstellung wurde absichtlich nichts weggelassen und nichts
hinzugefügt. Der Fachmann findet in ihr manch wertvollen Hinweis. Für
den Laien jedoch birgt sie eine sehr große Gefahr bei bedenkenloser und
wahlloser Inanspruchnahme einzelner dieser Heilkräuter.
So ist zum Beispiel die alleinige Anwendung aller ätherischen Öldrogen
und auch der Bitterstoffdrogen (Alant, Anis, Arnika, Enzian, Fenchel,
Benediktenkraut, Kalmus, Rosmarin, Tausendgüldenkraut, Wacholderbee-

197

ren) bei Vorhandensein von entzündlichen Prozessen nicht ratsam, da beide Wirkstoffe unter Umständen entzündungsfördernd, also verschlimmernd auf das Leiden einwirken können.

Dagegen wirken diese Heilkräuter bei gleichzeitiger Anwendung von Gerbstoff- oder Schleimdrogen (Anserine, Fünffingerkaut, Tormentillwurzel, Eibischwurzel, Isländisch Moos, Malvenblüten) ohne schädliche Begleitsymptome.

Über Gerbstoffdrogen sprach ich schon in meiner vorherigen Abhandlung. Gerbstoffe haben die Eigenschaft, die Verweildauer z. B. von ätherischen Ölen und von Bitterstoffen zu verlängern (Depotwirkung) und dabei eine langsame Abgabe dieser zu bewirken. Andererseits schwächen sie die Wirkung ab und nehmen ihnen so eine zu große Reizwirkung. Diese wohltuende Auswirkung finden wir überall dort, wo wir ätherische Öle mit Gerbstoffen koppeln. Die Heilwirkung als solche ist eine um so größere, je intensiver wir eine Verbindung der Wirkstoffe erreichen. Denken wir z. B. an Kamille, Salbei und Tormentille als Gurgelmittel bei Halsentzündungen – Angina tonsillaris und Tonsillitis catarrhalis –, die häufige Begleiterscheinung der Erkältungskrankheiten. Oft kann man schon mit intensiven Gurgelungen einen Rückgang des Gesamtleidens feststellen. Dabei ist zu berücksichtigen, daß ja auch Salbei neben Saponinen, ätherischen Ölen und Asparagin noch reichlich Gerbstoffe (5%) enthält.

Wundklee und Katzenpfötchen, die man oft in Teemischungen findet, sind nicht nur Schmuckdrogen (Konstituentia), sondern gerbstoffhaltige Heilkräuter mit einer beachtlichen Eigenwirkung, wobei den Katzenpfötchen eine ausgesprochene Leberwirkung zukommt.

Heilkräuter mit einem wirksamen Gerbstoffgehalt sind alle Roaceen wie Erdbeer-, Himbeer-, Brombeerblätter. Heidekraut entfaltet eine Wirkung vor allem bei katarrhalischen Zuständen der Harnwege und ist also als Gerbstoffdroge vor allem bei Nieren- und Blasentees als Konstituens angebracht.

Anders liegt es bei der Heidelbeere. Heidelbeer**blätter** sind nierenwirksam. Heidel**beeren** dagegen eines der besten und dabei unschädlichsten Mittel gegen Durchfall, wenn man sich getrockneter Beeren bedient. Frische Heidelbeeren dagegen wirken eher abführend. Heidelbeerblätter dagegen haben einen wohltuenden Einfluß auf die Harnblase und sind außerdem als blutzuckersenkend anerkannt.

Anders als bei den Drogen mit Gerbstoffen verhält es sich bei den Schleimdrogen wie Malvenblüten, Eibisch, Huflattich, Irländisch und Isländisch Moos, Klatschmohn, Königskerze, Leinsamen, Ringelblume und der Taubnessel.

Grundstoffe der Schleime sind Gummi, Stärke, Hemizellulose, Pektin, Lichenin. In Verbindung mit Wasser ergeben sie eine mehr oder weniger zäh-schleimige Zustandsform (kolloidale Dispersion). Sie selbst bilden eine hauchdünne Schicht über Haut und Schleimhaut, gewissermaßen eine Schutzschicht gegenüber mechanischen Reizen und chemischen

Einflüssen. Sie vermindern dabei die Schmerzempfindlichkeit und bringen Entzündungen zum Abklingen. Ihre wertvollen Eigenschaften in Verbindung mit anderen Heilkräutern sind einmal die Erwirkung einer längeren Verweildauer anderer Wirkstoffe. Sie wirken hier im Sinne einer Verzögerung, das heißt einer Ausdehnung der Wirkung in der Zeitdauer, ähnlich wie dies Gerbstoffe bewirken. Ätherische Öle, Bitterstoffe werden in Schleimsubstanzen gelöst und mit einer längeren Verweildauer eine länger anhaltende Wirkung erzielt. Außerdem wirken Schleimsubstanzen wirkungshemmend, reizmildernd und damit in vielen Fällen entgiftend.

Als Beispiel führe ich hier nur an: Bärentraubenblätter und Leinsamen. Die Verweildauer der desinfizierenden Arbutine, Methylarbutine und Hydrochinone wird erhöht und damit die Wirkung verstärkt. Dagegen wird die Gerbstoffwirkung gedämpft.

An diesen kurzen Hinweisen schon erkennen wir die Wichtigkeit der genauen Fachkenntnis bei der Anwendung von Heilkräuter-Kombinationen.

Um solche fachmännisch zusammenzustellen, bedarf es der Erfahrung nicht nur bezüglich der Kenntnisse der Heilpflanzen und ihrer Wirkstoffe, sondern vor allem auch ihrer Wirkungsziele und ihrer Wirkungsbreite im menschlichen Organismus.

Zunächst erheben sich die Fragen: „Welche wichtigsten Wirkstoffe kennen wir, wie äußern sich deren Wirkungen und welche Organgruppen werden wirkungsmäßig erfaßt?"

Hierbei müssen wir uns darüber im klaren sein, daß jede Heilpflanze nicht nur einen wirksamen Stoff enthält, sondern immer einen Komplex von zahlreichen mehr oder weniger ausgeprägt wirkenden Inhaltsstoffen darstellt. Ja – es scheint fast so, als setze die Pflanze, je nach dem Krankheitsbild im menschlichen Körper, das es zu erfassen und zu bekämpfen gilt, eine andere Wirkstoffgruppe frei.

Nehmen wir einmal eine so hochinteressante Heilpflanze wie den Löwenzahn als Beispiel. Ihm ist eine allgemeine und ausgedehnte Anregung fast der gesamten Drüsentätigkeit eigentümlich. Bitterstoffwirkung, Saponinwirkung und die Wirkung eines Cholins greifen ineinander über und unterstützen sich gegenseitig bzw. verstärken die Einzelwirkung. Eine intensive Anregung des Speichelflusses, des Magensaftes, der Gallensekretion, des Pankreas, aber auch der Schleimhautsekretion der Bronchien sowie der Hauttätigkeit findet statt und leitet eine Umstimmung der gesamten Stoffwechsellage ein. Löwenzahn hat von allen Heilpflanzen den höchsten Kaliumgehalt. Die bei einer kurmäßigen Einnahme von Löwenzahnsaft erzielte Steigerung der Urinabgabe ist wohl, neben der Beeinflussung des Kreislaufes, vor allem dieser Tatsache zuzuschreiben. Nicht ohne Grund nannte man das Kraut früher Herba urinaria und die französische Bezeichnung „Pisse en lit" drückt dasselbe aus.

Löwenzahn ist nun nicht nur ein in vielen Fällen **probates Mittel bei mangelhafter Urinabgabe,** sondern vor allem geeignet für Wasserstöße zur Einleitung von Steinabgängen. In diesem Falle nimmt man zu gleichen

Teilen Löwenzahnkraut mit Wurzel, Brennesselkraut und Tausendgüldenkraut. Durch die Beigabe von Tausendgüldenkraut wird die Bitterstoffwirkung des Löwenzahns noch in dem Sinne erhöht, daß sie die Kontraktionskraft des Harnleiters immer wieder in milder Weise, dafür aber um so nachhaltiger anregt. Damit bleibt die Schubkraft für die Herausbeförderung der Kongremente nicht nur erhalten, sondern sie wird noch gesteigert.

Für einen solchen Wasserstoß nimmt man zwei Eßlöffel der Teemischung, übergießt sie mit einem halben Liter sprudelnd kochendem Wasser. Das Ganze läßt man zehn Minuten bis eine Viertelstunde stehen, seiht dann ab und füllt die Menge auf einundeinenhalben Liter auf. Diese Menge wird dann gut warm innerhalb von 15–20 Minuten getrunken. Diese Wasserstöße sind zur Durchspülung die einfachste, oft sogar die erfolgreichste Maßnahme. Man wiederholt sie so lange, bis der Stein abgegangen ist. Zur Verhütung weiterer Steinbildungen kann man später einmal wöchentlich weitere Trinkstöße wiederholen. Löwenzahnextrakt war das Hausmittel des nierenkranken Königs Friedrich des Großen und war auch die jährliche Frühjahrskur der bayerischen Könige.

Bei der Zusammenstellung von **den Gallenfluß anregenden** und von **gallentreibenden Teemischungen** tritt die harntreibende Wirkung in den Hintergrund. Als Beispiele von Rezepten für entsprechende Teemischungen seien angeführt:

Rp. Mariendistel 20,0
Löwenzahnkraut m. Wurzel 40,0
Wegwarte (Zichorie) 40,0
S. 1 Eßlöffel für 1 Tasse. Überbrühen, 10 Minuten ziehen lassen, abgießen, 2 × tägl. eine halbe Stunde vor dem Essen trinken.

Rp. Lindenblüten 10,0
Faulbaumrinde 30,0
Kardobenediktenkraut 30,0
Löwenzahn (Kr. m. W.) 30,0
S. Dekokt. 1 Eßlöffel für 1 Tasse. Davon je 1 Tasse früh und abends, eine halbe Stunde vor den Mahlzeiten, trinken.

Rp. Kornblumen 5,0
Faulbaumrinde 20,0
Boldoblätter 25,0
Löwenzahn 25,0
Pfefferminze 25,0
S. Dekokt. 1 Eßlöffel für 1 Tasse. Davon 1 Tasse früh und abends, eine halbe Stunde vor den Mahlzeiten, trinken.

Löwenzahnkraut und -wurzel findet man sehr häufig auch in Teemischungen für **Diabetiker.** Wissenschaftliche Beweise für eine Wirksamkeit gibt es allerdings nicht. Jedoch ist bei der eindrucksvollen Gesamtwirkung auf das Drüsensystem die Hinzunahme von Rad. Taraxaci c. herba zumindest angebracht. Eine Teemischung als Beispiel:

Rp. Herba Urticae conc.
    Herba Galegae conc.
    Fol. Myrtilli conc.
    Legumin. Phaseli conc.
    Rad. Taraxaci c. herba conc. aa
S. 1 Eßlöffel auf 1 Tasse Wasser, kurz aufkochen und 10 Minuten ziehen
lassen. Vor den Mahlzeiten 1 Tasse voll trinken.

Man bezeichnet eine Heilpflanze gewöhnlich nach dem bei ihr am ausge-
prägtesten vorhandenen Wirkstoff. So z. B. Pfefferminze als ätherische
Ölpflanze, Tausengüldenkraut als Bitterstoffpflanze, Tormentille als Gerb-
stoffpflanze, Zinnkraut als Kieselsäurepflanze und Eibisch als Schleimdroge.

Als die wichtigsten bekannten Wirkstoffgruppen kennen wir: ätherische
Öldrogen, Bitterstoffdrogen, Gerbstoffdrogen, Saponindrogen, Alkaloid-
bzw. Glukosiddrogen, Anthrachinondrogen, kieselsäurehaltige Drogen
und salizylsäurehaltige Drogen, Inulindrogen, Amin- bzw. Cholin-Drogen,
Schleimdrogen und Drogen mit fetten Ölen.

Diese Aufstellung soll keineswegs als vollständig angesehen werden,
denn der oft ausschlaggebenden Rolle z. B. der Mineralstoffe, die in jeder
Droge vorhanden sind (Natrium, Kalium, Calcium, Magnesium, Eisen,
Mangan, Phosphor usw.), wurde hierbei ebensowenig gedacht wie der der
Spurenelemente. Ebenso fehlt noch die Erwähnung der Pflanzenfarbstof-
fe, der Flavone, Anthocyane, des Rutins, Quercetins, Ericolins usw., deren
wesentliche Bedeutung erst in jüngster Zeit erkannt wurde.

Noch gar nicht erwähnt wurde die Bedeutung des Chlorophylls als Wirkstoff und damit natürlich die Bedeutung z. B. der Pflanzensäfte als An-
wendungsform, denn in Kräutertees befindet sich naturgemäß kein Chlorophyll mehr, sowie die Anwendung von Frischpflanzen in Form von
Rohkostgemüse und Salaten. Letzteres in vielen Fällen durchaus eine
Form der Verordnung.

Brennessel und Löwenzahn sind hier als Beispiele geradezu prädestiniert,
denn hier ist z. B. bei chronisch-rheumatischen Leiden eine Frühjahrskur
mit Säften (im Wechsel) und gleichzeitig mit frisch gepflückten Blättern
als Salat, als Beigabe zu Kräutersuppen (nicht kochen!) oder zu Quark-
speisen von ganz ausgezeichneter Wirkung; besser jedenfalls wie Corti-
coide, die hier sowieso nichts helfen (ich wies bereits an anderer Stelle
darauf hin).

Betrachten wir nun diese vorhin aufgeführten Wirkstoffe im einzelnen, so
stellen wir fest, daß beispielsweise ätherische Öle energisch reizend auf
die Haut und auf die Schleimhäute einwirken. Dadurch **be**wirken sie eine
Steigerung der sekretorischen Vorgänge, eine Beschleunigung des Blutumlaufes sowie in vielen Fällen eine stärkere Resorption von der Magenschleimhaut aus. Dadurch entsteht eine ausgesprochene Erhöhung und
Beschleunigung aller Stoffwechselvorgänge. Durch die Reizung der glatten Muskulatur **bei Verwendung kleiner Mengen** dieser Drogen wird diese
entspannt, der Umlauf in ihr normalisiert und schmerzhafte Erregungs-

und Krampfzustände behoben. Wir stellen dies immer wieder fest, ganz gleich, ob wir Baldrianwurzel oder Kamillenblüten verwenden, trotzdem der Mechanismus des Zustandekommens der Wirkung bei gerade diesen beiden Heilpflanzen ganz verschieden ist – so wie ja auch die Inhalts- und Wirkstoffe bei beiden Drogen verschieden sind. Das meinte ich auch, wenn ich darauf hinwies, daß jede Pflanze eine Persönlichkeit darstellt, die uns ihre eigene Auffassung von ihrer Wirkung mitteilt, wenn wir uns nur Mühe geben, sie zu fragen.

Außerordentlich stark bei allen ätherischen Ölen ist ihre Desinfektionskraft. So wurden nach dem Genuß von Wacholderbeeren selbst resistente Bazillen wie Bacterium Coli noch in größerer Verdünnung abgetötet. Das Kauen von Wacholderbeeren z. B. bewahrt uns sicher in Grippezeiten vor dieser Krankheit. Die Desinfektionswirkung der Kamille, des Thymian, des Salbei, der Pfefferminze sind genügend bekannt. Ohne nun auf die trotz gemeinsamer Merkmale bestehenden Verschiedenartigkeiten der **Einzelwirkung ätherischer Öle** einzugehen, sei jedoch nochmals darauf hingewiesen, daß sie, je nach Steigerung der verwendeten Menge, ihre Wirkung ändern. Ich wies schon einmal darauf hin und wiederhole es nochmals.

*Wacholder – in der Lüneburger Heide*

So entstehen hinsichtlich der Magenwirkung folgende Wirkungsbilder:
Kleine Mengen haben, je nach Art, spasmolytische oder tonisierende Wirkung;
mittlere Mengen hemmen die Verdauung;
größere Mengen schädigen die Schleimhäute des Verdauungstraktus;
große, also zu große Mengen verursachen eine zentrale Lähmung mit Todesfolge (Dultz DAZ 1940/57).
Ich betone daher immer wieder, es mit kleinen Mengen von Heilkräutergaben zu versuchen und, falls keine Wirkung auftritt, nach etwa 12 bis 24 Stunden eine niedrigere, **keinesfalls eine höhere Dosierung** zu verwenden. Dies trifft natürlich nicht nur bei Drogen zu, die wir bei Magen-, Darm-, Leber- oder Gallestörungen anwenden, sondern **vor allem auch bei Diuretiis.**

202

Aus alldem geht eindeutig hervor, daß die Einnahmemenge absolut nicht gleichgültig ist. Andererseits aber kann man aus dem gleichen Grunde rückschließen, daß die Einnahme einer Heilpflanze nicht beliebig fortgesetzt werden darf, denn auch hier ändert sich mit der Zeit die Wirkung. Entweder sie wirkt (bei ätherischen Ölen) verstärkt reizend, oder sie läßt (Anthrachinondrogen, Birkenblätter, Schachtelhalm) in der Wirkung nach, mitunter bis zur völligen Unwirksamkeit. Hier gilt es, rechtzeitig, so wie ich dies schon an anderer Stelle empfahl, auf ein anderes Heilkraut überzugehen.

Ich betonte bereits, daß es nicht gleichgültig ist, welche Zielrichtung ein Wirkstoff nimmt. Während ätherische Öle vordringlich haut- und schleimhautwirksam sind, wirken Bitterstoffe über den Nervus Sympatikus auf die Magen-Darm-Speichelfunktion. Da der Sympatikus im Darmgebiet eine tonusmildernde und peristaltikdämpfende Eigenschaft hat, können sich krampflösende Einflüsse unter der Wirkung von Bitterstoffen leichter durchsetzen. Durch die starke Beeinflussung der Blutzirkulation erfolgt ein energischer Rückstrom des Blutes zum Herzen. Bei funktionellen Veränderungen des Verdauungssystems wirken bitterstoffhaltige Drogen unter bestimmten Voraussetzungen gleichzeitig blutbildend.

Wir verbinden also durch die Kombination von ätherischen Öl- und Bitterstoffdrogen die Haut-Nerven-Muskel-Wirkung mit gleichzeitiger Desinfektionswirkung im Sinne der Bürgischen Regel: ,,Arzneimittel, die in Wirkungsweise und Angriffspunkt ungleich sind, haben eine potenzierte Wirkung.''

Dadurch ergibt sich noch ein weiterer Vorteil: Die Magensaft-, Pepsin- und Salzsäuresekretion wird auf dem Wege über die Geschmacksnerven angeregt.

Bei totaler Achylie – Subazidität oder gar völligem Versiegen des Magensaftes – besteht schwerste Gefahr für den Verdauungsmechanismus. Die Folgen sind:

1. Verdauungsstörungen durch Hemmung des peptischen Eiweißabbaues.

2. Stoffe, die sonst durch die Magensalzsäure gelöst und resorbiert werden, werden ungelöst ausgeschieden. Das betrifft z. B. auch das Nahrungseisen, das normalerweise unter Mitwirkung des reduzierenden Vitamin C in das lipoidlösliche und resorbierbare Ferrochlorid umgewandelt wird. Mangelnde Resorptionsmöglichkeit führt in speziellen Fällen zur sogenannten Chloranämie.

3. Die desinfizierende Kraft des Magensaftes geht beim Fehlen der Magensalzsäure verloren, so daß es bei Achylie leicht zu einer pathologischen Bakterienflora kommt.

Würde man nun in all diesen Fällen einfache Bittermittel geben (Chinin, Strychnin, Aloe), so kämen nur solche Mengen in Frage, die gerade noch den bitteren Geschmack empfinden lassen. Eine pharmakologische Wirkung käme hierbei jedoch nicht zustande. Auch die sogenannten Amara tonica, also Bittermittel, die sonst keine wesentlichen Wirkbestandteile mehr enthalten (Tausendgüldenkraut, Enzian), können in diesen Fällen versagen, obwohl sie zu den klassischen Bittermitteln zählen, während z. B. Kalmus als Amarum aromaticum (Verbindung: Bitterstoffe – ätherisches Öl) zum Erfolge führt. Auf der gleichen Tatsache beruht auch die schon seit ältesten Zeiten bekannte Wirkung der Archangelica officinalis, der Engelswurzel. Noch besser ist es, Enzian oder Tausendgüldenkraut mit Folia Menthae piperitae und mit Fructus Foeniculi oder Fructur Anisi zu kombinieren. Bei diesen Kombinationen werden die sezernierenden Zellen des Magens in schonender Weise angeregt und können so oft zu einer erstaunlich raschen Besserung der dyseptischen Beschwerden führen.

Es sei hier gleich noch auf eine weitere wichtige Tatsache hingewiesen:

1. Alle Bittermittel müssen eine halbe bis eine viertel Stunde vor den Mahlzeiten eingenommen werden, damit sie den Säftestrom in Gang setzen können. *Nach* dem Essen sind Bitterstoffe zwecklos.

2. Bittermittel wirken auf dem Wege über die Geschmacksnerven. Ein Schlucken von Pillen oder Kapseln hat also keinen Sinn. Sie müssen zerkaut werden bzw. man nimmt eine Tasse Kräutertee vor dem Essen. Diese wird langsam, schluckweise getrunken.

Eine wichtige Einschränkung: alle Bittermittel sind bei Verdacht auf Ulcus kontraindiziert! Sie dürfen auf keinen Fall verwendet werden. Das geht aus allem Vorausgesagten eindeutig hervor, denn sie wirken ja sekretions- und säureanregend und das kann man bei einem Ulcus wirklich nicht brauchen.

Zu Beginn meiner Ausführungen führte ich aus einem einschlägigen Kräuterbuch an, was – von Magenbeschwerden bis Magenverschleimung – alles als magen- und darmwirksam angeführt wurde. Ich betone nochmals, daß die Empfehlungen nicht falsch sind und daß ich **in geeigneten Fällen** zu den gleichen Mitteln gegriffen hätte. Und doch ist die Aufstellung falsch, denn sie geht nicht von den richtigen Voraussetzungen aus.

Die Frage ist immer: „**Was wollen wir mit einem Kräutermittel erreichen und wo soll es wirken?"**

Danach hat sich eine Einteilung der Heilkräuter zu richten. Wir unterscheiden also als Intestinalia:

I. ENTERALIA bzw. ENTERSEZERNENTIA = Mittel zur Anregung des Verdauungstraktus:

a) **Stomachica:** Mittel zur Anregung der Magen-, Darmtätigkeit (Drüsen und Tonus).

1. Amara (Bitterstoffe): Cort. Chinae, Rad. Gentianae, Herba Centaurii, Folia Trifolii fibrini, Cortex Condurango, Rhiz. Calami, Rad. Angelicae, Herba Millefolii, Herba Cardui benedikti, Herba Polygalae amarae, Lichen islandicus (Bitter- und Schleimdroge zugleich).

2. Aromatica (Gewürzdrogen): Folia Menthae piperitae, Cort. Cinnamomi, Fruct. Anethi, Fruct. Coriandri, Fruct. Carvi, Fruct. Anisi, Fruct. Foeniculi, Herba Origani cretici.

b) **Digestiva:** Mittel zur Anregung der Darmdrüsen- und Bauchspeicheldrüsentätigkeit.

1. Amara-Aromatica (Bittergewürze): Cort. Aurantii, Rhiz. Calami, Herba Absynthii, Herba Millefolii.
2. Acria (Scharfgewürze): Fruct. Capsici annui, Fruct. Piperis albi et nigri, Rhiz. Zingiberis.
3. Saponindrogen zur Erhöhung der Resorption: Radix Pimpinellae, Rhiz. Graminis, Folia et Rad. Polygalae amarae, Flores Verbasci, Herba Plantaginis.

c) **Sycholica:**

1. Choleretica (gallesekretionsfördernd): Folia Menthae piperitae, Herba Absynthii, Fruct. Cardui Mariae, Rhiz. Curcumae javanicae (Temoe Lavac), Herba Chelidonii und die Artischocke – Cynara Scolymus.
2. Cholagoga (den Gallenfluß erleichternd): alle vorgenannten Drogen und Herba Millefolii, Herba Petasites (Pestwurz), Raphanus sativus – Rettich, Rad. Taraxaci c. herba. Flores Anthyllidis, Flores Stoechados citrin. und Herba Agrimoniae.

Eine Sonderstellung unter den Aromatica nehmen ein:
Flores Chamomillae,
Folia Melissae.
Der Kamille sind vor allem drei Eigenschaften zuzuschreiben:
Sie wirkt karminativ, krampfstillend und entzündungswidrig. Daher ist sie in Teemischungen, die den Verdauungstraktus beeinflussen sollen, immer angebracht.
Die Melisse dagegen ist ein vor allem bei nervösen Magenleiden angebrachtes Beruhigungsmittel mit karminativen, sedativen und antispasmodischen Eigenschaften.
Unter Carminativa verstehen wir Mittel, die einmal durch Sympatikusreizung die verkrampfte, hypertonische Darmmuskulatur lösen; meist haben sie dabei noch die Eigenschaft, eine Entwicklung der Gärungsbakterien zu hemmen. Diese Eigenschaften haben nicht nur die Kamille und die Melisse, sondern auch die Pfefferminze und vor allem die Gewürzdrogen wie Fenchel, Kümmel, Dillsamen, Koriander und Anis. Zu den Carminativa zählt auch der Knoblauch.
Wir sehen also: Auch die Carminativa sind unter sich wieder sehr verschieden in ihren Eigenschaften, vor allem in ihren Einflußsphären. Während wir Kümmel und Dillsamen vor allem als magenstärkend bezeichnen, sind uns Fenchel und Anis vor allem als Expektorantia, also in diesem Falle als Drogen, welche das Flimmenepithel der Bronchien reizen, bekannt.
Ein Wort noch zu den **Mucilaginosa,** den einhüllenden und einschleimenden Mitteln (emollientia): Sie sind in vielen Fällen vor allem bei entzündlichen Vorgängen der Magen- und Darmschleimhäute notwendig – entweder gesondert oder auch zusätzlich zu Tee-Mischungen. Hierzu gehören:

Semen Lini, Radix Althaeae, Folia Farfarae, Flores und Folia Malvae arbor. et Flores Malvae sylvestris, Lichen islandicus und auch die saponinhaltigen Flores Verbasci.

In Italien hat übrigens der bei uns kaum noch bekannte Flohsamen – Semen Psyllii die gleiche Beliebtheit wie bei uns der Leinsamen.

Ich nannte unter den Carminativa den Knoblauch. Über ihn hatte ich bereits ausführlich berichtet, als ich über Senföl-Glykosiddrogen sprach.

Nur muß man bei der Einnahme wiederum beachten, daß **schwächere** Konzentrationen zu einer Verstärkung der Darmperistaltik führen, während **stärkere die Darmperistaltik hemmen.** Das ist ja nicht nur beim Knoblauch der Fall, aber gerade bei ihm vermutet man einen solchen augenscheinlichen Unterschied am allerwenigsten. **Es ist sehr wichtig, dies zu wissen,** denn wir brauchen ja Knoblauch nicht nur als Mittel bei Dysbakterie und als Darmmittel schlechthin, sondern vor allem als Altersmittel, und hier kommt uns der tonisierende Effekt sehr gelegen, denn gerade in zunehmendem Alter pflegt der Tonus des Darmes nachzulassen.

Wenn wir Lehrbücher betrachten, die uns in die Kunst des Teemischens einführen, lesen wir gewöhnlich von Remedia (Remedium cardinale), von Adjuvantia, Korrigentia und Konstituentia.

Lassen Sie mich dies an einem Beispiel erklären. Die Basis eines Teerezeptes bezeichnet man als Remedium. Nehmen wir als ein solches den Löwenzahn, dann kann dies die Basis für einen für Leber und Galle wirksamen Tee sein oder auch für einen solchen, der als Nieren-Blasen-Tee gedacht ist. Fügen wir als Adjuvans Brennessel hinzu (diese Zusammenstellung kann man sehr wohl als Säfte-Kur empfehlen), erhalten wir nach der BÜRGIschen Regel eine Mischung mit ausgesprochen nierenwirksamem Charakter. Nehmen wir dagegen als Adjuvans Pfefferminze, zielt die Wirkung auf Leber und Galle. Als Korrigens kann man noch Schöllkraut hinzufügen, aber da beginnt schon wieder die Schwierigkeit der Mengenbestimmung. Bei Schöllkraut nimmt man halb soviel wie bei Löwenzahn und Pfefferminze. Als Konstituens nehmen wir die gelben Blütenblätter der Ringelblume (Flores Calenduae) und geben damit der Teemischung einen farbig-freudigen Ton. Aber nicht nur das, denn die Ringelblume ist einmal eine Saponinpflanze und hat zum anderen einen ausgesprochen heilenden Charakter und ist darum in Leber-Galle- und auch Magen-Darm-Teemischungen immer von Nutzen. Ebenso kann man aber auch gelbe Katzenpfötchen geben, die ja ebenfalls eine Leberwirkung aufweisen.

Je weniger man für ein Teerezept Heilkräuter rezeptiert, desto besser! Man lasse sich auch hier nicht dazu verleiten: viel hilft viel. Es gibt viele Heilpraktiker, die mit ganz wenigen Kräutern auskommen, diese dafür aber um so gezielter einsetzen, ihre Auswirkung abwarten (dazu muß man als Heilpraktiker *und* als Patient die nötige Geduld aufbringen) und dann mit anderen Kräutern oder Maßnahmen fortfahren.

Ich hatte in diesen Ausführungen verschiedentlich auf Löwenzahn hingewiesen. Lassen Sie mich bei dieser Gelegenheit auf eine Persönlichkeit hinweisen, die den Löwenzahn zu einer ihrer Lieblingspflanzen erkor. Es ist dies der kurfürstlich hessische Leibarzt Dr. Johannes Kaempf, der sich der Verordnung pflanzlicher Heilmittel verschrieben hatte. Seine Abhandlung, die in zweiter Auflage 1780 in Leipzig herauskam, lautete: „Für Ärzte und Kranke bestimmte Abhandlungen einer neuen Methode, die Krankheiten des Unterleibes und der Hypochondrie zu heilen." KAEMPF legte besonderen Wert auf Klistiere, Darmeingießungen mit Kräuterabkochungen und sein noch heute verwendetes KAEMPFsches Klistier hat die Zusammenstellung: Löwenzahn, Cardobenediktenkraut, Erdrauch, Schafgarbe, Andorn, Kamillen und Königskerze. Man mischt diese Pflanzen zu gleichen Teilen, kocht davon 50 Gramm mit einer Handvoll Kleie und einem halben Liter Wasser bis herab zu einem viertel Liter. Die Klistiere werden täglich ein- bis dreimal, erst warm, später kühl verabreicht und das Ganze in immer längeren Abständen mehrere Monate lang fortgesetzt. Mit dem KAEMPFschen Klistier heilte man Leber- und Darmleiden und ich kenne viele, die es heute noch anwenden.

# Literatur

| | |
|---|---|
| BACKHAUS A. | Heilen ohne Pillen und Spritzen, Freiburg 1969 |
| BOHN W. | Die Heilwerte heimischer Pflanzen, Leipzig 1927 |
| CAESAR & LORETZ | Berichte, Halle/Saale 1935 |
| CORDEL W./PEYER W. | Das ärztliche Teerezept, D. A. V. Berlin 1933 |
| DAHN C. G. | Sinn und Unsinn in der Medizin, Dahn-Studio 1965 |
| DINAND A. P. | Handbuch der Pflanzenheilkunde, Eßlingen 1921 |
| ECKSTEIN F./FLAMM S. | Die Kneipp-Kräuterkur, Bad Wörishofen 1933 |
| FELLENBERG/ZIEGLER | Homöopathische Arzneimittellehre, Leipzig 1919 |
| FLAMM S./KROEBER L. | Rezeptbuch der Heilpflanzenkunde, Stuttgart 1934 |
| GESSNER O. | Die Gift- und Heilpflanzen Mitteleuropas, Heidelberg 1953 |
| HAGERs | Handbuch der Pharmazeutischen Praxis, Berlin |
| KAHNT K. | Phytotherapie, Berlin 1906 |
| KARL Jos. | Phythotherapie, München 1970 |
| KAISER E. | Paracelsus, Rowolt-Verlag Rembeck b. Hbg. 1967 |
| KEYSERLING A. | Geschichte der Denkstile, Wien 1968 |
| KROEBER L. | Das neuzeitliche Kräuterbuch Bd. I–III, Stuttgart 1937 |
| KÜNZLE J. | Chrut und Uchrut, Feldkirch 1924 |
| KÜNZLE J. | Kräuter-Atlas, Olten/Schweiz 1924 |
| LINDEMANN G. | Teerezepte, München 1973 |
| MARZELL Hch. | Neues illustriertes Kräuterbuch, Reutlingen 1923 |
| MARZELL Hch. | Bayerische Volksbotanik, München 1968 |
| MATTHIOLUS P. A. | New Kreutterbuch, Prag 1563 |
| NÖLDNER W. | Pflanzen unserer Heimat, Altona 1937 |
| RIPPERGER W. | Grundlagen zur praktischen Pflanzenheilkunde, Stuttgart 1937 |
| RÖMPP H. | Chemie-Lexikon, Stuttgart 1952 |
| SCHAUER Th./CASPARI C. | Pflanzenführer, München 1978 |
| SCHELLER E. F. | Die Kunst – jung zu bleiben, Stuttgart 1953 |
| SCHNEIDER E. | Nutze die heilkräftigen Pflanzen, Hamburg 1963 |
| SCHMITT L. | Fülle des Atems, München 1973 |
| STERNE C./ENDERES A. v. | Unsere Pflanzenwelt, Berlin 1953 |
| STRUGGER S./HÄRTL O. | Biologie I/Botanik, F. T. V. Frankfurt 1970 |
| SCHÜSSLER W./RINK W. | Eine abgekürzte Therapie, Hahnenklee 1965 |
| WEISS R. F. | Lehrbuch der Phytotherapie, Stuttgart 1974 |
| WINKELMANN W. | Die Wirkstoffe unserer Heilpflanzen, Olten/Schweiz 1951 |
| ZEDKIN/SCHALDACH | Wörterbuch der Medizin, dtv Stuttgart 1974 |

# Sachregister

# Vorankündigung

Hans Funke
## Die Welt der Heilpflanzen
**Band 2: Monografien**

1981. Ca. 250 Seiten mit zahlreichen Abbildungen, Kunststoffeinband. ISBN 3-7905-0322-3

**Vorbestellpreis bis 31. 12. 1980 DM 29.80. Ab 1. 1. 1981 DM 38,—**

# Standardwerke für Heilpraktiker

Fritz Rabe
## Berufskunde für Heilpraktiker

1978, 6. durchgesehene und erweiterte Auflage, herausgegeben im Auftrag der Deutschen Heilpraktikerschaft e. V., 264 Seiten, kartoniert, DM 22,—.
ISBN 3-7905-0289-9

Fritz Rabe
## Gerichtsentscheidungen zum Recht der Ausübung der Heilkunde ohne Approbation (Heilpraktiker)

1978, 308 Seiten, kartoniert, DM 29,80. ISBN 3-7905-0281-2

Hellmuth Schuckall / Rainer Schips
## Psychiatrie und Naturheilkunde

**Ein praxisorientiertes Buch für Mediziner und Naturheilkundler**

1975, 116 Seiten, kartoniert in Polyleinen, DM 22,—
ISBN 3-7905-0240-5

# Zum Thema Akupunktur

## Akupunktur und Moxibustion (Zhen Jiu)

Herausgegeben vom Gesundheitsamt der Provinz Hopei im Verlag für Volksgesundheit, Peking. Mit Genehmigung der Volksrepublik China nach dem chinesischen Original übersetzt von Johann Litschauer.

1975, 156 Seiten mit 73 Abbildungen, kartoniert in Polyleinen, DM 22,—
ISBN 3-7905-0216-2

August Brodde
## Ratschläge für den Akupunkteur

1976, 3., völlig neu bearbeitete, verbesserte und ergänzte Auflage, 80 Seiten mit 3 ausschlagbaren Tafeln und 10 Abbildungen, kartoniert in Polyleinen, DM 18,—
ISBN 3-7905-0256-1

Ernst und Paul Busse
## Akupunkturfibel
**Die Praxis der chinesischen Akupunkturlehre**

1976, 5., durchgesehene Auflage, 104 Seiten, 17 ausschlagbare Tafeln, Halbleinen, DM 30,—
ISBN 3-7905-0234-0

Leon Chaitow
## Schmerzbehandlung durch Akupunktur

1978, 160 Seiten, davon 63 Seiten Abbildungen, Format 21,6 x 28,4 cm. Gebunden in Polyleinen, DM 39,80
ISBN 3-7905-0282-0

Preisänderungen vorbehalten.

 **Pflaum Verlag** Lazarettstraße 4, 8000 München 19